La magia oscura

books4pocket

Christine Feehan

La magia oscura

Traducción de Rosa Arruti Illarramendi

EDICIONES URANO

Argentina - Chile - Colombia - España
Estados Unidos - México - Perú - Uruguay - Venezuela

Título original: *Dark Magic*
Copyright © 2000 by Christine Feehan

© de la traducción: Rosa Arruti Illarramendi
© 2006 by Ediciones Urano
        Aribau, 142, pral. – 08036 Barcelona
        www.edicionesurano.com
        www.books4pocket.com

1ª edición en books4pocket febrero 2011

Diseño de la colección: Opalworks
Imagen y diseño de portada : Lucrecia Demaestri

Impreso por Novoprint, S.A.
Energía 53
Sant Andreu de la Barca (Barcelona)

Fotocomposición: Books4pocket

ISBN : 978-84-92801-78-7
Depósito legal: B-1468-2011

Impreso en España – *Printed in Spain*

Este libro es para mi querida hermana, Renee Martinez.
Estás presente en todas las alegrías y penas de mi vida.
Nunca he tenido que ir en tu busca porque
sé que siempre estás ahí.
Si alguien en este mundo se merece una
verdadera pareja eterna, ésa eres tú...

Capítulo 1

La noche palpitaba repleta de latidos de innumerables personas. Se abrió camino sin ser visto, moviéndose inadvertido con la gracilidad fluida de un depredador de la jungla. Los olores de toda aquella gente penetraban con intensidad en sus orificios nasales. Perfume empalagoso. Sudor. Champús. Jabones. Alcohol. Drogas. SIDA. El aroma dulce e insidioso de la sangre. Esta ciudad estaba abarrotada. Ganado. Borregos. Presas. La ciudad era el terreno de caza perfecto.

Pero hoy se había alimentado bien, de modo que, aunque la sangre le susurrara, le tentara con promesas de fuerza y poder, arrebatos de sugerente excitación, se contuvo y no se entregó a sus anhelos. Después de tantos siglos recorriendo la tierra, sabía que aquellas promesas susurradas eran vacuas. Ya contaba con poder y fuerza enormes, y sabía que aquel ímpetu, si bien creaba adicción, era el mismo tipo de arrebato ilusorio que proporcionaban las drogas humanas.

El estadio de esta moderna ciudad era enorme, miles de personas se apretujaban en su interior. Pasó junto a los guardias sin vacilación, con la seguridad de saber que no podían detectar su presencia.

El espectáculo de magia, que combinaba proezas de escapismo, evasión y misterio, ya casi había acabado, y un murmullo de expectación, de aliento contenido, se había apoderado de la multitud. En el escenario, una inquietante columna de bruma se elevaba sobre el punto donde, un momento antes, la propia maga había estado de pie.

Se mezcló con las sombras, sin despegar su clara mirada plateada del escenario. Entonces ella surgió de la bruma: la fantasía de todo hombre, el sueño de todo hombre en noches tórridas y apasionadas. De satén y seda, mística, misteriosa, una mezcla de inocencia y seducción; se adelantó con la sutileza de una hechicera. Su melena negra azulada caía en cascadas ondulantes hasta la delgada cadera. El vestido de encaje victoriano que cubría su cuerpo recogía sus senos altos y plenos y moldeaba su estrecho torso y su cintura diminuta y comprimida. En la parte delantera del vestido, unos pequeños botones de nácar estaban desabrochados, desde el dobladillo hasta la cadera, revelando atisbos tentadores de unas piernas bien proporcionadas. Las gafas oscuras, sello característico, ocultaban sus ojos, pero atraían la atención a su boca sensual, sus dientes perfectos y pómulos clásicos.

Savannah Dubrinsky, una de las magas más famosas del mundo.

Él había soportado casi mil años de negro vacío. Sin dicha, sin ira, sin deseo. Sin emociones. Nada aparte de la bestia agazapada, hambrienta, insaciable. Nada aparte de la oscuridad creciente, la mancha que se expandía por su alma. Deslizó su mirada clara sobre la figura menuda y perfecta, y la necesidad le golpeó con fuerza. Dura. Desagradable. Dolorosa. Su cuerpo se inflamó consumido por el ansia, se endureció con cada músculo en tensión. Dobló poco a poco los dedos sobre el respaldo de un asiento del estadio y los clavó a fondo, dejando impresiones visibles de la mano de un hombre en el metal. La transpiración marcaba de gotas su frente, y él permitió que el dolor le invadiera y le atravesara. Lo saboreó. Sentía.

Su cuerpo no sólo la deseaba, exigía tenerla, ardía en deseo por ella. La bestia alzó la cabeza y la observó, la marcó y la reclamó. El ansia creció de súbito, de modo peligroso, con ferocidad. En el escenario, dos asistentes empezaron a encadenar a Savannah, tocando con sus manos su suave piel, rozándola con sus cuerpos. Un grave rugido retumbó gutural y sus ojos pálidos relumbraron con un rojo salvaje. En ese momento, un millar de años de autocontrol ardieron en llamas y liberaron a un peligroso depredador. Nadie se encontraba a salvo, mortal o inmortal, y él lo sabía.

En el escenario, Savannah alzó la cabeza y la volvió a un lado y a otro como si intuyera el peligro, como un pequeño cervatillo enredado en una trampa y descubierto.

Sus entrañas se contrajeron con furor. *Sentimientos*. Un oscuro deseo. Deseo puro y duro. Una primitiva y severa necesidad de poseer. Cerró los ojos y tomó aire con brusquedad. Olía el temor de ella, algo que le complació. Después de haberse considerado perdido para toda la eternidad, no le importaba que ahora la intensidad de sus sentimientos rozara la violencia. Eran genuinos. Notó la dicha de la capacidad de sentir, por peligrosa que fuera. No importaba que él la hubiera marcado de forma injusta, que ella no le perteneciera legítimamente, que él hubiera manipulado el resultado de su unión incluso antes de que ella naciera, que él hubiera quebrantado las leyes de su pueblo con el propósito de poseerla. Nada de eso importaba. Sólo importaba que por fin ella era suya.

Percibió la exploración que llevaba a cabo la mente de Savannah; le rozó como las alas de una hermosa mariposa.

Pero él era un anciano, poderoso y sabio, que sobrepasaba las fronteras de este planeta. Los de su propia especie hablaban en murmullos para referirse a él, susurros de admiración, de miedo y terror. *El Taciturno*. Pese a la premonición de peligro, Savannah no tenía posibilidades de descubrirle hasta que él lo permitiera.

Retrajo los labios con un gruñido silencioso cuando el rubio ayudante se inclinó sobre Savannah para pasarle la mano por el rostro y depositar un beso en su frente antes de encerrarla, esposada y encadenada, en el interior de una cámara de acero. Sus colmillos estallaron en su boca y la bestia contempló al hombre con la mirada fría e impasible del asesino. Se concentró de manera deliberada en la garganta del joven rubio y le dejó sentir, sólo por un momento, la agonía de la estrangulación. El hombre se agarró la garganta y dio un traspiés, luego se recuperó y llenó de aire sus pulmones. Dio una rápida y nerviosa mirada a su alrededor, en un vano intento de descubrir algo entre el público. Respirando aún con dificultad lleno de alarma, se volvió para ayudar a bajar la cámara al interior de un cubículo repleto de agua.

El depredador invisible lanzó su advertencia con un rugido casi imperceptible, un sonido amenazador que sólo el rubio alcanzó a oír. El hombre sobre el escenario empalideció de manera visible y balbució algo al otro asistente, quien negó deprisa con la cabeza, con un leve ceño en la frente.

Aunque el retorno de los sentimientos llenaba al anciano de una dicha indescriptible, su pérdida de control era peligrosa, incluso para él. Dio la espalda a la actuación y se dispuso a salir del estadio, sintiendo dolor a cada paso que le alejaba de Savannah. De todos modos, aceptaba el dolor, se deleitaba en la capacidad de sentirlo.

Sus primeros cientos de años habían sido una orgía desenfrenada de emociones, sensaciones, poder, deseos... incluso bondad. Pero poco a poco, sin dar tregua, la oscuridad que ponía en peligro el alma de todo carpatiano sin pareja en la vida le había ido invadiendo. Las emociones se desvanecieron, los colores desaparecieron, hasta que se limitó a existir, sin más. Experimentaba, descubría conocimientos y poder, y pagaba un precio por ello. Se alimentaba, cazaba, mataba cuando lo consideraba oportuno. Y siempre, la oscuridad que se volvía más densa y amenazaba con mancillar su alma para siempre, con convertirle en uno de los malditos, uno de los no muertos.

Ella era inocente. En ella había risa, compasión, bondad. Era la luz para su oscuridad. Una sonrisa amarga curvó su boca sensual, dándole un toque de crueldad, y sus músculos marcados y nervudos se tensaron. Se echó hacia atrás la espesa melena negra azabache que llegaba hasta los hombros. Su rostro adoptó la expresión dura y despiadada propia de él. Sus ojos pálidos, que tanto atraían a los mortales, cautivándolos y embelesándolos, se transformaron en los ojos de la muerte, una incisión plateada de frío acero.

Incluso a cierta distancia, sintió el aplauso atronador que hizo temblar el suelo, el rugido de aprobación que indicaba la evasión de Savannah de la cámara inundada. Se mezcló con la noche, como una sombra siniestra imposible de detectar ni por humanos ni por los miembros de su especie. Tenía la paciencia de la mismísima tierra, su quietud era la de las montañas. Permaneció inmóvil en medio del delirio de las multitudes alborotadas que salían en tropel del estadio para sacar sus coches del aparcamiento, provocando el inevitable atasco. En todo momento sabía dónde se encontraba ella; se había asegurado de establecer un vínculo cuando no era más que una niña. Y ahora ni siquiera la muerte podría romper la unión forjada entre ellos. Savannah había interpuesto un océano entre los dos, había huido a la tierra natal de su madre, América, y en su inocencia se había creído segura.

El paso del tiempo significaba poco para él. Al final, los sonidos de los coches y de la gente se desvanecieron, y las luces se fueron apagando a su alrededor, dejando la noche para él. Inspiró hondo y se embebió del aroma de Savannah. Se desentumeció, como haría una pantera acosando a su presa. Alcanzó a oír su suave risa, grave, musical e inolvidable. Estaba hablando con el asistente rubio, supervisando el embalaje de la utilería para cargarla en los camiones. Aunque los dos aún se encontraban en el edificio, a gran distancia de él, podía escuchar su conversación sin esfuerzo.

—Qué contenta estoy de que la gira haya acabado por fin. —Savannah deambuló perezosa tras los últimos tramoyistas que iban hasta la plataforma de carga, se sentó en las escaleras y observó a los hombres que levantaban la cámara de acero hasta meterla en el enorme camión—. ¿Hemos ganado tanto dinero como pensabas? —Se burló afable de su ayudante. Los dos sabían que a ella no le importaba el dinero y que nunca prestaba la menor atención al aspecto financiero de las cosas. Sin Peter Sanders para ocuparse de todos los detalles, lo más probable es que estuviera arruinada del todo.

—Más de lo que pensábamos. Podemos decir que ha sido un éxito. —Peter le dedicó una sonrisa—. Se supone que San Francisco es una ciudad fabulosa, ¿por qué no nos tomamos un descanso aquí? Podríamos hacer el turista: tranvías, el Golden Gate, Alcatraz. No podemos dejar pasar esta oportunidad, tal vez nunca volvamos por aquí.

—No cuentes conmigo —declinó Savannah irguiéndose un poco mientras Peter se apresuraba a sentarse en el escalón a su lado—. Lo que quiero es dormir a pierna suelta. Ya me lo contarás.

—Savannah... —Peter suspiró ruidosamente—. Te estoy invitando a salir.

Ella se sentó recta, se quitó las gafas oscuras y le miró a la cara. Sus ojos, orlados de espesas y largas pestañas oscuras, eran de un azul intenso, casi violeta, con extraños fragmentos plateados que, como si fueran estrellas, irradiaba desde el centro. Igual que siempre, cuando ella le miraba de frente, Peter sentía una peculiar desorientación, como si se estuviera cayendo o ahogando, perdido en las estrellas relucientes de sus ojos.

—Oh, Peter. —Su voz sonaba queda, musical, cautivadora. Era una de las cosas que la había llevado tan rápido al estrellato. Podía captar la atención del público sin esfuerzo, sólo con su voz—. Todo ese atractivo sexual y coqueteo en el espectáculo no es más que una actuación. Somos amigos y trabajamos juntos, y eso es lo más importante para mí. Cuando era pequeña, lo más parecido que tuve a un amigo de verdad fue un lobo. —No añadió que seguía pensando a diario en ese lobo—. No tengo intención de poner en peligro una relación tan valiosa para mí por intentar convertirla en otra cosa.

Peter pestañeó y sacudió la cabeza para aclararse un poco. Siempre sonaba tan terriblemente lógica, tan convencida. Cada vez que ella le miraba, era imposible discrepar de alguna de las cosas que decía. Le arrebataría la voluntad con la misma facilidad con la que le quitaba el aliento.

—¿Un lobo? Pero ¿un lobo de verdad?

Ella hizo un gesto de asentimiento.

—Cuando era más pequeña, vivíamos en una parte muy remota de los Cárpatos. No había niños con los que jugar. Un día, un pequeño lobezno salió deambulando del bosque próximo a nuestra casa. Y a partir de entonces venía a jugar conmigo cada vez que yo estaba sola. —En su voz se detectaba cierta pena al pensar en su amigo perdido—. Parecía saber cuándo le necesitaba, así de sencillo, cuándo estaba yo triste o me sentía sola. Siempre era manso. Incluso en la época en que echó los dientes, me mordió poquísimas veces. —Se frotó el brazo recordando y marcó los puntos con los dedos, con una caricia inconsciente—. A medida que él crecía, se convirtió en mi fiel compañero; éramos inseparables. Nunca tenía miedo en el bosque porque él siempre estaba ahí para protegerme. Era enorme, con pelaje lustroso y unos inteligentes ojos grises que me miraban como si me entendieran. A veces, tenía un aspecto tan solemne que daba la impresión de cargar con el peso del mundo sobre su lomo. Cuando tomé la decisión de venir a América, fue duro dejar a mis padres, pero me rompió el corazón dejar a mi lobo. Antes de la partida, pasé tres noches llorando, abrazada a su cuello. Él no se movió ni un instante, como si entendiera y sintiera también pena. Si hubiera existido alguna manera, lo habría traído conmigo. Pero necesitaba ser libre.

—¿Me cuentas la verdad? ¿Un auténtico lobo? —preguntó Peter con incredulidad. Aunque creía a Savannah capaz de domesticar con facilidad a un hombre o un animal, le desconcertaba el comportamiento de la fiera—. Pensaba que los lobos eran huraños con la gente. No es que haya visto muchos, al menos no de la variedad que anda a cuatro patas.

Ella le lanzó una rápida sonrisa.

—Era enorme y podía ser muy feroz, pero mi lobo era cualquier cosa menos huraño conmigo. Por supuesto, nunca estaba con otras personas, ni siquiera con mis padres. Si se acercaba alguien, volvía trotando hasta los árboles. No obstante, se quedaba observando desde lejos para asegurarse de que yo me encontraba a salvo. Yo veía sus ojos reluciendo en el bosque, observando, y eso hacía que me sintiera a salvo.

Al caer Peter en la cuenta de que, una vez más, había permitido que ella le distrajera, apartó adrede la mirada de Savannah y apretó los puños con determinación.

—No es natural la manera en que vives, Savannah. Te aíslas y no te permites ninguna relación más personal.

—Somos buenos amigos —comentó con amabilidad—. Te tengo mucho aprecio, Peter, eres un hermano para mí. Siempre he querido tener un hermano.

—No, Savannah. Ni siquiera nos das una oportunidad. Y ¿a quién más tienes en tu vida? Yo soy tu acompañante cuando hay que ir a fiestas o dar entrevistas. Superviso la contabilidad y organizo las contrataciones, y también me ocupo de pagar las facturas. Lo único que no hago es dormir contigo.

Un grave gruñido retumbó a través de la noche como señal de advertencia, provocando en Peter un escalofrío que le recorrió la columna. Savannah alzó la cabeza y miró a su alrededor con cautela. Peter se puso en pie y se quedó mirando los camiones que se alejaban de la plataforma de carga.

—¿Has oído eso? —Tendió una mano a Savannah para ayudarla a ponerse en pie, sin dejar de escudriñar cada rincón con ojos frenéticos—. No te lo he contado, pero durante la actuación ha sucedido una cosa de lo más extraña. Después de que te metiera en la cámara, se me obstruyó la garganta. Era como si alguien me rodeara el cuello con sus manos, alguien muy poderoso. Noté una rabia asesina dirigida contra mí. —Se pasó una mano por el pelo y se rió nervioso—. Qué imaginación tan tonta, lo sé. Pero he oído exactamente ese mismo gruñido en mi cabeza. Es una locura, Savannah, pero me sentí como si me advirtieran de que me apartara de ti.

—¿Por qué no me has dicho nada? —quiso saber con temor en los ojos. Sin previo aviso, las luces de la zona de carga parpadearon y se apagaron dejándoles en la más completa oscuridad. Savannah se cogió con más fuerza a la mano de Peter, y él tuvo la impresión clara de que les observaban, incluso de que les acechaban. Tenía el coche a cierta distancia y el aparcamiento estaba sumido en la negrura. ¿Dónde estaban los guardias de seguridad?

—Peter, tenemos que salir de aquí. Si te digo que corras, hazlo, y no mires atrás, pase lo que pase. —Su voz sonaba grave y persuasiva, tanto que él pensó por un momento que haría cualquier cosa por complacerla. Pero el cuerpo menudo de Savannah temblaba tan próximo a él, y al final ganó la caballerosidad.

—Quédate a mi lado, cielo. Esto me da mala espina —advirtió Peter. Como sucedía con todas las celebridades, Savannah no se libraba de padecer amenazas y acosos. Valía unos cuantos millones, por no hablar de la imagen sexy y voluptuosa que emanaba. Savannah tenía un extraño efecto hipnótico sobre los hombres, como si su recuerdo les persiguiera durante toda la eternidad.

Savannah soltó un grito de advertencia un instante antes de que algo golpeara a Peter con fuerza en el pecho, dejándole sin aliento y soltándoles las manos. Peter resopló con el pecho ardiendo, sintiéndose como si una tonelada de ladrillos le hubiera aplastado. Miró a Savannah a los ojos y vio el terror que había en ellos. Algo de una fuerza enorme le atrapó entonces y le arrojó diez metros hacia atrás, desencaján-

dole el brazo y rompiendo sus huesos como si fueran ramitas. Gritó al notar un aliento caliente en su cuello.

Savannah susurró su nombre y recorrió de un salto la distancia que les separaba para arrojarse contra el atacante. Reci-
bió un puñetazo en la cara tan fuerte que la lanzó como una
muñeca de trapo desde la plataforma de carga al aparcamiento
de asfalto. Aunque se retorció en el aire con agilidad y aterrizó
sobre sus pies como un gato, sentía un pitido en la cabeza y
unos puntos blancos danzaban ante sus ojos. Antes de que pudiera recuperarse, la bestia que había atacado a Peter ya había
clavado sus colmillos en la garganta de su amigo para desga-
rrarlo y despedazarlo, y a continuación se ponía a tragar la
abundante sangre que manaba a chorros de la terrible herida.
Peter consiguió volver la cabeza hacia el agresor, esperando ver
un lobo o al menos un perro enorme. Unos centelleantes ojos
rojos le miraban malvados desde un blanco rostro esquelético.
Peter murió lleno de terror, atormentado por el miedo y la culpabilidad por no haber sido capaz de proteger a Savannah.

Con un siseo grave y venenoso, la criatura arrojó a un
lado el cuerpo de Peter, que aterrizó a escasa distancia de Savannah formando un charco de sangre que se extendió poco
a poco sobre el asfalto. La bestia alzó la cabeza y se volvió hacia ella, con una horrible mueca triunfal que reveló la punzante dentadura.

Savannah retrocedió, con el corazón desbocado de miedo. El sufrimiento la invadió con tal brusquedad que por un
momento no pudo respirar. *Peter*. Su primer amigo humano
en todos sus veintitrés años. Muerto por su causa.

Contempló al demacrado desconocido que le había asesinado. La sangre de Peter manchaba su rostro y también
sus dientes. De un modo obsceno, sacó la lengua para rela-

mer las manchas rojas de los labios. Su mirada incendiaria se burlaba de ella.

—Yo te he encontrado primero. Sabía que lo conseguiría.

—¿Por qué le has matado? —Había horror en su voz.

Él se rió y se lanzó al aire para aterrizar a poca distancia de ella.

—Deberías intentarlo alguna vez: todo ese miedo inunda el riego sanguíneo de adrenalina. No hay nada igual. Me gusta que me miren, que sepan que llega el momento.

—¿Qué quieres? —En ningún momento Savannah apartó la mirada ni la mente de él; su cuerpo seguía quieto y preparado, perfectamente en equilibrio.

—Voy a ser tu esposo. Tu pareja eterna. —En su voz había una sólida amenaza—. Tu padre, el gran Mijail Dubrinsky, tendrá que retirar la pena de muerte que me impuso. El largo brazo de su justicia no llega hasta San Francisco, ¿verdad?

Ella alzó la barbilla.

—Y ¿si digo que no?

—Entonces lo haré a las malas. Tal vez sea divertido, un cambio después de todas esas mujeres humanas tan tontas, marionetas, que me ruegan para que las complazca.

Su depravación provocó náuseas en Savannah.

—No te ruegan. Suprimes su voluntad. Es la única manera de que consigas una mujer. —Puso en su voz todo el asco y desprecio de que fue capaz.

La fea sonrisa se desvaneció de sus rasgos huecos, dejándole como una fea caricatura de un hombre, una criatura surgida de las mismísimas entrañas del infierno. Soltó un prolongado siseo.

—Pagarás esta falta de respeto. —Se lanzó hacia ella.

Una sombra oscura surgió de la noche: músculos de acero tensos debajo de una elegante camisa de seda. La sombra se deslizó hasta situarse ante Savannah como un escudo, obligándola a quedarse detrás de él. Una gran mano le rozó el rostro donde el asaltante le había golpeado. El contacto fue breve pero de una ternura increíble, y el roce momentáneo pareció llevarse el dolor cuando los dedos del recién llegado se apartaron de su piel. Sus ojos pálidos, plateados, atravesaron entonces a la criatura esquelética.

—Buenas noches, Roberto. Ya veo que has cenado bien. —La voz era agradable, refinada, tranquilizadora e incluso hipnótica.

Savannah contuvo un sollozo. Al instante notó una agitación en su mente, una oleada de calor, la sensación de que unos brazos la estrechaban con suma protección.

—Gregori —gruñó Roberto, y sus ojos relucieron con su ansia de sangre—. He oído rumores sobre el peligroso Gregori, el Taciturno, el coco de los carpatianos. Pero yo no te tengo miedo. —No eran más que bravatas, todos lo sabían bien: en esos momentos la mente del monstruo buscaba frenéticamente una escapada.

Gregori sonrió con un leve gesto sin humor que tensó sus labios y aportó un brillo distintivamente cruel a sus ojos.

—Es obvio que nunca has aprendido a tener modales en la mesa. En tantísimos años, Roberto, ¿qué más cosas has olvidado aprender?

A Roberto se le escapó un largo y lento siseo. Su cabeza empezó a ondular lentamente de un lado a otro y se le alargaron las uñas hasta convertirse en garras afiladísimas.

Cuando ataque, Savannah, te irás de aquí. Fue una orden imperiosa que oyó en su cabeza.

Es a mi amigo a quien ha matado, a mí a quien amenazaba. Iba contra sus principios permitir que otra persona librara sus batallas y que tal vez acabara herido o muerto en su lugar. No se paró a pensar por qué era tan fácil y natural hablar con Gregori, el más temido de los carpatianos ancianos, a través de una vía mental que no era la vía habitual de comunicación entre los de su especie.

Vas a hacer lo que yo te diga, ma petite. Pronunció aquella orden en la mente de Savannah con aquel mismo tono calmado que trasmitía innegable autoridad. Ella tomó aliento, sin atreverse a desafiarle. Roberto podía pensar que era capaz de enfrentarse a un carpatiano tan poderoso como Gregori, pero Savannah sabía que ella no iba a hacerlo. Era joven, una novata en las artes de su pueblo.

—No tienes derecho a interferir, Gregori —soltó Roberto y sonó como un chico malcriado y petulante—. Nadie la ha reclamado.

Los pálidos ojos de Gregori se estrecharon hasta formar una rendija de fría plata.

—Ella es mía, Roberto. Ya la reclamé hace muchos años. Es mi pareja de vida.

Roberto dio un paso cauto hacia la izquierda.

—No ha habido aceptación oficial de esa unión. Yo voy a matarte, y ella me pertenecerá.

—Lo que has hecho hoy aquí es un crimen contra la humanidad. Lo que quieres hacer a mi mujer es un crimen contra nuestro pueblo, contra nuestras preciadas mujeres, y contra mí personalmente. La justicia sí te ha seguido hasta San Francisco, para ejecutar la sentencia que nuestro príncipe

Mihail dictó contra ti. Sólo por el golpe que has propinado antes a mi pareja ya te has ganado tu destino. —Gregori nunca levantaba la voz; su sonrisa débil y burlona nunca se borraba.

Márchate, Savannah.

No permitiré que te haga daño siendo a mí a quien busca.

La suave risa de Gregori reverberó en su cabeza. *No hay posibilidades de eso,* ma petite. *Ahora haz lo que te digo y márchate.* Quería que ella se fuera antes de darle tiempo a presenciar la destrucción maquinal del ser abominable que se atrevía a pegar a una mujer. Su mujer. Savannah ya le temía bastante.

—Voy a matarte —dijo Roberto en voz alta, poniéndose bravucón para levantarse el ánimo.

—Entonces no me queda otro remedio que dejar que lo intentes —respondió Gregori complaciente. Su voz descendió una octava, se volvió hipnótica—. Eres lento, Roberto, lento y torpe, y demasiado incompetente como para enfrentarte a alguien con mi destreza. —Su voz era cruel y ligeramente burlona.

Era imposible evitar escuchar la cadencia de la voz de Gregori. Se abría camino hasta el cerebro y nublaba la mente. De todos modos, Roberto, embriagado y enérgico tras el asesinato reciente, lleno de ansia y necesidad de conquista, se lanzó contra Gregori.

Gregori ya no estaba allí, así de sencillo. Había empujado a Savannah lo más lejos posible de ellos y, con una velocidad borrosa, marcó desdeñosamente el rostro de Roberto con cuatro surcos profundos, en el mismo lugar exacto en que estaba marcada la cara de Savannah.

La suave risa burlona de Gregori provocó en Savannah un escalofrío que descendió por su columna. Oyó los sonidos de la batalla, los gemidos de dolor, mientras Gregori hacía pedazos a Roberto con frialdad, implacable y despiadado. La pérdida de sangre fue debilitando a la criatura inferior. Comparado con Gregori, era lento y torpe.

Savannah se llevó los puños a la boca y retrocedió varios pasos, pero no podía apartar los ojos del duro rostro de Gregori. Era una máscara implacable, con su leve sonrisa burlona y los ojos pálidos de muerte. En ningún momento cambiaba de expresión. Su ataque fue la cosa más fría y cruel que jamás había presenciado. Cada incisión premeditada contribuía a debilitar a Roberto, hasta que quedó cubierto literalmente por un millar de cortes. Roberto no fue capaz de ponerle la mano encima a Gregori ni tan sólo una vez, ni hacerle tan sólo un rasguño. Era evidente que Roberto no tenía posibilidad alguna, que en cualquier momento Gregori daría el golpe de gracia.

Savannah miró a Peter, sin vida sobre el asfalto. Había sido un gran amigo. Le había querido como a un hermano, y ahora yacía muerto, sin ningún sentido. Savannah huyó finalmente por el aparcamiento llena de horror y se refugió entre los árboles que lo bordeaban. Se echó al suelo. Oh, Peter. Esto era culpa suya. Ella pensaba que había dejado atrás el mundo de los vampiros y los carpatianos. Bajó la cabeza pues su estómago revuelto protestaba por la fría brutalidad de ese mundo. Ella no era como estas criaturas, y las lágrimas se enredaron en sus pestañas para surcar a continuación su rostro.

De repente un rayo crepitó y danzó a través del cielo como un latigazo blanco azulado. Un relumbre naranja acompañó enseguida el chisporroteo de unas llamas. Savannah se tapó la cara con las manos pues sabía que Gregori estaba destruyendo por completo el cuerpo de Roberto. Su corazón y sangre mancillada quedaron reducidos a cenizas; era necesario asegurarse de que el vampiro no volvía a levantarse nunca más. Y era imprescindible que ningún carpatiano, ni siquiera uno transformado en vampiro, fuera sometido a una autopsia a manos de un médico humano. La prueba física de su existencia en poder de los humanos podría resultar peligrosa para toda su raza. Cerró los ojos con fuerza e intentó bloquear el olor a carne quemada. Peter también tendría que ser incinerado para ocultar la terrible herida abierta en su garganta, prueba de la presencia del vampiro.

Notó una leve agitación en el aire a su lado. Entonces los dedos de Gregori le cogieron el brazo para ayudarla a ponerse en pie. Así tan cerca parecía incluso más poderoso, del todo invencible. La rodeó por los hombros y la atrajo contra la sólida pared de su pecho. Tocó con su pulgar las lágrimas que corrían por su rostro y, con la barbilla, le rozó la parte superior de la cabeza.

—Lamento no haber llegado a tiempo de salvar a tu amigo. Para cuando me percaté de la presencia del vampiro, ya le había golpeado. —No añadió que había estado demasiado ocupado redescubriendo emociones e intentando dominarlas como para percibir de inmediato la presencia de Roberto. Era su primer desliz en un millar de años, y no estaba preparado para analizar muy a fondo el motivo. ¿Culpabilidad, tal vez, por la química manipulada que compartía con Savannah?

La mente de Savannah le rozó y encontró en Gregori un sincero pesar por la pena que ella sentía.

—¿Cómo me has encontrado?

—Siempre sé dónde estás, en cada momento. Hace cinco años dijiste que necesitabas tiempo, y te lo concedí. Pero nunca te he dejado. Nunca lo haré. —Sus palabras sonaban amables pero irrevocables; reverberaban con el eco de la resolución en su mente.

El corazón de Savannah sufrió un bandazo.

—No hagas esto, Gregori. Sabes cómo me siento. Me he creado una vida propia.

Con delicadeza, él le pasó la mano por el pelo y provocó un cosquilleo nervioso en su estómago.

—No puedes cambiar quién eres. Eres mi pareja de vida, y es hora de que vengas conmigo. —Su voz transmitía una coacción suave como terciopelo cuando susurraba *pareja*, lo cual reforzaba su manipulación de la naturaleza. Cuanto más lo decía, más lo creía Savannah. Era cierto, de pronto él veía en colores y sentía emociones porque había encontrado a su compañera, pero Gregori también sabía que, antes de que ella naciera, él había programado su química para ser compatibles; Savannah nunca había tenido oportunidad alguna.

Se mordió su carnoso labio inferior llena de agitación.

—No puedes llevarme en contra de mi voluntad, Gregori. Va en contra de nuestras leyes.

Él inclinó su cabeza morena, y entonces su cálido aliento provocó un escalofrío de calor que se desenrolló en la boca de su estómago.

—Savannah, ahora me vas a acompañar.

Ella alzó la cabeza y su cabello negro azulado cayó formando cascadas en todas las direcciones.

—No, soy lo más próximo a una familia que tenía Peter. Me ocuparé primero de organizar lo necesario para su funeral, después discutiremos lo nuestro. —Se retorcía las manos sin ser consciente de hacerlo, lo cual traicionaba lo nerviosa que él la ponía.

Gregori cubrió sus manos con la suya de mayor tamaño y detuvo el movimiento desesperado de sus dedos.

—No piensas con claridad, *ma petite*. No podemos permitir que te encuentren en la escena del crimen. No podrás dar ninguna explicación racional sobre lo que ha sucedido aquí. He dispuesto las cosas para que cuando encuentren e identifiquen el cuerpo, no recaiga ninguna sospecha sobre ti o sobre nuestra gente.

Ella inspiró hondo, detestaba reconocer que tenía razón. No podían atraer atención alguna sobre su especie. Le gustara o no, era así.

—No voy a ir contigo.

Sus dientes blancos le sonrieron relucientes con la sonrisa de un predador.

—Puedes intentar desafiarme en esto, Savannah, si crees que es lo que debes hacer.

Ella entró en contacto con la mente de Gregori. Diversión masculina, resolución implacable, calma absoluta. Nada le alteraba. Ni la muerte, mucho menos su desafío.

—Llamaré a seguridad —amenazó ella con desesperación.

La inmaculada dentadura blanca volvió a centellear. Los ojos plateados relumbraron.

—¿Quieres que antes les libere de las órdenes que les di?

Ella cerró los ojos, temblando todavía de conmoción y miedo.

—No, no. No hagas eso —susurró derrotada.

Gregori estudió el sufrimiento tan transparente en su rostro. Notó una especie de sacudida en su corazón, algo irreconocible para él pero fuerte de todos modos.

—En un par de horas empezará a amanecer. Tenemos que largarnos de aquí.

—No voy a ir contigo —insistió ella con obstinación.

—Si tu orgullo te dicta enfrentarte a mí, puedes intentarlo. —Su voz, con aquella cadencia y formalidad tan anticuadas era casi tierna.

Los ojos de Savannah se obscurecieron hasta adoptar un tono púrpura.

—¡No necesito que me des permiso! Soy la hija de Mijail y Raven, una carpatiana como tú y no carezco de mis propios poderes. ¡Tengo derecho a elegir!

—Si te complace pensar de ese modo. —Rodeó con facilidad su delgada muñeca. La agarró con delicadeza, pero ella notó su enorme poderío. Savannah estiró con fuerza para poner a prueba su firmeza. Gregori no dio muestras de notar sus esfuerzos.

—¿Quieres que haga que esto te resulte más fácil? Tu miedo es innecesario. —Su voz hipnotizadora era de una ternura increíble.

—¡No! —Su corazón latía con fuerza en el pecho—. No me controles la mente, no me conviertas en un títere. —Sabía que él tenía poder suficiente para hacerlo, y eso la aterrorizaba.

Gregori le cogió con firmeza la barbilla con dos dedos y la inclinó hacia arriba para poder capturar sus ojos con su mirada plateada.

—No hay peligro de una atrocidad de ese tipo. No soy un vampiro. Soy carpatiano, y tú eres mi pareja. Te protegeré con mi vida; siempre me ocuparé de tu felicidad.

Ella respiró hondo intentando recuperar el control; luego exhaló despacio.

—No somos pareja. Yo no he escogido aún. —Se aferraba a ese hecho, su única esperanza.

—Podremos discutir eso en un momento más oportuno.

Ella asintió con cautela.

—Entonces nos veremos mañana.

La risa silenciosa de Gregori llenó la mente de Savannah: grave, divertida, de una masculinidad frustrante.

—Vas a venir conmigo ahora. —Su voz descendió una octava, se convirtió en miel caliente, persuasiva, cautivadora, tan hipnótica que era imposible oponerse.

Savannah dejó caer su frente contra los músculos del pecho de Gregori. Las lágrimas le ardían en sus ojos y garganta.

—Te tengo miedo, Gregori —admitió dolorosamente—. No puedo llevar la vida de una carpatiana. Soy como mi madre. Soy demasiado independiente, necesito mi propia vida.

—Conozco tus temores, *ma petite*. Conozco todos tus pensamientos. El vínculo entre nosotros es lo bastante fuerte como para atravesar océanos. Nos ocuparemos juntos de tus miedos.

—No puedo hacerlo. ¡No voy a hacerlo! —Savannah se agachó por debajo del brazo de Gregori, desdibujó su imagen y arrancó a correr con velocidad cegadora.

Pero por mucho que girara o fintara, por muy rápido que corriera y se echara a un lado, Gregori estaba con ella a cada paso de la carrera. Cuando por fin se agotó y se detuvo, se encontraba en el extremo más alejado del estadio, con el rostro surcado de lágrimas descontroladas. Gregori se encontraba a su lado, sólido, cálido, invencible, como si de verdad conociera todos sus pensamientos, cada movimiento suyo, antes de que lo hiciera.

Le rodeó la cintura con el brazo y la levantó por completo del suelo, pegada a él.

—Si te permito la libertad, te expongo al peligro de renegados como Roberto. —Por un momento bajó la cabeza para enterrar el rostro en la espesa masa del sedoso pelo de Savannah. Entonces, sin aviso previo, se lanzó al aire como un gran pájaro de fuerza enorme, con el pequeño cuerpo de Savannah pegado con fuerza a él.

Ella cerró los ojos y permitió que la pena por Peter la consumiera, para bloquear toda conciencia de la criatura que atravesaba el cielo con ella para llevarla hasta su guarida. Se agarró con fuerza a los gruesos músculos de acero. El viento transportó el sonido de sus sollozos hasta las estrellas y sus lágrimas relumbraron como joyas en la noche.

Gregori sentía aquel dolor como si fuera suyo. Las lágrimas de Savannah le conmovieron cuando nada más lo hacía. Exploró con su mente el caos de ella y encontró un dolor abrumador y un terrible miedo de él. La envolvió intencionadamente con su calor y consuelo y rozó su mente para calmar sus nervios.

Savannah abrió los ojos y se encontró fuera de la ciudad, en lo alto de las montañas. Gregori la dejó con delicadeza sobre los escalones de una enorme casa llena de recovecos. Pasó junto a ella para abrir la puerta; luego se apartó con cortesía para dejarle paso.

Savannah se sintió pequeña y perdida, sabía que si ponía un pie en su guarida, estaría poniendo su vida en manos de Gregori. Sus ojos centellearon con un fuego blanco azulado, como si hubieran capturado una estrella y la hubieran atrapado para siempre en sus profundidades. Alzando la barbilla con gesto desafiante, dio un paso hacia atrás hasta que la baranda del porche la detuvo.

—Me niego a entrar en tu casa.

Entonces oyó su risa, grave y divertida, y de un masculino que sacaba de quicio.

—Tu cuerpo y el mío han escogido por nosotros. No hay otro hombre para ti, Savannah. Ni ahora, ni nunca. Soy capaz de notar tus emociones cuando te rozan los hombres, humanos o carpatianos. Te repulsan, no puedes soportar su contacto. —Su voz se hizo aún más grave, una caricia de magia negra que parecía propagar calor por ella como si fuera lava fundida—. No sucede lo mismo cuando yo te toco, *ma petite*. Los dos lo sabemos. No lo niegues o me veré obligado a demostrarte lo que digo.

—Sólo tengo veintitrés años —indicó con desesperación—. Tú tienes siglos de edad. Yo no he vivido nada.

Él se encogió de hombros con gesto despreocupado, y todos sus músculos se ondularon, sin dejar de apartar sus ojos plateados de aquel rostro hermoso y ansioso.

—Así disfrutarás de las ventajas de mi experiencia.

—Gregori, por favor, intenta comprender. No me amas. No me conoces. No soy como las demás mujeres carpatianas y no quiero ser una yegua de cría para mi raza. No puedo ser tu prisionera, por más que me mimes y consientas.

Él se rió en voz baja e hizo un ademán desdeñoso en el espacio que les separaba.

—Es verdad que eres joven, pequeña, si de verdad crees lo que dices. —Había una amabilidad en su voz que le ganó el corazón pese a todos sus temores—. ¿Es tu madre una prisionera?

—Mis padres son diferentes. Mi padre quiere a mi madre. De todos modos, a veces pasaría por alto sus derechos si pudiera. Una jaula dorada sigue siendo una jaula, Gregori.

Otra vez ese divertimento que daba calidez al frío acero de sus ojos. Savannah notó que su mal humor iba en aumento. Sentía una necesidad casi incontrolable de abofetearle. La sonrisa de él se ensanchó con un sutil desafío. Gregori indicó la puerta abierta.

Ella soltó una risa forzada.

—Podemos quedarnos aquí hasta el amanecer; yo estoy dispuesta... ¿y tú?

Gregori apoyó la cadera en la pared con aire perezoso.

—¿Crees que puedes desafiarme?

—No puedes obligarme a hacer algo contra mi voluntad sin violar nuestras leyes.

—En todos mis siglos de existencia, ¿crees que nunca he quebrantado nuestras leyes? —Su suave risa carecía de humor—. Las cosas que he hecho convierten tu secuestro en algo tan nimio como el delito humano de cruzar la calzada de forma imprudente.

—No obstante hiciste justicia con Roberto, pese a que San Francisco es el territorio de caza de Aidan Savage —indicó ella mencionando a otro poderoso carpatiano que perseguía y destruía a los suyos que se volvían vampiros—. ¿Has hecho eso por mí?

—Eres mi pareja eterna, eres la única cosa que se interpone entre yo y la destrucción de mortales e inmortales por igual. —Lo manifestó con calma, sonó como una verdad absoluta—. Nadie va a tocarte o intentar entrometerse entre nosotros y seguir con vida. Él te golpeó, Savannah.

—Mi padre...

Gregori sacudía la cabeza.

—No intentes meter a tu padre en esto, *cherie*, aunque Mijail sea el príncipe de nuestro pueblo. Esto es entre tú y yo.

No quieres una guerra, ¿verdad? Roberto te ha pegado, y eso es razón suficiente para que muriera.

Ella volvió a tocarle la mente. No había rabia. Sólo determinación. Hablaba en serio. No era ningún farol ni intentaba asustarla. Quería la verdad entre ellos. Savannah se apretó el dorso de la mano contra la boca. Siempre había sabido que llegaría este momento.

—Lo siento Gregori —susurró con desesperanza—. No puedo ser como tú quieres. Elegiré enfrentarme al amanecer.

Gregori rozó su rostro con increíble delicadeza.

—No tienes ni idea de lo que quiero de ti. —Le cogió el rostro entre las manos mientras acariciaba con los pulgares la piel de satén que cubría el pulso frenético de su garganta—. Sabes que no puedo permitirte elegir eso, *ma petite*. Podemos comentar esos temores tuyos. Ven adentro conmigo. —Su mente estaba invadiendo la de Savannah con una seducción cálida y dulce. Sus ojos, tan claros y fríos, se llenaron de calor hasta convertirse en un mercurio fundido que pareció quemar la mente de ella, poniendo en peligro su voluntad.

Savannah clavó los dedos en la baranda, pues sentía que se ahogaba en el caliente líquido.

—¡Detente, Gregori! —gritó con brusquedad, decidida a romper su dominio mental. Era un dulce tormento, una oleada de calor, una seducción tan peligrosa que se arrojó hacia la entrada de la casa para huir del oscuro poder que ejercía sobre ella.

El brazo de Gregori detuvo su apresurada trayectoria. Abrió la boca justo a milímetros de la oreja de Savannah. Su cuerpo, con aquella agresividad masculina, tenso y terriblemente excitado, rozó el de ella. *Dilo, Savannah. Di las palabras*. Incluso el susurro mental era terciopelo negro. La boca de Gregori, tan perfecta y sensual, tan ardiente y húmeda, se desplazó hasta su garganta. La realidad de la carne de Gregori era más erótica incluso que su seducción mental. Sus dientes rozaron ligeramente la piel de Savannah. El cuerpo de Gregori entró en tensión y ella pudo percibir el monstruo que despertaba en él, hambriento, consumido por la necesidad; no un amante amable y considerado sino un varón carpatiano totalmente excitado.

Las palabras que le ordenaba pronunciar casi se le atragantan; salieron tan lentas que resultaba imposible distinguir si las decía en voz alta o si eran poco más que un eco en su mente.

—Vengo contigo de propia voluntad.

Él la soltó al instante y permitió que atravesara, dando un traspiés, el umbral de la puerta. Tras ella, su gran corpulencia llenó la entrada. Gregori se elevaba sobre ella irradiando calor, poder y una intensa satisfacción con sus ojos plateados. Cerró la puerta con el pie y fue en su busca.

Savannah soltó un grito e intentó evitar su contacto, pero él la cogió sin esforzarse y acunó contra su pecho el cuerpo que se resistía, rozando con su barbilla su sedoso pelo.

—Estáte quieta, *enfante*, o acabarás haciéndote daño. No tienes posibilidades de pelear conmigo, y no puedo permitir que te hagas daño.

—Te odio.

—No me odias, Savannah. Me tienes miedo, pero sobre todo, tienes miedo de lo que tú misma eres —respondió con tranquilidad. Se movía por la casa a grandes zancadas para llevarla al sótano y luego descender aún más, hasta la cámara oculta con sumo cuidado en las profundidades de la tierra.

El cuerpo de Savannah ardía en deseos de Gregori y, tan próximo a su calor, no encontraba alivio. De súbito, ella notó un hambre feroz y sintió que algo salvaje alzaba la cabeza en su interior.

Capítulo 2

En el momento en que Gregori la dejó de pie en el suelo, Savannah se apartó de un brinco. Interpuso entre ellos la distancia de la habitación de un solo salto. El miedo crecía, como algo vivo, que se mezclaba con la naturaleza salvaje de ella.

Gregori percibía los latidos del corazón de Savannah, y adaptó su propia pulsación a aquel fuerte ritmo. La sangre de Savannah llamaba a su sangre. Se llenó de aquel aroma los pulmones y las venas, de modo que su propia sangre se calentó y bombeó con necesidad fiera y ardiente. Tomó aliento por los dos, intentando controlar el demonio que rugía en su interior, luchando por conseguir la calma necesaria para impedir que la lastimara, para impedir que ella se lastimara a sí misma.

Savannah parecía lo que era, joven, salvaje, hermosa, con sus ojos de intenso violeta y estrellas encendidas enormes a causa del miedo. La muchacha se acurrucó en el rincón que quedaba más alejado de él. Todos sus pensamientos sin excepción eran tan caóticos que Gregori necesitó unos momentos para identificar las emociones alocadas de aquel torbellino. Dolor y culpabilidad por su amigo perdido. Malestar y humillación porque su cuerpo la traicionara, por no ser lo bastante fuerte como para plantarle cara a él. Miedo a que él consiguiera su propósito, la convirtiera en su pareja y controlara su vida. Miedo a que él la lastimara con su fuerza, con su ansia ardorosa. La necesidad de escapar era lo primordial; ella estaba resuelta a luchar hasta la muerte.

Gregori se volvió hacia ella con rostro inexpresivo, sin mover un solo músculo. Buscó la manera de distender la situación. Nunca le permitiría a Savannah morir. Lo había arriesgado todo por ella, había puesto en peligro su propia cordura, su propia alma. No iba a perderlo ahora todo por torpeza.

—Siento de verdad la pérdida de tu amigo, Savannah —dijo Gregori con calma, con amabilidad, su voz baja como un susurro de música hipnótica.

Ella agitó las largas pestañas. Parpadeó. Era obvio lo inesperado de aquellas palabras.

—Debería haber actuado con más rapidez para salvarle —admitió Gregori en tono suave—. No te fallaré otra vez.

Ella se humedeció los labios e intentó controlar su respiración entrecortada. Él parecía invencible y despiadado; parecía un hechicero con una tenebrosa fascinación que emanaba por cada uno de sus poros. Su pura sexualidad era apabullante. Su voz amable y su calma perfecta no cuadraban con la insinuación de crueldad sensual en su boca, el intenso ardor en sus ojos claros y la máscara implacable que siempre exhibía.

—No soy un monstruo tan horrible como para atacarte en momentos de tanto dolor y miedo. Relájate, *enfante*. Tu pareja tal vez sea un demonio con todos los demás, pero tú estás a salvo. Sólo quiero consolarte. —Gregori notó un intento vacilante de contacto mental; Savannah buscaba la verdad de sus palabras. Gregori rara vez permitía a alguien la intimidad de un vínculo mental. Con ella, la unión acentuaba el profundo deseo físico y el torbellino de emociones poco familiares. Pero también le proporcionaba placer. Un intenso placer.

Lo único que Savannah consiguió detectar fue la necesidad de ofrecerle consuelo. La mente de Gregori era la serenidad en sí misma, un estanque claro y fresco sin una sola ondulación. Notó que su cuerpo se relajaba, que la mente de Gregori calmaba el caos predominante en la suya. ¿Por qué ella respondía a Gregori? Como bien había dicho, el roce de cualquier otro hombre le producía repugnancia. Él, en cambio, sólo tenía que moverse cerca de ella, y su mente y cuerpo le reclamaban a gritos.

Savannah se frotó la cabeza dolorida. Sentía unos pequeños martillos que parecían tener una jornada de maniobras en su cráneo. Gregori se fue hasta la mesilla situada junto a la cama con su facilidad natural de movimientos. Ella no le quitó los ojos de encima, con el rostro pálido y sombras de angustia en la mirada, mientras él machacaba unas hierbas en un cuenco de cristal y su fragancia calmante llenaba al instante la habitación.

—Ven aquí, *ma chérie*. —Su voz era grave y sugerente. El sonido la inundó como agua clara—. Es casi el amanecer.

Con nerviosismo, Savannah desplazó la mirada a la cama mientras advertía por primera vez su entorno. La habitación era grande, espaciosa, anticuada. Había velas encendidas que iluminaban el interior y hacían que la estancia reluciera tenuemente. La cama era grande, con cuatro postes pesados tallados con elaboradas rosas y hojas enroscadas. Era hermosa, gótica... y aterradora. Se aclaró la garganta y se frotó la frente con incertidumbre.

—Me gustaría tener una alcoba para mí.

Los ojos pálidos la contemplaron con expresión posesiva.

—No vas a separarte de mí.

—¿No? —Al instante se encontró de lo más cansada, le dolía la cabeza, le temblaban las piernas, de modo que tuvo que sentarse de súbito en el suelo. Se pasó una mano por la pesada melena negra azulada y se la apartó del rostro con un gesto femenino e inconsciente. Pestañeó, y con la misma rapidez descubrió a Gregori a su lado. Cerró los ojos en el instante en que él la cogía. Era fuerte, de un poderío enorme, y la levantó como si sólo fuera una niña. Ella enterró el rostro en el pecho de él, incapaz de encontrar las fuerzas para luchar.

Gregori saboreó la sensación de Savannah en sus brazos, acunó su blandura contra sus fuertes músculos, con la seda de su cabello rozándole la piel con gran erotismo. El dolor se precipitó por él como lava fundida y el ansia se multiplicó. La tendió en su cama, el lugar que le correspondía. Su naturaleza primitiva, de cazador, el predador en él, exigía tomarla de inmediato, ligarla a él para siempre, de un modo irrevocable. Ella le pertenecía. Gregori sabía con exactitud que él era, un demonio despiadado, que sin Savannah estaba sentenciado a una existencia solitaria infinita. Había recorrido durante siglos la Tierra, era un sanador poderoso, no había ninguno que le superara, pero estaba muerto por completo por dentro. Había estado tan solo, siempre solo. Perpetuamente solo. Pero ahora tenía a Savannah. Y destruiría a cualquiera que intentara llevársela de su lado, cualquiera que la amenazara.

Acarició hacia atrás su melena y masajeó con delicadeza su cuero cabelludo. Su voz hipnótica entonó un quedo cántico de curación que eliminó el dolor de sus sienes y lo reemplazó por sosiego. Él se estiró a su lado, y su constitución mayor y más pesada la hizo parecer pequeña. Al instante, el cuerpo de Gregori reaccionó ante la proximidad de Savannah.

Se encendió en llamas, la necesidad le quemaba la sangre, los músculos, cada fibra de su cuerpo. Aceptó el dolor, agradecido de poder sentirlo. Mientras la cogía en sus brazos, se maravilló de aquella perfección en alguien tan pequeño y frágil. Ella temblaba tanto que oía cómo le castañeaban los dientes.

—Sé lo que soy, Savannah, un monstruo como no puede concebir el mundo humano. Pero siempre he sido un hombre de honor e integridad, con un talento para la curación. Puedo hacerte dos promesas. Nunca habrá mentiras entre nosotros, y te protegeré con mi vida. He dicho que no voy a tomar esta noche lo que es mío. Tenemos tiempo para calmar tus temores.

Savannah enterró su rostro en la camisa de seda de Gregori, donde sintió el constante latir de su corazón, el calor de su piel. Para Gregori era imposible disimular su feroz excitación, y no se molestó en intentarlo, más bien ajustó el cuerpo de Savannah a su fuerte erección. Ella estaba demasiado agotada por los sucesos de la noche como para continuar forcejeando. Permaneció en sus brazos, agotada, y encontró cierta dosis de paz precisamente en quien era su amenaza.

—Piensas que soy como las demás mujeres carpatianas, Gregori, pero no es así —dijo quedamente, sin saber con seguridad si ofrecía una disculpa o una explicación.

Él le rozó la cabeza con la boca, fue la más leve de las caricias, y luego le pasó el pulgar por el punto donde Roberto la había golpeado.

—Tú sabes lo que les sucede a los varones de nuestra especie, Savannah, tu padre no iba a descuidar tu educación en algo tan importante. No puedes andar por ahí sin pareja. Hay otros como Roberto, salvajes, peligrosos, abocados a la locura por falta de una compañera.

—Roberto tenía la mitad de edad que tú. ¿Por qué él se volvió un renegado y tú no? —Volvió la cabeza para encontrar los pálidos ojos de Gregori. Un escalofrío la estremeció ante la falta de compasión que vio en ellos, ante la absoluta posesión que ardía en las gélidas profundidades de mercurio.

—¿Te has preguntado alguna vez por qué somos tan pocos los carpatianos?

—Por supuesto que lo he hecho. Sólo porque prefiera no emparejarme no significa que no piense en los problemas a los que se enfrenta nuestro pueblo. Gregori, no quiero ser compañera de vida de nadie. No hay motivos para tomárselo como algo personal.

Gregori le sonrió, su boca perfecta era sensual e incitante.

—Sé que te asusto, Savannah.

Decidida a no verse arrastrada a una discusión que no tenía posibilidades de ganar, retrocedió a un tema más seguro:

—El motivo de que haya tan pocos carpatianos es que hay muy pocas mujeres y no nacen niñas. Incluso son raros los niños varones que sobreviven al primer año de vida. —Savannah se acercó de modo involuntario al calor de él. Parecía tan fuerte; hacía que se sintiera segura y que notara un peculiar consuelo en la peor noche de su vida.

—Y ¿qué me dices de los hombres? ¿De verdad te preguntas por qué tan pocos sobreviven sin transformarse en vampiros? —Le pasó la mano por el pelo—. ¿Te has sentido sola alguna vez, Savannah, sola de verdad?

De niña había vivido aislada, pero sus padres, que se adoraban el uno al otro, la malcriaban y la adoraban de todos modos. Su lobo, también, había sido extraordinario y había llenado cada hueco vacío en su vida. Nunca se había sentido sola hasta el momento en que puso el océano entre ella y la tierra curativa de su patria. Lejos de sus padres, del lobo e incluso de sus obligaciones opresivas como carpatiana, se quedó con un gran agujero de enormes proporciones en el corazón. El hecho de estar rodeada de gente, incluso el afecto que sentía por Peter y los miembros de su equipo, no aliviaban el vacío creciente que amenazaba con consumirla. No obstante, prefirió no responder, pues no deseaba compartir sus secretos con Gregori.

—Nosotros los varones no podemos sobrevivir a la creciente oscuridad que experimentamos sin nuestras parejas, Savannah. Nuestra naturaleza es agresiva, predadora, posesiva, incluso cuando nos encontramos entre los de nuestra misma especie. Somos destructivos y poderosos, sedientos de sangre. Necesitamos equilibrio. La mayoría de varones inician su declive después de varios siglos, cuando dejan de ver colores y ya no experimentan sentimientos verdaderos, entonces sólo pueden confiar en su fuerza de voluntad para respetar nuestras leyes. Algunos escogen poner fin a su existencia antes de que sea demasiado tarde: no huyen del amanecer, se exponen a la luz del día y permiten que la tierra se los lleve. Pero muchos otros prefieren aceptar la oscuridad, entregan sus almas y se alimentan de la raza humana. Abusan de mujeres y niños, cazan y asesinan tan sólo por la embriaguez del momento. Eso no se puede permitir.

—Mi padre y tú sois los más viejos. ¿Cómo sobrevivisteis?

—Tu padre y yo vivimos nuestros años de sed de sangre en medio de guerras por toda Europa. Nuestras energías pudieron canalizarse en salvar a los demás de los ejércitos saqueadores. Las cazas de vampiros nos proporcionaban más oponentes. Entre nosotros, hicimos el pacto de exponernos al amanecer antes de transformarnos por completo. A tu padre la responsabilidad de nuestro pueblo le mantenía cuerdo, y posteriormente encontró a tu madre, una humana de talento paranormal extraordinario, y tanto coraje y compasión que fue capaz de aceptar nuestra vida.

—Y ¿qué hay de ti?

—Lo mejor que puedo decir es que nunca he abusado de una mujer ni de un niño, y que pasé siglos aprendiendo las artes de la sanación. Pero mi naturaleza es la de un depredador, Savannah, igual que todos los varones de nuestra raza. Puesto que tengo siglos de edad, la bestia en mí es fuerte. —Soltó un suave suspiro—. Los cinco años de libertad que te asigné han sido un infierno para mí y un serio peligro para cualquiera que entrara en contacto conmigo. Me falta muy poco para la transformación, y ahora es demasiado tarde para buscar el amanecer. Por la seguridad de todos los involucrados, era necesario que viniera a buscarte ya. —Enredó la mano en la seda del cabello de Savannah y enterró su rostro entre los mechones aplastados para inhalar su fresca fragancia—. No puedo esperar más.

Reconocer aquello le desgarraba el alma. No podía concederle lo único que ella le pedía: su libertad. Pese a que él era Gregori, el Taciturno, el más poderoso de los carpatianos, no era lo bastante fuerte como para renunciar a ella. Ella debía convertirse en la pareja eterna del único carpatiano al que los demás tenían miedo. Y era tan joven.

—¿Alguna vez te preguntas cómo es para las mujeres de nuestra raza, Gregori? ¿Saber que cuando cumplimos dieciocho años tenemos que dejar la tutela de nuestro padre para irnos con un extraño? —Esta vez ella le mostró su mente sin reservas, evocando el recuerdo de cinco años atrás para los dos.

Como cualquier otra niña-mujer en edad de emparejarse, Savannah había encontrado una excitación embriagadora al saber que era hermosa y que tenía poder sobre los varones de la especie. Se sintió complacida cuando su padre convocó a todos los varones disponibles para un encuentro con ella. Sin atender a la preocupación de su madre, ella había revoloteado entre ellos, ajena al tumulto que estaba provocando. Sin embargo, en algún momento durante la reunión, había tomado consciencia de la atmósfera peligrosa, la presión de los cuerpos masculinos contra ella, el hambre en sus ojos, el olor de su excitación. Ninguno de ellos la conocía, se percató Savannah; a ninguno de ellos le importaba, ni le preocupaba saber qué sentía o pensaba. La deseaban pero en realidad no era ella lo que querían. Sintió asfixia, repulsión, y también tuvo miedo. Ninguno de ellos le había hecho sentir lo que se suponía que debía sentir.

Savannah había escapado de la habitación para irse a lavar la cara con agua fría, pues se sentía mareada y en cierto modo sucia. Cuando se dio la vuelta, Gregori, el Taciturno, se encontraba en su habitación con ella. Irradiaba poder por cada poro. Lo llevaba con naturalidad, del mismo modo que manifestaba su enorme fuerza.

Se sintió dominada por el miedo sólo de pensar en que él podría anular su voluntad con facilidad y hacerla suya de un modo tan irrevocable que haría cualquier cosa por estar con él.

Me perteneces a mí, a ningún otro. Las palabras estaban en su cabeza, la unión era tan familiar y fuerte que resultaba aterradora. La vía mental no era la forma familiar entre carpatianos, sino la de un vínculo privado, íntimo. Él se había movido, apenas una ondulación muscular, y el corazón de Savannah palpitó con expectación. Le rodeó el brazo con los dedos de tal manera que ella fue demasiado consciente de su enorme fuerza. Le costaba respirar. Luego él deslizó los dedos por todo el brazo para rodear su frágil muñeca como un brazalete. El escaso contacto era como una lengua de fuego lamiendo la piel de Savannah. Cada célula de su cuerpo se paró de repente, y ella contuvo el aliento, manteniéndose a la espera. Sólo esperó. Gregori la atrajo hacia él, más cerca, tan cerca que su cuerpo quedó marcado para siempre por el de él. Con suma delicadeza, él inclinó la barbilla y pegó su boca a los labios de Savannah.

En ese instante, toda su vida, su mismísima existencia cambió. La tierra se balanceó, el aire se llenó de chispas, y su cuerpo dejó de pertenecerle. Savannah se consumía, ardía en deseo, se moría por él. Cuerpo y mente, incluso su piel, estaban fundidos con él. Savannah no existía sin Gregori y Gregori no existía sin Savannah. Necesitaba las manos de él sobre ella, le necesitaba dentro de ella, de su corazón, de su mente, de su cuerpo y de su mismísima alma.

Cuando él la soltó, se sintió despojada, experimentó un terrible vacío, como si él le hubiera arrebatado una enorme parte de su ser y hubiera dejado una mera sombra. La idea la aterrorizó. Un desconocido, alguien que no la amaba ni la conocía, era capaz de apoderarse de su vida. De repente parecía mucho peor que entregarse a uno de los otros. Ninguno de ellos la controlaría nunca ni se apoderaría de su vida por completo. Si los otros no eran capaces de amarla, al menos no la poseerían en cuerpo y alma. Espantada, había suplicado a Gregori que la dejara marchar, que la dejara vivir su vida. Con los ojos ensombrecidos de pesar y encendidos por alguna otra cosa, él la había soltado, había accedido a concederle más tiempo. Savannah, no obstante, había planeado huir de su poder para siempre.

Lo peor de todo era que, después de su huida a Estados Unidos, Savannah nunca se había vuelto a sentir completa. Gregori le había arrancado una parte de su ser con un pequeño beso. Él nunca volvió a salir de su cabeza. Al cerrar los ojos por la noche lo único que veía era a él. A veces, si se concentraba lo suficiente, incluso conseguía oler su fragancia salvaje e indómita. Él la perseguía en sueños y la llamaba mientras dormía. Estaba claro que el riesgo que planteaba para su alma era demasiado enorme como para permitir lo que ahora estaba pidiendo.

Gregori le rodeó la cabeza por detrás y luego deslizó la mano hasta la nuca.

—Podemos hacer frente a tus miedos, *ma petite*. No son insuperables. —Su voz, como siempre, sonaba tranquila, inmutable.

A Savannah se le hundió el corazón. Nada conmovía a Gregori, ni siquiera que ella compartiera con él uno de sus recuerdos más íntimos y aterradores.

—No quiero esto —susurró, con las lágrimas quemándole el corazón. Se sentía humillada por haber admitido tanto, y que para él hubiera significado tan poco.

—Descansa ahora, pequeña. Lo resolveremos más tarde.

Ella se quedó callada; parecía aceptar su orden en silencio. Pero Savannah se guardaba un par de trucos en la manga; al fin y al cabo se le consideraba una de las mejores magas del mundo. Gregori tal vez le estuviera ofreciendo una tregua, pero cuando se despertaran, su apetito sería feroz. Ella dudaba que su colosal autocontrol la salvara entonces. Tendría que llevar a cabo la más temeraria —y la más importante— evasión de todos los tiempos.

—¿Savannah? —Gregori la agarró del brazo con fuerza, de un modo posesivo, para acercarla a él—. No intentes dejarme. Pelea conmigo, discute, pero no intentes dejarme. Estoy al límite de mi control. No me importa nada ni nadie excepto tú. Sería peligroso.

—De modo que voy a dar la vida para que la tuya pueda continuar. —Las lágrimas cayeron por el dorso de su mano.

—No puedes existir sin mí tampoco, Savannah. Es sólo cuestión de tiempo que el creciente vacío te consuma. —Él se llevó la mano de Savannah a la boca y tocó las lágrimas con la lengua, degustando todo su sabor. Luego su voz descendió una octava; fue la pureza en sí misma—. No lo niegues. Lo noto crecer en ti. La terrible y dolorosa soledad.

El corazón de Savannah dio un vuelco al notar el áspero terciopelo de su lengua raspando sus nudillos desnudos. Ella no iba a permitir que su sensualidad natural la sedujera, por mucho que su cuerpo respondiera a la llamada prohibida.

—¿Cuánto tiempo me queda entonces, Gregori? ¿Un siglo o dos? ¿Cinco? ¿Más? ¿No lo sabes, verdad? Eso es porque a ninguna de nuestras mujeres se le ha permitido nunca regir su propio destino. Yo no debería ser responsable de tu vida más de lo que tú eres de la mía.

—Somos carpatianos, *ma petite*, no humanos, pese a la manera en que te crió tu madre. Soy responsable de tu vida, igual que tú eres responsable de la mía. Son las costumbres de nuestro pueblo, y la única cosa que protege a los humanos de nuestra oscuridad. Protegemos a nuestras mujeres como lo más preciado, las cuidamos, las tratamos con respeto y las defendemos como los tesoros que sabemos que son. —La sombra oscura en su mentón frotó la parte superior de la cabeza de Savannah con un gesto curiosamente tranquilizador. Pequeños mechones de pelo quedaron atrapados en su barbilla sin afeitar, uniéndoles aún más a los dos—. Tu madre tendrá que dar muchas explicaciones por llenarte la cabeza de disparates humanos cuando debería haberte preparado para tu destino verdadero.

—¿A qué llamas disparates? ¿A que quisiera escoger por mí misma? ¿Que me forjara un destino? ¿Que saboreara la libertad? No quiero que nadie me posea.

—Ninguno de nosotros puede elegir, Savannah. —La abrazó con fuerza por un breve momento, y su cálido aliento encontró su oído—: Las parejas de vida nacen el uno para el otro. Y «libertad» es una palabra que puede significar cosas diferentes. —Su voz era tan hermosa y amable que no cuadraba con sus palabras prácticas—. Duérmete ahora, y escapa de tu miedo por un rato.

Savannah cerró los ojos al notar que sus labios le rozaban la oreja y luego se deslizaban por el cuello. Ella saboreó el contacto, lo absorbió dentro de su cuerpo, y se detestó por ello.

—Duérmete tú, Gregori. Yo quiero pensar.

Él rozó su piel con los dientes, justo sobre el pulso alterado. Luego le acarició con la lengua, aliviando la áspera sensación.

—No quiero que pienses más, *ma petite*. Haz lo que te digo, o te enviaré yo mismo a dormir.

Ella se quedó pálida.

—¡No! —Como cualquier carpatiana, Savannah sabía lo vulnerable que sería cuando el sol saliera y el sueño se apoderara de su cuerpo. Si Gregori la hacía dormir con el sueño más profundo de los carpatianos, ella estaría por completo bajo su poder.

—Me dormiré. —Ralentizó su respiración intencionadamente y también su corazón.

A su lado, Gregori se concentró en las entradas de su guarida y las selló con sortilegios ancestrales. A continuación se concentró en las entradas de las casetas de los lobos. Se abrieron de golpe y soltaron a los híbridos de lobos para que deambularan y protegieran los pisos superiores y los terrenos de la casa. Savannah aún pensaba en escapar de él, pero no tenía ni idea de lo poderoso que era en realidad. Y puesto que él había prometido serle siempre sincero, no podía pronunciar las palabras bonitas y vacuas que quizás aliviaran los temores de ella. Adquirir tanto conocimiento le había ayudado a mantener su mente y su cuerpo fuertes en los años interminables de vacía negrura. Llevaba esperando a Savannah, a su pareja, desde antes que ella naciera. En el momento en que había tocado a la mujer de Mijail Dubrinsky, Raven, para curarle las terribles heridas que había sufrido a manos de unos insensatos asesinos de vampiros, ofreciéndole su sangre pura y poderosa para salvarle la vida, había sabido que ella le daría una compañera en la vida, que la criatura que crecía dentro de ella sería suya. Y había hecho todo lo posible para asegurarse el resultado.

Cuando los cazadores humanos intentaron matar a Raven Dubrinsky, Gregori había salvado a la mujer y al bebé en su interior, sellando la unión entre él y la recién concebida fémina con su poderosa sangre. Se había asegurado de que no escapara de él, susurrándole, calmándola, convenciéndola de que se quedara en el mundo a pesar de las heridas de su pequeño y frágil cuerpo. Puesto que había llegado al extremo de ligar a su pareja a él antes incluso de que naciera, ahora nunca la dejaría marchar.

Atrajo el cuerpo de Savannah lo más cerca que pudo, ajustando su mayor corpulencia en torno a ella con actitud protectora. Roberto viajaba con una banda de carpatianos renegados, ahora vampiros, que asesinaban, violaban, creaban títeres humanos, autómatas a su servicio. Si todos habían seguido la pista de Savannah hasta aquí, hasta San Francisco, la ciudad pronto sería pasto de sus asesinatos. Gregori tenía que llevarse a Savannah a un lugar donde se encontrara a salvo, pero también sabía que no podía dejar que los humanos de la ciudad se enfrentaran a la amenaza ellos solos. Aidan Savage, un poderoso carpatiano, se encontraba en esta región y daría caza a los renegados y les destruiría. Aidan era un cazador capaz, temido por los no muertos.

Gregori pasó una vez más la mano por el pelo de Savannah con suma delicadeza. Por ella, le gustaría concederle la libertad que deseaba, pero era imposible. En vez de eso, iba a quedarse encadenada a su lado para toda la eternidad. Suspiró y luego ralentizó su corazón y pulmones preparándose para dormir. Como anciano de su pueblo, a menudo tenía que aplicar la justicia carpatiana a los renegados, igual que confiaría en Mijail para aplicarla con él en el caso de que hubiera esperado demasiado en declarar pareja suya a Savannah sin conseguir salvarse de su propia oscuridad. Pero dudaba seriamente de que alguien, incluido Mijail, el príncipe de su gente, pudiera vencerle si se volviera vampiro. No podía correr ese riesgo. Savannah no podía dejar de ser suya. Inspiró una última vez, introduciendo en su cuerpo su aroma y reteniéndolo ahí mientras su corazón dejaba de latir.

El sol se elevó sobre las montañas y los rayos de luz irrumpieron a través de las ventanas de un hogar enorme y aislado. El roble pulido relucía y las baldosas de mármol refulgían. El único sonido audible eran las blandas pisadas ocasionales de los lobos que patrullaban por el primer y el segundo piso y por la planta del sótano. Afuera, más lobos se movían también sin cesar por los terrenos, a lo largo de la elevada y pesada verja que les retenía dentro de la propiedad. La verja servía más como protección para cualquier humano que deambulara por la zona que para impedir que los animales salieran a merodear por la campiña. Su vínculo con Gregori era fuerte, y la finca y el coto enormes. Los lobos nunca se marcharían por decisión propia.

El sol combatía con una espesa capa de nubes y esparcía con coraje por la tarde sus rayos dorados. Se levantó viento formando remolinos de hojas por encima del suelo. Bajo tierra, la gran alcoba permanecía en silencio. Luego, en ese silencio, un corazón comenzó a latir. Una ráfaga de aire le llenó unos pulmones. Savannah inspeccionó su entorno para analizar la naturaleza de las protecciones que la encarcelaban. A su lado, Gregori yacía tan quieto como un muerto, rodeándole la cintura con un brazo posesivo.

Savannah permitió que el alivio inundara su cuerpo. Tenía un secreto que sólo su lobo sabía. La mayoría de niños carpatianos no sobrevivían al primer año. Durante el periodo crítico en que sus cuerpecitos exigían algo más que leche pero rechazaban todo alimento y sangre, su madre, que antes había sido totalmente humana e incapaz de alimentarse de la sangre de su propia especie, le había dado sangre animal diluida. Aunque Savannah era pequeña y frágil en comparación con la mayoría de carpatianos, se había desarrollado con la mezcla que le proporcionaba su madre. Y, decidida a llevar una vida lo más normal posible, Savannah había seguido con su dieta inusual durante los años de crecimiento, con la esperanza de lograr tal vez ser diferente al resto de carpatianos y forjar su propio futuro.

Cuando tenía dieciséis años, inició un experimento con la posibilidad de salir a la luz del sol. Su madre le había contado tantas historias de la vida al sol, a través del mar, historias de viajes y libertad. Savannah, por su parte, le relataba fielmente cada historia a su compañero el lobo.

Con coraje, empezó a despertarse cada vez más temprano, exponiendo su piel poco a poco al sol, con la esperanza de crear una inmunidad que los carpatianos no tenían, obligados a descender a la tierra con la luz del día y cobrar vida sólo por la noche. A veces, el dolor resultaba demasiado insoportable, y Savannah detenía las salidas durante unos días. Pero era tenaz cuando se empeñaba en algo, y quería caminar bajo el sol.

Aunque nunca fue capaz de tolerar la luz del sol más allá de las once de la mañana o antes de las cinco de la tarde en los meses de verano, su piel se había adaptado a los rayos del sol. Tenía que usar gafas de sol de lo más oscuras durante el día, y también bajo las fuertes luces del escenario, pero, por otro lado, parecía que podía escapar al terrible letargo carpatiano que ocasionaba la dieta de sangre humana. Había sacrificado algo de la velocidad y fuerza de su raza, pero tenía la libertad de andar a la luz del día, igual que le había descrito su madre.

Savannah cerró los ojos y recordó una ocasión en que se había escabullido mientras sus padres dormían profundamente en su cámara subterránea. El sol aún estaba en lo alto del cielo y, sintiéndose especialmente confiada, se abrió camino a través del denso bosque en dirección a lo alto de los precipicios.

Empezó a trepar intentando mejorar su velocidad y fuerza. Pero casi al llegar a lo alto se tambaleó, resbaló y perdió el equilibrio. Se agarró a la pared de roca, buscando con dificultad un apoyo firme, abriendo profundas hendiduras en la pared con sus uñas transformadas en garras, pero no consiguió aguantar. Mientras caía, se retorció en medio del aire con la agilidad de un gato, con la esperanza de aterrizar de pie.

Pero no alcanzó a ver la raíz rota de un árbol que sobresalía de la pared del precipicio y descollaba hacia arriba como una estaca afilada que atravesó su muslo, desgarrando carne, músculo y hueso, y dejándola allí clavada. Las gafas oscuras se le cayeron de la nariz y fueron a parar al bosque que quedaba abajo. Savannah gritó de dolor mientras la sangre manaba por la herida. Por un momento, permaneció allí colgada, pero luego la raíz cedió bajo su peso y aterrizó con un fuerte golpe sobre el suelo rocoso.

Al principio no podía respirar, el golpe dejó sin aire sus pulmones. Cerrando los ojos con fuerza para protegerse de la terrible luz y apretando los dientes, presionó con ambas manos la herida y lanzó una llamada angustiada y desesperada a su lobo. Más tarde, se preguntó por qué no había vacilado en llamarle a él, sin pensar en llamar a sus padres. El lobo respondió de inmediato y una oleada tranquilizadora llenó su mente.

Mientras esperaba, Savannah hundió los dedos en la rica tierra, la mezcló con saliva de su boca y cubrió la herida. Dolía casi tanto como los fragmentos de vidrio con los que la luz del sol perforaba su cráneo a través de los ojos sin protección.

¡*Date prisa!*, instó, sintiéndose cada vez más débil por la pérdida de sangre.

El lobo surgió del bosque de un brinco, con sus propios ojos llorosos y entrecerrados como si fueran marcadas incisiones. Se plantó a su lado en dos increíbles saltos, valoró la situación y se fue trotando hasta sus gafas. Tras recogerlas con cuidado con la boca, las dejó caer sobre el regazo de Savannah. Luego le lamió la herida con la lengua con un movimiento curiosamente tranquilizador. Savannah rodeó el cuello de lustroso pelaje con el brazo y enterró la cara en la gruesa capa de suave piel en busca de fuerza.

Por primera y única vez en su vida, pidió ser alimentada con sangre, pues sabía que no sobreviviría sin ella. Se sintió agradecida de que su vínculo con el lobo fuera tan fuerte como para permitirle explicar su necesidad de sangre sin palabras. El lobo expuso su garganta sin vacilación. Con igual delicadeza, del modo más reverente que pudo, Savannah clavó los dientes a fondo en el lobo, esforzándose en calmar con su mente la del animal. Su esfuerzo era innecesario. En todo caso, el lobo la calmaba a ella y se entregaba de buena voluntad, sin reservas. Estaba asombrada de poder alimentarse sin repulsión directamente de un animal en vez de la copa que le tendía su madre. Al acabar rodeó con sus brazos al lobo mientras él continuaba lamiendo con delicadeza su herida. Habría jurado que, en cierto sentido, junto con la sangre, se había introducido en su cuerpo el propio lobo y de algún modo había calmado la terrible herida de la pierna. Notaba calor, luz y energía propagándose por ella y sanándola. Y allí, envuelta del cuidado protector e incondicional del lobo, no sentía miedo.

La herida se había curado de un modo milagroso, y ella nunca mencionó el incidente a sus padres, pues sabía que se enfadarían al enterarse de sus experimentos, de que salía a la luz del sol. Se habrían sentido angustiados al conocer todos los riesgos que estaba corriendo. Pero nunca lamentó su decisión de dejar de usar sangre humana o exponer su piel a los rayos del sol. Llevaban a la libertad, la libertad que ahora le permitiría escapar.

—Lo siento, Gregori —susurró suavemente—. No puedo poner mi vida en tus manos. Eres demasiado poderoso para que alguien como yo intente vivir contigo. Por favor, encuentra a otra persona y sé feliz. —Sabía que ella nunca lo sería, pero no tenía otra opción si no quería que este poderoso anciano carpatiano dominara su vida. Se mordisqueó el labio inferior con los dientes. Pese a su resolución, notaba una extraña resistencia a marcharse. Él iba a dominar su vida; era algo que Gregori no podía evitar.

Era cierto que Savannah se quedaría sola. No podía regresar a su hogar, ni siquiera buscar a su lobo. Estaba condenada a recorrer la Tierra sola. Pero algo en ella, fuerte y orgulloso, no permitiría que este hombre la dominara, que decidiera por ella la vida que debía llevar, que le diera órdenes. En eso tenía razón: ella sabía lo que era el vacío, estar totalmente sola en medio de una multitud. Savannah era diferente. Por mucho que lo intentara, nunca sería humana, y nunca sería carpatiana. Sabía, aunque no lo admitiría jamás a nadie aparte de su lobo —había confiado la verdad al animal— que le era imposible estar con otro hombre que no fuera Gregori. Pero pasaría sola una eternidad antes que convertirse en su propiedad. Comprendía que nunca volvería a desear a ningún hombre como deseaba a Gregori; él ya poseía su alma. Y quería explicarle cosas, hacerle entender. Pero Gregori no eran un hombre que tuviera en cuenta la lógica de nadie más que la suya.

Gregori era uno de los ancianos, los más poderosos, los que más conocimientos acumulaban. El Taciturno. Era un asesino mortífero, un verdadero y salvaje macho carpatiano. Los siglos no habían suavizado sus actitudes machistas ni habían cambiado sus creencias. Creía del todo en su derecho a Savannah; creía que ella le pertenecía. Daría la vida para protegerla de cualquier daño, se ocuparía de todas sus necesidades y de su bienestar. Pero la dominaría de forma absoluta.

—Lo siento —susurró ella de nuevo e intentó incorporarse.

Una pesada carga en medio de su pecho impedía cualquier movimiento. Su corazón se sobresaltó lleno de alarma. Aterrorizada por la posibilidad de haber perturbado el sueño de Gregori, Savannah le contempló. Continuaba quieto y silencioso, sin la menor chispa de vida. Ella respiró hondo y exhaló con lentitud para calmarse. Esta vez se deslizó con cautela moviéndose a ambos lados como si se escabullera de debajo de algo. Al instante una banda rodeó cada uno de sus tobillos. Cuando Savannah miró hacia abajo, a sus pies, ahí no había nada, nada que la sujetara, sin embargo no podía moverse. Algo la mantenía sujeta.

Durante un breve instante consideró la posibilidad de que algún otro carpatiano —o vampiro— les hubiera seguido hasta la guarida. Pero ningún carpatiano se atrevería a perturbar a Gregori. De algún modo, desde su sueño profundo, Gregori la estaba controlando. Con facilidad. Con naturalidad. Tan seguro de su propio poder —sin inmutarse por el desafío de Savannah— que podía seguir durmiendo entretanto. No había dudas en la mente de Savannah sobre quién impedía que ella escapara. Permaneció quieta y dejó que su mente se concentrara en sus tobillos, buscando una manera, algo que pudiera darle una pista sobre la forma en que funcionaban las manillas invisibles y cómo escapar de ellas.

Vas a dormirte. La orden llenó su mente, grave, persuasiva, una imposición de hierro envuelta en terciopelo.

Al instante su mente se encapotó y el corazón empezó a latir más despacio. Savannah forcejeó alarmada y combatió el deseo de cumplir sus deseos. Era humillante que él pudiera controlarla incluso durmiendo. Si era de verdad tan poderoso, ¿qué sería su vida con él cuando estuviera plenamente despierto y consciente?

Una risa grave y burlona llenó su mente.

Duérmete de una vez, ma petite. *Es peligroso ponerme a prueba de esta manera.*

Ella volvió la cabeza. Gregori yacía como un muerto. ¿Cómo podía ser tan fuerte? Ni siquiera su padre, Mijail, Príncipe de la Oscuridad, poseía tal poder. La voz de Gregori era hipnótica, cautivadora.

Savannah cerró los ojos agotada de enfrentarse a él. La abrumaba la desesperación. *De acuerdo, Gregori, tú ganas... esta vez.*

Todas las veces, ma petite. No sonaba jactancioso, ni triunfante, sólo denotaba una calma afable.

Fue esta calma lo que le hizo creer que Gregori era muchísimo más peligroso de lo que ella hubiera imaginado. No amenazaba ni gritaba ni se irritaba. Lo manifestaba todo con el mismo tono uniforme o, peor aún, parecía divertirse con ello. Un aroma familiar llenó los pulmones de Savannah cuando inspiró por última vez. El lobo, su lobo, llenó su mente de consuelo; su suave pelaje le frotaba el brazo, también la mejilla. Savannah mantuvo los ojos cerrados con fuerza por miedo a destruir aquella ilusión.

Te echo de menos. Fundió su mente con la del lobo. *Ojalá estuvieras de verdad aquí conmigo en este instante.*

Siempre he estado contigo.

La mente del lobo la aceptó y la envolvió, la abrazó con su calor. La mente le resultaba tan familiar, como si Savannah hubiera andado por ella durante miles de años. *Ojalá fuera verdad, ojalá estuvieras aquí conmigo realmente.* Notaba el salvaje aroma que penetraba con intensidad en sus orificios nasales. Por un momento, Savannah contuvo el aliento sin atreverse a respirar. Luego, poco a poco, levantó las pestañas. A su lado, el lobo se estiró mientras frotaba su bruñido pelaje negro contra su piel. El lobo volvió la cabeza y reveló sus inteligentes ojos grises tan poco habituales. A Savannah el corazón le dio un vuelco en el pecho. Se le escapó un gemido de negación. Esto no era una ilusión sino algo real. Gregori, con todos sus poderes, podía cambiar de forma. Él era su lobo. Qué arrogante por su parte haber supuesto que ella era la única que perfeccionaba el arte de salir al sol. Había pensado que era capaz de resistir los rayos solares porque se alimentaba sólo de sangre animal. Si al menos hubiera consultado a sus padres. ¿Por qué había reservado ese secreto sólo para su lobo?

Le había parecido tan inocente y divertido ocultar un secreto tan maravilloso a sus padres. Pero debería haber reconocido esos ojos. No eran grises, sino de un plateado penetrante y cortante. Y al lobo le había contado todos sus miedos, todos sus deseos, sus sueños. Conocía sus pensamientos más profundos y secretos. Peor aún, habían intercambiado sangre, ella al alimentarse de él, él al lamer su herida. El intercambio tal vez no fuera el ritual de emparejamiento que exigían las costumbres carpatianas, pero su unión mental era fuerte e inquebrantable.

¡Qué estúpida había sido! Un lobo normal nunca habría sido tan inteligente, tan capaz de comunicar afecto y seguridad, tan capaz de consolarla. Gregori había forjado una unión entre ellos desde su temprana infancia.

Estabas sola.

No tenía elección, ¿verdad? Ni siquiera de niña.

Ni desde el momento en que te concibieron. Sin remordimientos, sólo una firmeza calmada e implacable.

Ella bloqueó entonces su mente, furiosa por la ventaja que él le llevaba, furiosa por el engaño durante todos esos años. Le volvió la espalda y recordó que el lobo había venido a rescatarla pese al sol que ya había salido, sin nada que protegiera sus ojos. Gregori podía ser el anciano más poderoso de todos, pero seguía siendo carpatiano. Tuvo que padecer un dolor espantoso para acudir en su ayuda.

Se apartó con gesto incómodo su pesada melena, pues sabía que debía reconocer aquel sacrificio de tanto tiempo atrás. Quería seguir enfadada, furiosa con él. No le gustaba sentir que su carcelero la protegía, la cuidaba. No quería que su pulso se acelerara tanto, ni sentir el delicioso calor que se propagaba por ella al pensar en lo que él había llegado a hacer durante todos esos años por ella, por asegurar su vínculo, por garantizar su seguridad y felicidad. La explicación de Gregori fue rotunda y realista. *Te sentías sola.* Era así de simple para él. Ella necesitaba, él proveía. El código del macho carpatiano.

Lamento que sufrieras por mi causa. Savannah escogió su pensamiento con esmerado cuidado pues no quería que él leyera sus confusas emociones. De inmediato notó la sensación de una mano acariciando su largo pelo con el más delicado de los roces.

Mañana tenemos un largo día por delante. Necesitas el sueño curativo. Esta vez su orden la sumió en el profundo sueño que los carpatianos necesitaban para su rejuvenecimiento.

Gregori le había dado una orden rotunda y convincente, no era una sugerencia amable sino una imposición a la que no podía negarse. Ella la acató con rapidez, de forma mecánica, sin temor y sin saber lo que él había hecho. Gregori tendría que poner fin a aquellas aventuras y sueños de independencia de Savannah, pese a lo afectada que estaba por la pena creada por la pérdida de su amigo humano y el terror que él le inspiraba. No podía creer que le hubiera permitido esta rebelión contra su auténtico destino. Pero había algo en él que se ablandaba cuando entraba en la mente de Savannah, cuando estaba en su presencia. Tenía el terrible presentimiento de que cuando su cuerpo se uniera al de ella, perdería la sensatez por completo.

Capítulo 3

El sol se ponía poco a poco, descendía gradualmente por el cielo hasta desaparecer detrás de las montañas para, desde allí, dejarse tragar por el mar. El cielo estallaba en rojos y naranjas que reemplazaban con dramatismo el azul del firmamento por el color de la sangre. Mucho más abajo, en el interior de la tierra, el corazón y los pulmones de Gregori empezaron a funcionar. Inspeccionó de manera automática los alrededores para asegurarse de que todas las protecciones estaban en su sitio y que nadie se había acercado a su guarida. Percibió hambre en sus lobos, pero no inquietud.

A su lado, la delgada Savannah aún descansaba. Gregori rodeaba con el brazo su cintura, con gesto posesivo y protector, y tenía la pierna sobre su muslo, frenando cualquier posibilidad de huida. Le entró un hambre voraz, canina, tan intensa y rotunda que casi parecía lujuria. Gregori flotó hasta el nivel superior de la planta del sótano, pues necesitaba poner distancia entre él y aquella tentación.

Savannah por fin estaba aquí, junto a él, en su refugio. Por mucho que ella luchara con él a cada momento —y consigo misma—, Gregori estaba en su mente y la escrutaba con facilidad. Gran parte del miedo que Savannah le tenía respondía a la atracción que sentía por él. El deseo carpatiano era devorador, totalmente vinculante, y se entregaba sólo a una pareja. Uno raramente sobrevivía a la muerte del compañero. Mente, cuerpo, corazón y alma quedaban ligados para siempre.

Los lobos acudieron a él con alegría y excitación. Saludó a cada uno de ellos, y dedicó a todos la misma paciencia y entusiasmo mesurado. No tenía favoritismos. Es más, hasta la llegada de Savannah, hasta entrar en contacto con su mente, sólo había sentido vacío.

Mientras daba de comer a los lobos, se permitió recordar el momento aciago, allá en los Cárpatos, cuando Savannah comunicó a su lobo que tenía que huir del Taciturno, huir a América, la patria de su madre, y escapar de Gregori y la intensidad de lo que sentía por él. Fue necesario que él aplicara todo su autocontrol para permitir que le abandonara. Después de aquello, se había retirado a la montaña más alta y remota que conocía. Había recorrido los bosques de Europa como un lobo solitario, se había enterrado en las entrañas de la tierra durante largos periodos, saliendo sólo para alimentarse. Dentro de él, la oscuridad creció hasta el límite de que Gregori ya no pudo confiar en sí mismo. En dos ocasiones casi mata a su presa, y aunque eso debería haberle conmocionado, apenas supuso una oleada de inquietud. Fue entonces cuando supo que ya no tenía elección. Tenía que reclamar a Savannah y poseerla. Tenía que venir a América y esperar su llegada en San Francisco.

Savannah no comprendía que, de no haberlo hecho —y, en vez de ello, haber buscado el amanecer o permitido que prevaleciera su naturaleza más oscura hasta volverse un renegado, hasta convertirse en un temible vampiro—, la condenaba a ella a una existencia desdichada de absoluta soledad y vacío. Ella no sobreviviría. La madre de Savannah no entendía del todo la compleja relación entre el macho y la hembra de su especie. Nacida humana, tampoco entendía del todo el peligro que representaba un carpatiano tan poderoso como Gregori. La madre de Savannah había querido que su hija fuera independiente, sin darse cuenta de que un carpatiano no tiene otra elección que encontrar a su otra mitad. Raven Dubrinsky no le había hecho ningún favor a su hija con aquella fantasía de independencia.

Pero por primera vez en su vida, Gregori se sentía indeciso. Hasta que él la declarara oficialmente pareja suya, todos los carpatianos varones, incluidos los vampiros, estarían nerviosos, pensando que podrían usurpar su puesto y reclamarla. Para proteger a Savannah, era necesario concluir el ritual que les unía para toda la eternidad. Para proteger a mortales e inmortales por igual, tenía que exigir lo que le correspondía de forma legítima. Había esperado un tiempo peligrosamente largo. De cualquier modo, detestaba forzar a Savannah a cumplir su voluntad con ella tan reacia. Gregori se pasó una mano por su espeso cabello mientras rondaba por su casa como una pantera enjaulada. El hambre le atormentaba, aumentaba a cada momento, con brusquedad.

Recorrió el suelo del balcón y alzó la cabeza para inhalar la noche. El viento transportaba el olor de las presas. Conejo, ciervo, un zorro y, débil y más alejado, seres humanos. Lanzó su llamada en la noche y atrajo a su presa hacia él con la facilidad natural de un maestro. A veces era difícil recordar que los humanos eran seres con intelecto y emociones cuando resultaba tan sencillo controlarles.

Gregori saltó desde el balcón del segundo piso y aterrizó con suavidad sobre la punta de los pies. Se movía con facilidad, sin apresurarse, con los músculos tensos, dejando entrever el inmenso poder y fuerza que era una parte esencial de él. Ninguna piedra rodaba tras sus pies, ni una sola ramita se quebraba, ni ninguna hoja crepitaba. Era capaz de percibir los sonidos de la tierra, los insectos y criaturas nocturnas, el agua que fluía como sangre por debajo del suelo. La sabia de los árboles le llamaba, los murciélagos descendían y saludaban como reconocimiento.

Gregori se detuvo en lo alto de la valla de tela metálica. Dobló un poco las rodillas y dio un salto hacia arriba, salvando con facilidad la instalación de dos metros y medio. Aterrizó en cuclillas al otro lado. Ya no era un hombre elegante y distinguido sino una bestia peligrosa que alzaba la cabeza. Sus ojos claros empezaron a relumbrar con expresión salvaje. El hambre atenazaba y arañaba sus entrañas. El instinto tomó el mando, el instinto antiquísimo de un predador que necesitaba sobrevivir.

Olisqueó el viento y luego se volvió en dirección a su presa. Su llamada había atraído a una pareja joven; oía cómo latían sus corazones, la sangre precipitándose por las venas. Su cuerpo ardía de necesidad, exigía liberarse. Los susurros peligrosos e insidiosos del vacío de su alma llegaban hasta él. Una mujer. Tan fácil. El hombre que había en Gregori, casi desbancado por la bestia, luchaba contra la oscuridad. En su actual estado, era muy fácil matarla.

La chica era joven, tenía unos veintipico; el varón no era mucho mayor. Le esperaban con sus rostros ansiosos, como si esperaran a un amante. Cuando Gregori se aproximó, la chica le tendió los brazos, sonriendo llena de dicha. El hambre ardía rojo y vivo, su cuerpo aullaba de necesidad. Con un grave gruñido la alcanzó con el brazo, incapaz de combatir el poder de la bestia.

Mientras Gregori atraía con brusquedad a la joven, oyó el susurro de un sonido. Leve. Rítmico. Rápido. Con un gruñido gutural, apartó a la mujer para salvaguardarla. Estaba embarazada. Gregori estiró una mano y extendió los dedos sobre el leve abultamiento de su estómago. Era un niño. Tan pequeño, tan necesitado de protección. Gregori dio un giro abrupto y cogió al hombre. Luchó para controlarse, para mantener al joven tranquilo y deseoso. Escuchó por un momento el ir y venir de la sangre, de la vida, luego bajó la cabeza y bebió.

En su estado de excitación, el subidón le golpeó con fuerza. El sabor del poder cobró vida con una explosión que le llenó por completo. Era todo necesidad y ansia, ardía en deseos, y se alimentó de un modo voraz, desesperado por llenar su terrible vacío. Al joven le vacilaron las rodillas, lo que obligó a Gregori a recuperar la conciencia. Por un momento tuvo que enfrentarse a la bestia, feliz con su festín de rica vida, casi corrompido por el poder de la vida y la muerte. De nuevo tuvo que hacer un esfuerzo para recuperar cierta apariencia de control y no dejar al hombre sin sangre. Era tan tentador, tan prometedor. Una llamada insistente.

En medio de la neblina roja que crecía en él cada vez más densa, con su cuerpo cada vez más enardecido y furioso, un solo pensamiento se coló poco a poco. Savannah. De repente pudo oler de nuevo el aire nocturno, oler el fresco y limpio perfume de ella. Volvió a notar la brisa sobre su piel caliente como el roce de los dedos de Savannah. Veía las ramas de los árboles balanceándose con tanta suavidad, y veía sus ojos hermosos mirando el interior de su alma ennegrecida como si supieran.

Con una maldición, Gregori cerró la herida de la garganta del hombre y le dejó apresuradamente en el suelo, apoyado en un ancho tronco de árbol. Se agachó para tomarle el pulso. No quería ir junto a Savannah con las manos manchadas de muerte. Su idea era darle tiempo para adaptarse a él, a su relación, pero él era demasiado peligroso e impredecible en la fase en que se encontraba. Pero necesitaba que siguiera dentro de él, para apartarle de aquel estado al borde de la locura.

El hombre se quedó sentado con la piel lívida y respiración fatigosa. No obstante, volvería a encontrarse bien con descanso y cuidados. Implantó un accidente creíble en las mentes de la pareja, que explicara la debilidad del hombre, y les dejó igual de rápido que había venido, corriendo con ligereza a través de la espesa arboleda, esquivando con facilidad los troncos caídos y las estrechas franjas de agua. Una vez dentro de sus terrenos, aminoró el paso para deambular con actitud perezosa, y una vez más lanzó una llamada a la noche. La pareja necesitaría ayuda, de modo que coaccionó a una familia para dar un paseo hasta aquel lugar. Oyó los aspavientos de alarma y preocupación pese a que se encontraba a kilómetros, y su boca se curvó con un gesto de satisfacción.

Justo cuando daba un salto para volver al balcón, notó la primera punzada de inquietud, de advertencia. Se volvió de nuevo para recorrer con la mirada el cielo nocturno mientras se desvanecía entre las sombras. Este lugar, remoto, agreste, aún salvaje, pero aun así un lugar de poder, atraería la atención de cualquier carpatiano renegado. Los vampiros no podrían resistirse a la llamada de la tierra, la atracción de los lobos. Podrían incluso percibir la terrible lucha de Gregori, uno de los cazadores tan próximos a la transmutación, tan cerca de convertirse en un vampiro como ellos, maldito para toda la eternidad. Se había extasiado de tal modo mientras se alimentaba que no había ocultado su presencia a cualquiera de su especie que pudiera encontrarse cerca; otra señal de que le faltaba poco para perder su alma por completo.

Gregori tocó las mentes de sus animales para tranquilizarles y prepararles para ser sometidos a una exploración. Percibía ya los vampiros que se aproximaban en una formación hermética, como grandes murciélagos. Buscaban entrar en contacto como mentes humanas y también animales.

Dentro de la casa, los lobos daban vueltas, iban de un lado a otro y soportaban el examen mental, pero Gregori se mantenía sintonizado con ellos, su calma les centraba. Los vampiros sólo captaron los instintos de animales salvajes deambulando, buscando comida. Los dientes blancos de Gregori relucieron. Si hubiera sido él el explorador, nadie hubiera notado su presencia a menos que así lo permitiera. Y ningún bloqueo mental hubiera sido lo bastante fuerte como para resistirse a su examen.

Savannah. Lo más probable era que los renegados la buscaran a ella, convencidos de que Roberto la había encontrado y de que la mantenía oculta. Al muy granuja al final no le había quedado tiempo ni fuerza para mandar una advertencia a sus seguidores. Ahora inspeccionarían todas las zonas remotas como medida rutinaria.

Gregori sacudió la cabeza ante su estupidez. Savannah era la hija de Mijail. Mijail era el príncipe de su gente, un anciano de poderosa sangre. Era posible que el poder de Savannah hubiera mermado al negarse a tomar sangre humana, pero en el momento en que quisiera alimentarse, sería más peligrosa de lo que llegaban a imaginar.

Dirigió otra sonrisa al cielo, sin humor, cruel y burlona. La inspección se dirigía ahora hacia el sur, hacia la ciudad abarrotada. Gregori dedicó un momento a pensar en los estragos que harían los vampiros, a las víctimas que provocarían antes de que Aidan Savage, el cazador de la zona, pudiera seguirles el rastro. Confiaba en Aidan para este trabajo y tenía motivos para dejar en manos de otros carpatianos la tarea de limpiar de vampiros la zona de la Bahía cuando correspondiera.

El tiempo no significaba nada y lo era todo para Gregori. Era un periodo ilimitado e interminable de aislamiento gris y deprimente. Durante largos siglos había soportado la absoluta e insoportable incomunicación del macho solitario de su especie. Sus emociones habían muerto, volviéndole un ser de sangre fría capaz de crueldades infinitas. Pero después de tantos años solo, años de existencia casi parecida a la de los no muertos, volvía a despertar a los olores y colores, a la luz y a la oscuridad. La manera en que su cuerpo ardía en llamas, tan sensible al tacto del pelo, al cuerpo de Savannah junto a él, sencillamente a la visión de ella. ¿Era demasiado, demasiado tarde? ¿Sobreviviría a la avalancha, al flujo de poderosas emociones? ¿O todo aquello le haría despeñarse y entrar en un mundo de locura?

Gregori había sobrevivido durante siglos porque, como Mijail, era meticuloso en todos sus planes; nunca olvidaba el más mínimo detalle. Su primer error en cientos de años había sido no mantenerse alerta ante la posible presencia de otros carpatianos o no muertos en el aparcamiento del estadio tras el espectáculo de magia. Momentos antes, le había sucedido lo mismo. Todo porque le distraía su terrible necesidad de Savannah y la larga espera, durante demasiado tiempo.

Volvió a entrar en la casa y descendió descalzo las escaleras. Una vez dentro de la alcoba, encendió velas y preparó un baño caliente en la gran bañera de mármol situada a nivel más bajo. Luego dio una orden a Savannah para que se despertara. Gregori notaba su cuerpo pesado, incómodo por la imperiosa necesidad, pero la sangre que había bebido tan desenfrenadamente le había ayudado a suavizar un poco el ansia. Observó el rostro de Savannah mientras su corazón empezaba a latir y los pulmones comenzaban a inflarse de aire. Supo el preciso momento en que ella inspeccionó mentalmente el entorno y percibió la amenaza, el peligro inmediato, el instante en que percibió su presencia.

Savannah le sorprendió incorporándose poco a poco y apartándose el pelo sedoso que le caía en torno a la cara. Sus ojos se clavaron en él, enormes y hermosos. Sacó la lengua con un veloz movimiento de aprensión para tocarse los labios.

El cuerpo de Gregori se tensó aún más, si es que era posible.

Su aspecto era poderoso, intimidador, y su rostro estaba dotado de una sensualidad severa, advirtió Savannah atemorizada. Sus ojos ardían de deseo, la alcanzaban y la devoraban. Y pese a su determinación, pese a sus temores, Savannah notó que su cuerpo cobraba vida propia. El calor se propagaba poco a poco por ella, con dolor tortuoso y hambre atroz. Olió su fragancia masculina. Llevaba el bosque selvático adherido a él, junto con todos sus secretos. Los ojos de Savannah centellearon como estrellas relumbrantes en medio del violeta.

—¿Cómo te atreves a venir con el perfume de otra mujer pegado a ti?

Una débil sonrisa se dibujó en la boca de Gregori, suavizando la dureza de su rostro.

—Sólo me he alimentado, *ma petite*. —Savannah era la mujer más hermosa y sensual que había conocido. Ella podía creerse que él la aterrorizaba, pero desde luego no tenía reparos en darle una reprimenda.

Le lanzó una mirada fulminante, con la larga melena despeinada y los puños cerrados.

—Llámalo como quieras, Gregori, pero manténte alejado de mí con ese olor. —Estaba furiosa con él. Tanto insistir Gregori en que ella era su compañera de vida, en obligarla a pasar un infierno eterno junto a él, y ¿se atrevía a venir con el olor de otra mujer? —Sal de aquí y déjame en paz—. Por algún motivo inexplicable, estaba a punto de echarse a llorar sólo de pensar en la traición de él.

Los ojos plateados de Gregori se tornaron más cálidos, de delicado mercurio, y se desplazaron con aire posesivo sobre su delgada figura. Frunció un poco el ceño.

—Estás débil, Savannah. Lo noto cuando nuestras mentes se unen.

—Manténte fuera de mi mente. Nadie te ha invitado. —Se puso en jarras—. Y para que lo sepas, ¡tu mente necesita un buen lavado con jabón! La mitad de las cosas que piensas que haremos no sucederán jamás. Nunca podré volver a mirarte.

Él se rió ruidosamente. Una risa real, verdadera. Brotó de forma inesperada y surgió grave y ronca, con genuino divertimento. Gregori estuvo a punto de salvar de un brinco la distancia que les separaba para cogerla en sus brazos, más agradecido de lo imaginable.

Ella le tiró una almohada a la cabeza.

—Adelante, ríete, chulo arrogante. —Deseó tener a mano un palo.

Él alzó las cejas. Otra experiencia nueva. Le habían llamado muchas cosas, pero «chulo» no se incluía entre ellas. De todos modos, el interés por el bienestar de Savannah superaba su curiosidad. Incluso superaba la bestia agazapada dentro de él tan dispuesta a poseerla.

—¿Por qué estás tan débil, *ma petite*? Esto es inaceptable.

Ella desdeñó con un ademán la preocupación de él.

—¿Es aceptable que juguetees por ahí con otras mujeres? —No se detuvo a pensar por qué la enfurecía aquello, pero lo cierto es que la indignaba—. Llevo cinco años cuidando de mí misma, Gregori, sin tu ayuda. No te necesito, ni te quiero cerca. Y si tengo que sufrirte a mi alrededor, habrá que establecer algunas normas.

Gregori torció el gesto, pero sus entrañas se comprimieron con la excitación, y su cuerpo se endureció tanto que era doloroso. El hambre crecía, deprisa, con intensidad, y la bestia en su interior rugía pidiendo liberación. Cinco años. Había tenido que concederle esos cinco años. Que Dios les ayudara por haber esperado demasiado.

—El baño está listo. Puedes explicarme esas normas mientras nos relajamos en el agua caliente.

Ella abrió los ojos.

—¿Nos? Me parece que no. Tal vez tú tengas por costumbre bañarte con mujeres, pero puedo asegurarte que yo no me baño con hombres.

—Eso tranquiliza mi mente —respondió con sequedad mientras la diversión llenaba su mente, pero la urgencia de su necesidad iba a más—. Nunca me he bañado con ninguna mujer, Savannah, de modo que la nueva experiencia debería irnos bien a los dos.

—Ni en tus sueños más desenfrenados.

—No hay necesidad de ser tímida. Los dos venimos de la tierra.

—Ahórrate ese rollo, Gregori. No voy a bañarme contigo, y se acabó la discusión.

71

Gregori alzó las cejas. De pronto se mostró como el depredador que era. Nada de diversión perezosa ni indulgencia, sólo un cazador con los ojos fijos sin pestañear en su presa.

El corazón de Savannah se detuvo lleno de alarma, luego empezó a latir en su pecho con golpes incómodos. Lo peor de todo era que él podía oírlo. Sabía que la había asustado. Eso la enfadaba todavía más. ¿Tenía que intimidarla de ese modo? Los carpatianos varones tenían todos una fuerza enorme; no necesitaban demostrarlo. No hacía falta aquel enorme pecho, brazos abultados y muslos como robles. Ella había empezado con bravuconadas, decidida a no dejarse intimidar, pero él era el poder personificado.

—Leo tu mente —mencionó él con suavidad.

Savannah detestaba que su cuerpo la delatara; la manera en que se disolvía sólo con verle y oír el sonido de su voz aterciopelada y acariciadora.

—Te he dicho que no te metas en mi mente.

—Es una costumbre, *ma petite*.

Le tiró otra almohada.

—No te atrevas a sacar al lobo. Estoy segura de que nuestras leyes prohíben una cosa así. Eres un canalla, Gregori, y ni siquiera lo lamentas.

—Quítate la ropa, Savannah.

La suave orden hizo que la mirada de Savannah volara al encuentro de los ojos de Gregori, dejándola allí clavada. Retrocedió, dio un traspiés y se habría caído si él no se hubiera movido con su velocidad prodigiosa para cubrir la distancia que les separaba. La recogió con los brazos y la pegó a él, perforándola con los ojos plateados.

—¿Por qué estás tan débil?

Ella empujó el muro de su torso en un intento vano de eludir un sondeo mental. Gregori era capaz de obtener cualquier información que deseara con toda facilidad.

—Ya sabes que nunca tomo sangre humana. De niña, no parecía importar demasiado, pero durante este último par de años, ha tenido —buscó la palabra— repercusiones.

Él permaneció callado, con su impasible mirada fija en ella, obligándola a explicarse. Y la obligaba. No podía resistirse a aquella coacción en sus ojos fijos.

Savannah suspiró.

—Me siento débil casi todo el tiempo. No puedo cambiar de forma sin que tenga efectos atroces sobre mí. Por eso mis actuaciones son cada vez más escasas. Apenas puedo transformarme en bruma para escapar y luego volver a materializarme. —No añadió que ya no conseguía crear protecciones adecuadas mientras dormía, pero detectó, por el repentino destello de acero en los ojos de él, que había captado el eco de su pensamiento reprimido apresuradamente.

La mirada plateada de Gregori se convirtió en acero y sus brazos amenazaron con estrujar el cuerpo de Savannah contra su dura fuerza.

—¿Por qué no has puesto remedio a esta situación? —Su voz, una suave amenaza, provocó un escalofrío en todo su cuerpo. Era demasiado consciente de su fuerza.

—Lo intenté con Peter en una ocasión, cuando me encontraba realmente mal. Él se mostró conforme, pero finalmente yo no pude tomar su sangre. —No quería admitir que el motivo real era que pensaba que su inusual dieta le permitía caminar bajo el sol.

—Esto tiene que terminar. Prohibo que esta estupidez continúe. —La sacudió un poco y apretó sus blancos dientes con un chasquido de irritación—. Y si es necesario, Savannah, te obligaré a obedecer. —No era ninguna fantochada, en su voz no había ni desafío ni burla. Simplemente manifestó aquel hecho.

Ella sabía que la estaba amenazando, no con la fuerza física sino con la coacción mental.

—Gregori —se esforzaba por sonar calmada y razonable—, considero un error que me obligues a cumplir tu voluntad.

Él la dejó de pie en el suelo, sosteniéndola con cuidado con una mano mientras llevaba la otra hasta los botones de su blusa.

A Savannah se le cortó la respiración. Levantó ambas manos para detener a Gregori.

—¿Qué estás haciendo?

—Quitarte la ropa. —No parecía consciente de las manos de Savannah que se esforzaban en controlar la suya. Los extremos de la blusa se separaron y dejaron al descubierto su estrecho torso, con la blanda prominencia de sus pechos cubiertos por un encaje casi transparente.

La bestia salió a la superficie por un momento, dispuesta a despedazar, a alimentarse y a reivindicar lo suyo. Era imposible controlarla, y por primera vez temió en serio haber esperado demasiado para ir junto a ella. Savannah correría un peligro verdadero si él se precipitaba a la locura. La necesidad le atenazaba, dura y dolorosa, pero respiró hondo, luchó y ganó. Consiguió mantener firme la mano mientras retiraba el insignificante encaje y dejaba todo su pecho a la vista. Rozó con sus dedos la piel de satén, pues ya no podía pararse, y con el pulgar acarició los pezones hasta convertirlos en duras puntas. Murmuró algo —Savannah no estaba segura de

qué— antes de bajar la boca para saborear el cremoso ofrecimiento.

Con el primer contacto de su lengua y el roce de sus
dientes, a Savannah casi le ceden las piernas. Su cuerpo se li-
cuó de necesidad. Él la atrajo al calor húmedo de su boca y
ambos fueron pasto de las llamas.

Savannah enredó sus dedos en el espeso cabello negro
medianoche de Gregori, con toda la intención de apartarle la
cabeza hacia atrás, pero las llamas que lamían su piel encen-
dieron un fuego en lo más profundo de su ser. *Sólo por una
vez, saborea lo prohibido. Sólo por una vez.* El hecho de que
no supiera si el pensamiento que la tentaba era de Gregori o
suyo propio daba la medida de su placer.

Gregori le rozó el estómago bajando la mano para encontrar la cremallera de sus vaqueros. En torno a Savannah
los colores giraban y danzaban, el aire soltaban chispas y la
tierra se movía bajo sus pies. Un gemido de desesperación, de
deseo, escapó de su garganta. El sonido de sus corazones, la aceleración de la sangre, era una música en sus oídos. Invocaba
algo salvaje en ella. La fragancia que desprendía Gregori,
masculina y excitada, el aroma de su sangre, incrementó el
hambre en intensidad y severidad.

—¡No! ¡No quiero esto! —Savannah, desesperada por
escapar de su hechizo de magia negra, se arrojó a un lado. Le
deseaba más que nada, por encima de su alma, y la intensidad
de la necesidad la mataba de miedo.

Gregori la atrapó con los brazos y los dos cayeron juntos, flotaron hasta el suelo, donde se quedaron tendidos, ella
debajo del cuerpo más grande de él. Savannah tenía la cabeza atrapada justo debajo de su pecho y el aroma de la sangre
era fuerte, latía con fuerza, intentando vencer la resistencia

de Savannah. Él le agarró los vaqueros por la cinturilla y se los retiró con facilidad del cuerpo, llevándose con ellos la tira de encaje que pasaba por ropa interior. Acarició toda la longitud del cuerpo de Savannah, memorizando con sus manos cada curva y hendidura, y dejando un rastro de fuego como estela.

Savannah encontró la piel de él, caliente y salada, bajo sus labios. Encontró su pulso con la lengua y lo acarició. El cuerpo de Gregori se estremeció de placer, sus brazos se comprimieron hasta formar bandas de acero en torno a Savannah. Ella sintió su aliento caliente contra su cuello y oreja:

—Toma lo que quieras de mí, Savannah —susurró en voz baja, con una seducción de terciopelo negro—. Me ofrezco de buen grado, como hice en el pasado. ¿Recuerdas mi sabor? —Era pura tentación, el diablo que la tentaba. *¿Recuerdas?* Susurró la palabra dentro de su mente.

Savannah cerró los ojos. El aroma de la sangre era apabullante, la llamaba susurrando un encantamiento. Alimentarse una sola vez y recuperar las fuerzas... Tal vez durara bastante tiempo. Qué fácil sería permitirse saborearle una vez. Su cuerpo se contrajo sólo de pensarlo pues todos sus instintos pedían a gritos sobrevivir.

Gregori le pasó la mano por el muslo y provocó un estremecimiento que se disparó por su riego sanguíneo. Ella volvió a sacar la lengua para lamer su piel, tomándose más tiempo esta vez. Gregori encontró con sus dedos el calor húmedo e íntimo, y lo acarició tomándose su tiempo. Ella le arañó la piel con los dientes y luego mordisqueó. Él controló la necesidad de agarrarla por las caderas y poseerla. Savannah estaba medio perdida, su mente confusa por el hambre que rugía y el cuerpo que ardía de necesidad. Él alimentaba esa necesidad, ahondaba más a fondo, exploraba y palpaba los músculos que se contraían, las caderas que embestían contra él buscando alivio. *Hambre,* decía él, y lo incitaba y permitía que le consumiera. El cuerpo le dolía de necesidad, enardecido, endurecido y dolorido. La mente de Savannah buscaba la suya, y se fundieron hasta que fue imposible separar una de otra. *Hambre. Recuerda. El sabor. Otra vez, sólo una vez, su sabor.*

No podía pensar con claridad. La necesidad era tal, el hambre. Una parte de ella sentía la piel desnuda y caliente de Gregori, su cuerpo tan agresivamente masculino, pero sobre todo se sentía atraída por esa palpitación constante y fuerte.

Los dedos de Gregori ahondaron aún más en su calor, y las llamas brincaron como respuesta: fuego rojo, rojo candente, relámpagos azules. La voluntad de Savannah se disolvió y entonces ella hundió los dientes a fondo. Gregori soltó un grito ronco en medio de una explosión de placer intensa como el éxtasis. Era puro erotismo, el modo en que ella movía la boca y se alimentaba, tomando su fuerza vital para incorporarla a su cuerpo. Había esperado demasiado tiempo. Su mente se ofuscó y se transformó en una bruma roja de necesidad punzante, y entonces sujetó las delgadas caderas de Savannah con fuerza hiriente, manteniéndola quieta para llevar a cabo su invasión.

Ella era fuego aterciopelado, y él se hundió lo más profundo que pudo, superando con un desgarro la fina barrera de protección. Se consumía de necesidad, estaba decidido a hacerla suya para toda la eternidad. El conmocionado grito de dolor de Savannah se perdió contra su pecho, amortiguado bajo él. Era tan pequeña, tan ardiente y tersa, que se sintió perdido en la pura sensación. Pura sensación. Sensación real. Ninguna fantasía de las creadas para soportar la oscuridad, la soledad, sino sensación verdadera. El dulce olor a cobre de la sangre era abrumador, le llamaba con seducción incesante. El aroma de la sangre de Savannah, unida a las fragancias combinadas de ambos, avivaba la bruma roja, le precipitaba sin control y activaba todos sus instintos depredadores, agresivos y bestiales.

Savannah cerró la herida en el pecho de Gregori con una rápida pasada automática de su lengua. Forcejeaba ya de modo frenético; él le estaba haciendo daño con su fuerza hiriente, estirando su cuerpo con su potencia y desgarrando su inocencia con brutalidad. Sus manos estaban en todas partes y detrás venían sus dientes. En su garganta retumbaban graves gruñidos de advertencia mientras ella se resistía.

Gregori alzó la cabeza con los ojos de un rojo reluciente, peligroso y fuera de control; había dejado de ser humano y se había perdido al borde de la locura. Cuanto más forcejeaba Savannah, más brutal se volvía él, el animal salvaje buscaba dominarla, buscaba su propio placer.

Un dolor candente la atravesó cuando los dientes perforaron la prominencia vulnerable de su pecho. Chilló como protesta, pero él la sostuvo con facilidad bajo el peso de su cuerpo y la mantuvo sujeta y vulnerable al tiempo que se daba placer. Mientras la sangre de Savannah fluía por dentro de él, Gregori continuó hundiéndose en su cuerpo una y otra vez, cada vez más a fondo y con más fuerza.

La sangre caliente de Savannah seguía manando hasta dentro de su boca. Nunca había conocido un sabor así, era imposible cansarse de él. Fluía por dentro de su cuerpo como un néctar, ardiente pero calmante. Nunca había sentido un éxtasis como el que le proporcionaba el cuerpo de Savannah. Quería que durara siempre. El poder le dominó, el embeleso era total. Su cuerpo en estado salvaje buscaba más, quería todavía más, con el mismo desenfreno con el que se alimentaba su boca.

Gregori ya no existía; el animal furioso que ocupaba su lugar estaba dejando a Savannah sin sangre vital, utilizaba su cuerpo sin las atenciones que dedica un compañero cariñoso. Ella se resignó a la muerte inminente, pero se preocupó por su padre, que se vería enfrentado a este carpatiano, el más astuto y fuerte de todos.

Notó una débil agitación en su mente, sin frases, sólo impresiones. Gregori se esforzaba por retroceder de la locura para ayudarla; ahora su único pensamiento era ella. Él sentía un profundo pesar por haber esperado demasiado tiempo y haberla expuesto a tal peligro. *Mátame, chérie. Cuando esta cosa que te toma haya acabado, estará débil, perezoso y saciado. Mátame entonces. Haré todo lo posible para ayudarte en esto.*

La culpabilidad la inundó. Gregori se había condenado a cinco años de infierno para darle la libertad que ella tanto deseaba. Durante ese tiempo, había andado muy próximo a la locura, no obstante había aguantado... por ella. Sus mentes estaban fundidas, y Savannah detectaba el sufrimiento que había soportado por ella. Ahora estaba dispuesto a morir para salvarla. Savannah cerró los ojos y deseó que su cuerpo se relajara, que se ablandara y se volviera más receptivo.

Gregori. Él pensaba que su alma estaba perdida, que se había vuelto un verdadero vampiro al que no le preocupaba ni el bien ni el mal. Una bestia salvaje sin credo, con enorme poder, un poder increíble. Había aguantado demasiado tiempo, pese al apabullante vacío negro, y aun así ahora estaba perdido, atrapado en un torbellino de violencia y pasión, poder y placer. Ella le había conducido hasta este final maligno. Sus temores, su juventud, eran los motivos de que su grandeza se viera reducida a un salvajismo sin sentido.

Encontró con sus dedos la nuca de Gregori. Entonces intentó no sentir el brutal tratamiento al que él la estaba sometiendo, se obligó a suprimir de su mente su propio dolor. *Gregori.* El Taciturno. Salvaje. Ingobernable. Siempre solo. Inalcanzable, completamente aislado. Temido. Ningún carpatiano se encontraba cómodo en su presencia; no obstante había curado a muchos de su raza, había dado caza a asesinos, había hecho justicia cuando era la tarea más dura, y todo por mantener a salvo a su pueblo.

¿A quién le importaba ahora esta bestia salvaje? ¿Quién sentiría gratitud por lo que había sacrificado por todos ellos? ¿Quién intentaría alguna vez acercarse lo bastante como para llegar al hombre en su interior? Savannah se sintió inundada de compasión, y de otra cosa que no se atrevió a examinar de cerca. No podía permitir un destino así para un carpatiano tan importante. No iba a permitirlo. Su determinación superaba cualquier cosa que hubiera sentido en la vida.

Acarició con las manos la melena salvaje y acunó su cabeza contra su pecho, entregándose a él de propia voluntad, con las ideas serenas, en el ojo de la tormenta, ofreciéndole a él su vida, sin reservas. *Toma con toda libertad, Gregori, mi vida por la tuya.* Era lo mínimo que podía hacer; no era menos de lo que él había hecho por ella, por toda su raza. *Estoy aquí, Gregori, para ti. Te ofrezco lo que necesites, de propia voluntad.* Lo decía en serio. No permitiría que se convirtiera en un no muerto. Ella no le entregaría a ese frío mundo.

¡Savannah! Parecía un poco más fuerte o tal vez ella confiaba simplemente en que el hombre estuviera ganando a

la bestia. *Debes sobrevivir. Mátame.* Su voz era un gruñido fiero y suplicante dentro de su cabeza.

Fue la propia mente de Savannah la que respondió. *Siénteme, siente cómo mi cuerpo se une al tuyo. Te pertenezco, y tú a mí. Siénteme contigo. Ven hasta mí. No permitiré que te marches. Donde estés, yo estoy contigo. Donde tú vayas, yo te sigo. Ofrezco mi vida voluntariamente a cambio de la tuya. Sólo has tomado lo ofrecido voluntariamente a ti. No has cometido nada malo al tomarlo.*

Las caderas de Gregori continuaban hundiéndose en ella pero con más cuidado, como si estuviera recuperando poco a poco la consciencia. Savannah, animada, movió su cuerpo para seguirle y mantener su ritmo furioso, el de su corazón, sus pulmones, hasta que estuvieron sincronizados a la perfección. Un cuerpo, un corazón, una mente. Ella intentó ralentizarlos a ambos, se esforzó por lograr que el cuerpo de Gregori adoptara el ritmo más pausado y apacible de ella.

Savannah. Esta vez su nombre era una súplica, aún alejada, pero más decidida. La boca que succionaba con tal ferocidad su pecho suavizó el tirón. *Sálvate.* Gregori luchaba por ella igual que ella luchaba por él.

Sólo contamos nosotros. Ahora ella estaba serena; movía las manos con suavidad sobre los músculos tensos y rígidos de su espalda. *Ni yo, ni tú.* Se encontraba débil y agotada, un extraño letargo se estaba apoderando de ella. *Sólo nosotros.* ¿Arrastraba tal vez un poco las palabras? *No voy a dejarte, ni voy a permitir que la oscuridad te aparte de mí.*

Savannah yacía debajo de él, casi en un mundo de ensueño. De repente, la bestia, como si percibiera que ella se escabullía, alzó la cabeza con ojos rojos, plateados, rojos, plateados, ojos que la fulminaban con mirada de repente animal y a continuación tierna. La sangre goteó cálida sobre la pendiente del pecho de Savannah. Ella pestañeó para enfocarle de nuevo. El cuerpo de Gregori se estremeció mientras vertía su semen en lo más profundo de ella. Con una larga pasada de su lengua, cerró la herida del pecho y siguió las gotas de sangre hasta su estómago.

Te declaro mi pareja de vida. Las palabras sonaron roncas en su mente. Tras ellas, Savannah oyó su voz, áspera, como si le hubiera afectado el terrible conflicto padecido por su alma:

—Te pertenezco. Consagro a ti mi vida. —La voz cobró fuerza, sonaba más a Gregori, una hermosa caricia de terciopelo, mientras recitaba los ancestrales votos carpatianos que les unirían para toda la eternidad—: Te brindo mi protección, mi lealtad, mi corazón, mi alma y mi cuerpo. Asumo todo lo tuyo bajo mi tutela. —Le sujetó la nuca con la palma de la mano, se hizo un corte cerca de la garganta y pegó la boca de Savannah a la herida. Estaba muy débil, casi demasiado débil para beber incluso bajo su coacción. *Bebe,* mon amour, *por las vidas de ambos.* La obligó a obedecer sin poner reparos. Sin su sangre, ella no sobreviviría una hora más. Y todo lo sufrido para salvarle sería para nada. Porque sin ella, él no tendría motivos para sobrevivir, ni manera de conseguirlo.

Le acarició el pelo con ternura, mientras movía su cuerpo con delicadeza dentro de ella. El ritual tenía que completarse para evitar una repetición de esta terrible situación de peligro para ella. Necesitaba a Savannah residiendo en él, sujetando la oscuridad con su luz. Sería un largo camino de regreso, pero ella era fuerte, le arrastraría con su confianza desde el vacío negro de su naturaleza bestial. Concluyó los votos en voz baja:

—Tu vida, tu felicidad y bienestar serán lo más preciado, antepuestos siempre a mis deseos y necesidades. Eres mi compañera en la vida, unida a mí para toda la eternidad y siempre bajo mi cuidado.

Su cuerpo estaba en éxtasis por la combinación de ella alimentándose y el ardiente terciopelo de su cavidad femenina. Pero descartó el placer pues sabía que ella no sentía lo mismo que él. En el momento en que estuviera seguro de que Savannah tenía sangre suficiente para sobrevivir, se permitiría un segundo alivio.

La cabeza de Savannah caía hacia atrás sobre el frágil cuello, como una flor sobre un tallo. Estaba tan pálida que su piel casi parecía translúcida. Gregori le cogió la mano y se la acercó a la boca, recorriendo su rostro con los ojos plateados, advirtiendo las sombras y hendiduras que antes no estaban ahí. Mientras la miraba, algo en su interior se ablandó, se enterneció.

Salió del cuerpo de Savannah, se quedó mirando su forma delgada, y se quedó perfectamente quieto, conmocionado, horrorizado, casi incrédulo. Magulladuras, arañazos y mordiscos marcaban su piel. La sangre y el semen goteaban por su pierna, y buscó en su interior para recordar el momento en que le había arrebatado la inocencia.

Un sonido herido y crudo desgarró su garganta. ¿Cómo podía haber hecho algo tan brutal e imperdonable? ¿Cómo podría haber perdón alguna vez? Savannah se las había arreglado para guiarle de regreso del vacío negro de los condenados. Todo cuanto sabía, todo en lo que creía, le decía que esto era un milagro. Pero ella había pagado un precio terrible.

Gregori llevó el cuerpo inerte de Savannah hasta el baño humeante, agradecido de que el agua caliente ayudara a aliviar su dolor hasta que él pudiera sumirla en el suelo profundo y renovador. En su patria, la fecunda tierra la habría acogido condescendiente para contribuir a su recuperación. Aquí, en este país extraño, sólo contaba con Gregori y sus poderes curativos. Podría obligarla a dormir hasta que las heridas estuvieran del todo curadas. Podría eliminar cada recuerdo de su brutalidad e implantar un relato hermoso de sus relaciones. No obstante, le había dicho que nunca habría mentiras entre ellos, y si alteraba su recuerdo, toda su relación a partir de ese día se habría convertido precisamente en... una mentira.

Savannah yacía quieta del todo, pálida e indefensa. Gregori acarició hacia atrás su pelo de ébano, con tanto dolor en su corazón como si una mano lo retorciera y se lo arrancara del pecho. La verdad pura y dura era que era él quien necesitaba aquella mentira, y ni siquiera se la merecía. El coraje de ella le había permitido regresar. Si Savannah era capaz de plantar cara al demonio que había en su interior, él no podía hacer menos.

Capítulo 4

Savannah despertó de su sueño poco a poco, aletargada. Recuperó la conciencia con los primeros intentos de movimiento. El don carpatiano de la sensibilidad exquisita, la capacidad de ver, oler, oír y saborear de manera tan vívida, la naturaleza increíblemente apasionada de cuerpo y mente que les permitía mantener relaciones con tal desenfreno, era una maldición en lo referente al dolor. Los carpatianos sentían el dolor con tal claridad e intensidad como veían y oían, sin agentes químicos que insensibilizaran la sensación. Soltó un gemido sin poder contenerlo.

Al instante una mano tranquilizadora descansó sobre su frente y le acarició el pelo hacia atrás.

—No deberías moverte, *ma petite*.

Una débil sonrisa curvó su boca.

—¿Tienes que convertir todo lo que dices en una orden? —Las pestañas se alzaron y revelaron sus ojos violetas azulados.

Gregori esperaba una expresión de censura, rabia, disgusto. Ella tenía los ojos empañados por el dolor, un poco adormilados, y aún conservaban una pizca de miedo que intentaba ocultar con esfuerzo, pero nada más. Él era una sombra siempre presente en la mente de Savannah, de modo que no podía ocultar sus pensamientos. Estaba preocupada sobre todo por él, por la terrible lucha que había soportado por su cordura, por las heridas en su alma. Ella sentía culpabilidad y una abrumadora sensación de tristeza por haber forzado tales decisiones con su juventud e inexperiencia. Gregori no se percató de que estaba frunciendo el ceño hasta que el dedo de Savannah le alisó los labios. El contacto le hizo dar un respiro. La manera en que ella le miraba enternecía su corazón, derretía hasta los extremos más afilados.

—Has corrido un riesgo terrible, Savannah, podría haberte matado. La próxima vez que te dé una orden, síguela.

Ella puso una mueca lánguida, luego, cuando sus labios hinchados le dolieron, adoptó de pronto un semblante más serio. Estaba terriblemente débil, necesitaba sangre. El aroma de la sangre jugueteó con recuerdos que ella necesitaba evitar de forma desesperada en aquel instante.

—De hecho, no se me da muy bien lo de seguir órdenes. Supongo que tendrás que acostumbrarte a ello, así de sencillo. —Savannah intentó sentarse, pero le resultó imposible con la gran mano de él extendida sobre su corazón.

Aquel intento de sarcasmo podía haber funcionado mejor a no ser porque sus mentes eran tan accesibles una a otra, que se deslizaban y se fusionaban en ambos sentidos sin pensar y sin siquiera esforzarse. Gregori captó un atisbo de nerviosismo, el eco del miedo. Ella era muy, muy consciente de la palma de Gregori apoyada en la fina sábana, sobre la prominencia del pecho. Savannah intentaba hacer caso omiso de la tensión sexual que provocaba chispas entre ambos.

Gregori se inclinó y le rozó la frente con la boca.

—Te doy las gracias por tu intervención. Me has salvado la vida. Aún más importante, me has salvado el alma. —*Nues-*

tras dos vidas—. No intentes ocultarme tus temores, *ma petite*. No hace falta.

A ella se le escapó un suspiro, y sus pestañas cubrieron sus ojos.

—Puedes resultar de lo más irritante, Gregori. Estoy intentando salir airosa de esto, y me iría bien un poco de ayuda. Para ser sincera, me muero de miedo. De hecho, no quiero pensar en eso ahora mismo. —Se mordió el labio, luego dio un respingo al sentir un escozor en la boca. Hizo un movimiento sutil de retirada, con la esperanza de que él apartara la mano. Era muy consciente de su contacto, de su calor. Era consciente tanto del dolor de su cuerpo por ese contacto y del terrible miedo que su mente no confiaba en superar.

Gregori no movió un solo músculo y permaneció tan quieto como una estatua tallada en granito.

—Me has sacado de la oscuridad, de las puertas del infierno. Deberías haberme destruido, con todo derecho, otorgado por la ley de nuestro pueblo, por lo que te he hecho. —Su voz sonaba grave y marcada por el dolor—. Con toda honestidad, no tengo ni idea de que fuera posible tal sacrificio y tal rescate.

Savannah no quería repetir jamás la experiencia mientras siguiera con vida. Pero de algún modo, por mucho miedo que sintiera, por mucho que le doliera el cuerpo, sabía que Gregori estaba mucho más atormentado que ella.

—¿Supongo que no te sentirás tan agradecido como para considerar la posibilidad de vivir apartado de mí durante un buen tiempo? —preguntó esperanzada, cerrando los ojos por un momento para bloquear el recuerdo de la lucha por el alma de Gregori. No podía hacer frente al mismo tiempo a ese recuerdo y a la persona tan real, tan intimidante.

Por un momento, algo se agitó en las profundidades de los ojos de él, recorrió ondulante su mente y la de ella, y luego se esfumó. Dolor. ¿Le había herido Savannah? Ella no estaba segura de querer saberlo.

—El ritual concluyó, *ma petite*. Es demasiado tarde. Ninguno de nosotros sobreviviría a la separación. —Enredó los dedos en su melena y apretó unos mechones sedosos como si no consiguiera sentir lo suficiente a Savannah.

Ella recordó haber oído que las parejas de vida no podían existir separadas. Pero eso quería decir que ella tendría que encontrar la manera de resolver lo antes posible sus conflictos y temores. ¿Era tan siquiera posible?

—Entonces, ¿qué significa eso? —le desafió—. He oído decir eso a mi padre y también a ti. Lo he oído toda mi vida. ¿Qué significa?

—Necesitarás estar en contacto con mi mente, con mi cuerpo, el intercambio de nuestra sangre, y yo voy a necesitar la tuya. Sucederá con frecuencia, y la necesidad es tan potente, que uno ya no podrá existir sin el otro. —Mantuvo el tono de voz neutral, grave, y una cadencia tranquilizadora.

Savannah empalideció aún más, si es que era posible. El corazón le latía con furor, y sus ojos se agrandaron de miedo. *¡Nunca!* Nunca, jamás, bajo ninguna circunstancia, podría pasar por aquello otra vez. El sexo era una pesadilla, el intercambio de sangre se sobrevaloraba de manera exasperante. Apartó la cara para que no le viera, en un intento de no abrumarle con su miedo. La mente de Savannah trabajaba frenéticamente intentando encontrar una solución. Ella sola se había buscado esto. Ojalá... pero si hubiera hecho algo diferente, Gregori estaría muerto o, peor todavía, sería un vampiro hecho y derecho y, en cierto sentido, pese a la amenaza de repetición de la jugada, Savannah no podía soportar la idea.

Se humedeció los labios con la punta de la lengua y encontró la evidencia hinchada, partida, del asalto.

—Pero ya no hay posibilidades de que te conviertas en vampiro, ¿correcto?

A Gregori se le encogió un poco el corazón al oír el leve temblor en su voz.

—No hay posibilidad alguna de que entregue mi alma a la oscuridad, Savannah, a menos que te perdiera. No voy a mentirte, *ma petite*. Nuestra vida será difícil al principio. No tengo ni idea de la profundidad de las emociones que eres capaz de crear en mí. Llevará un tiempo adaptarse. Si la pregunta es si voy a volver a hacerte daño físico otra vez, la respuesta es no.

—¿Estás seguro? —Esta vez el estremecimiento era evidente, la mano le temblaba cuando la levantó para echarse el pelo hacia atrás.

El movimiento provocó un gesto de dolor, y Gregori notó aquel espasmo, aquel temblor, en todo su cuerpo como la hoja de un cuchillo.

—Estás dentro de mí, Savannah, eres la luz que me guía a través de la oscuridad de los tiempos. —Quería estrecharla entre la seguridad de sus brazos, guarecerla para toda la eternidad ahí contra su pecho. Pero ¿estaba diciendo la verdad? Su corazón sentía que sí, pero hacía mucho tiempo había manipulado la naturaleza. ¿Aguantarían las salvaguardas su violencia?

—Necesito tiempo. —Detestaba la nota suplicante en su voz. Pero su vida había cambiado de la noche a la mañana. Y Peter. Que Dios la ayudara, porque ella nunca se perdonaría la muerte de Peter.

—Roberto no estaba solo. —Era fácil leer sus pensamientos.

Savannah, con precaución, puso a prueba su capacidad de moverse. Cada uno de sus músculos pareció aullar en protesta.

—¿A qué te refieres?

Él le pasó la mano por el hombro con actitud posesiva. Una sacudida de miedo golpeó con fuerza a Savannah. Estaba desnuda debajo de la sábana. Al instante se sintió vulnerable, su mirada de tonos violetas azulados saltó hasta los ojos plateados de él como si quisiera verificar si él había sentido alguna provocación.

Gregori soltó un leve suspiro y cambió de postura sobre la cama.

—No voy a hacerte daño, *mon petit amour*. No puedo, ahora que el ritual está concluido.

—Entonces, por qué has dicho que nuestra vida en común será difícil? —Agarraba la sábana con tal fuerza que sus nudillos se pusieron blancos.

Gregori puso una mano amable sobre la de ella y siguió cada uno de los tensos nudillos de Savannah con su dedo. Cada roce provocó una inesperada sacudida de electricidad que la atravesó.

—No puedo perderte después de esperarte durante siglos. Sé que soy un hombre duro, y no te va a resultar fácil vivir conmigo. Los dos necesitaremos realizar ciertos reajustes.

—Sí, por ejemplo podrías dejar esa actitud tan machista —balbució en voz baja. Armándose de valor, siguió en voz alta—: Quiero sentarme, Gregori. —Notaba una desventaja clara, tumbada ahí sobre la cama y desnuda debajo de la sábana—. Si vamos a hablar de nuestro futuro, me gustaría participar.

Durante un largo rato, los ojos plateados se desplazaron sobre el rostro magullado y lo estudiaron con intensidad; era obvio que Gregori se debatía sobre si permitirlo o no. Una tormenta empezó a formarse en la mirada de ella, y él tuvo que moverse a su pesar para dejarle sitio.

—Con calma, *bébé* —dijo en voz baja, rodeándola con un brazo, con su aliento cálido en su cuello. El contacto con su brazo velludo, duro como el hierro, rodeando su piel desnuda, le provocó un estremecimiento en la columna y una espiral de calor en la boca del estómago. Detestaba ese calor, la manera en que su cuerpo se comunicaba con el de él, la manera en que su mente pretendía hacer caso omiso de su firme resolución y buscaba alcanzar la mente de Gregori. Era el ritual. Podía justificarlo así, pero no evitaba que se despreciara a sí misma. ¿Cómo era posible que su cuerpo deseara un contacto tan brutal? ¿Era una especie de masoquista?

Empezó a notar un profundo temblor que avanzó luego por sus músculos hasta que incluso sus dientes castañearon. Savannah agarró la sábana y se sentó con cierta rigidez, apoyándose en el sólido brazo de Gregori.

—Creo que iría mucho mejor que me sentara ahí. —Indicó una silla situada al otro lado de la estancia.

Gregori tomó el rostro de Savannah entre sus manos y acarició la delicada línea de la barbilla con los pulgares.

—Mírame, Savannah. —Su voz era terciopelo negro, pero no dejaba de dar una orden.

La mirada de ella encontró al instante la de Gregori, pero luego se apresuró a apartar los ojos, protegiéndose con las pestañas. Bajo la parte interior del pulgar, Gregori notó su pulso acelerado.

—¿Vas a llevarme la contraria todo el rato? No es un imposible lo que te pido: que me mires, que mires a tu pareja.

—¿De verdad? He oído decir que puedes dominar a cualquier ser sólo con una mirada.

La risa de Gregori sonó suave, jugueteó sobre la piel de ella como el roce de unos dedos.

—Eso lo puedo hacer sólo con mi voz, *chérie*. Savannah, necesito que me mires.

A su pesar, le miró a los ojos. ¿Por qué había pensado que sus ojos eran fríos? Eran pozos de mercurio fundido que la calentaban, la calmaban de tal manera que el temblor cesó y parte de su miedo se disipó lo bastante como para empezar a relajar los músculos.

—Nunca volveré a hacerte daño. Antes no te he tomado de ese modo por elección propia; cargaré para siempre con la vergüenza y la culpabilidad por mi falta de control. —Encontró con las manos el pelo de Savannah y acercó la seda aplastada contra sus labios—. Sé que me tienes miedo y con razón, pero te ofrezco voluntariamente mi mente para que puedas ver que digo la verdad. —Lo arriesgaba todo. Su pasado era turbio, a veces incluso negro. A su tierna edad, Savannah no sería capaz de entender una historia así: la existencia lóbrega que le había llevado a este momento. Pero ella conocería todos los hechos, todos los actos despiadados. También sabría lo lejos que había llegado él para asegurarse de que la tendría como pareja. Era la única manera que se le ocurría de tranquilizarla y convencerla de que hablaba en serio. Si abría por completo su mente, ella sabría que decía la verdad. Nunca le amaría, pero él no esperaba amor.

Durante un largo momento, Savannah estudió su rostro.

—Es suficiente con que hayas hecho este ofrecimiento, Gregori. Mis temores no se desvanecerán por saber que eres incapaz de hacerme daño. El miedo no funciona así. —No era necesario que él sacrificara su orgullo, que confesara cada hecho desagradable y turbio. Su vida había sido dura, y lo había hecho lo mejor posible. Ella no tenía derecho a juzgar sus actos—. Tal vez podamos ir poco a poco en esto y de momento hacer hincapié en conocernos el uno al otro.

Gregori soltó una lenta exhalación; se percató de que había estado conteniendo la respiración.

—¿Estás segura? —Cuando ella asintió, le soltó el rostro.

—¿A qué te referías con que Roberto no estaba solo? —Ella cambió a posta de tema en un intento de aliviar la tensión.

—Viajaba en grupo. Convirtieron Europa en un campo de batalla. Tu padre lo tuvo muy difícil para ocultar pruebas y proteger a nuestro pueblo. No hace tanto que los asesinos arrasaron nuestra patria y mataron a nuestra gente.

—¿Cuántos están en ese grupo?

—Cuatro más.

Ella se llevó la mano a la garganta. Parecía tan joven e indefensa que Gregori sintió ganas de atraerla hasta la protección de sus brazos. Le estaba haciendo cosas que él no entendía, pero, por ella, ningún precio era demasiado alto.

—¿Han venido hasta aquí a por mí? Roberto dijo que él me había encontrado el primero. Pensaba que quería decir que me había encontrado antes que tú. ¿Les atraje yo hasta aquí?

Él quería mentirle, ¿no le había ocasionado demasiado daño ya? Pero no logró hacerlo, de modo que no dijo nada.

Savannah sacudió la cabeza con tristeza.

—Ya veo. —Aún estaba débil y mareada por la pérdida de sangre en el voraz acto de alimentación de Gregori—. ¿Dónde está mi ropa? Me encuentro demasiado débil como para fabricar una sola prenda.

Él alzó las cejas.

—¿A dónde crees que vas?

—Tengo que organizar las cosas para el funeral de Peter. Lo más probable es que todo el mundo me esté buscando, y el equipo estará hecho polvo por su muerte y preocupado por mí. Una vez que me ocupe de esas cosas, mi intención es unirme a ti en la caza de esos renegados.

—Y ¿crees que voy a permitir algo tan peligroso?

La mirada de ella se volvió más agresiva.

—No puedes darme órdenes. Gregori, mejor que también aclaremos esto ahora mismo.

Gregori levantó su gran cuerpo de la cama y se estiró como un perezoso felino salvaje. Savannah encontró que no podía despegar la vista de él. El carpatiano se desplazó sin el menor sonido, con los músculos en tensión bajo la elegante camisa de seda. Tras machacar unas hierbas de olor dulzón en varios potes de agua, encendió unas velas debajo de cada contenedor. Al instante la habitación se llenó de una fragancia relajante y deleitable que parecía abrirse camino por dentro de su cuerpo, por su mismísimo riego sanguíneo. Tras coger un cepillo de la mesilla, Gregori rodeó la cama y regresó a su lado.

—Por supuesto que voy a darte órdenes, Savannah. Pero, por favor, no te preocupes. Se me da bastante bien, te lo aseguro.

Se quedó perpleja. ¿Gregori, el Taciturno, bromeando con ella? Él se situó detrás de ella, muy atento a sus magulladuras, y empezó a desenredarle pelo. Qué gusto, el cepillo moviéndose sobre el cuello cabelludo, por toda la longitud del cabello, las manos de él dando aquella largas cepilladas, una especie de magia.

—Muy gracioso. Yo no he nacido en el siglo catorce o esa tonta época atrasada en la que naciste tú. Soy una mujer moderna, te guste o no. Has sido tú quien ha elegido unirse a mí. Lo de dar órdenes, por muy bien que se te dé, está fuera de lugar. —Había hechizo, seducción, en el contacto de las manos de Gregori, el terciopelo de su voz, la pequeña nota bromista a la que ahora ella respondía.

Él le acarició con los dedos la nuca y disparó una espiral de calor por la sangre de Savannah.

—Vengo del Viejo Continente, *bébé*. —El calor de su aliento se pegaba a su oído—. No puedo hacer otra cosa que proteger a mi mujer.

—Pues supéralo —sugirió ella con dulzura—. Nos llevaremos mucho mejor así.

—Nos llevaremos a las mil maravillas, *ma petite*, ya que nunca te opondrás a mi voluntad. —Su voz, con tono grave, era la tentación en sí misma. El aire de la habitación estaba cargado del aroma de las hierbas, invadía los sentidos, y su voz la cautivaba.

Savannah volvió la cabeza para mirarle por encima del hombro desnudo con su seductora mirada violeta. Los ojos plateados de él brillaron con diversión desde sus profundidades.

—Tú desvarías, Gregori. Céntrate un poco. Seguro que no se te ha pasado por alto que iba a necesitar ropa, ¿verdad? —Intentaba sonar dura, pues no serviría de nada permitir que él la sedujera y que bajara la guardia. Pero seguía somnolienta, y la cabeza le daba vueltas con la fragancia de las hierbas y la sensación de las manos de él en su cabello.

—Es sencillo hacer aparecer objetos de ese tipo —le recordó, e inclinó la cabeza para pasar la lengua con dulzura sobre una magulladura especialmente fea situada en la parte inferior de la espalda. La saliva curativa actuaría más deprisa con tierra de su lugar de origen, pero era todo lo que tenía.

Savannah dio un brinco al notar la aspereza aterciopelada de su lengua moviéndose con erotismo por su cadera. El penetrante aroma de las hierbas invadía sus sentidos e inducía una lánguida somnolencia. Gregori le apartó con los dedos el pelo, echando la larga melena de seda sobre el hombro para dejar la espalda expuesta a él. Inclinó la cabeza con lentitud y su propio cabello largo y oscuro se deslizó sobre la piel sensible de ella.

Savannah profirió un sonido de protesta e intentó apartarse de él, pero aterrizó tendida boca abajo, con las manos atrapadas debajo del cuerpo.

—Permanece quieta, Savannah. Es necesario hacer esto. —Tenía la boca pegada a su cadera, a la peor de sus contusiones.

Un miedo opresor giraba en su cerebro. Él la hacía sentirse tan vulnerable, tan indefensa. Iba a suceder una vez más, su brutal posesión. Las lágrimas amenazaban tras los párpados, y en su garganta se formó un gemido.

Para Gregori aquel miedo era intolerable. Y no debería haberle importado, porque él sabía que no iba a hacerle daño —justo lo contrario, pues la estaba curando—, pero el miedo de Savannah podía con él, le desarmaba. La tocó con ternura extraordinaria; y eso que había pensado que no quedaba dulzura en él.

—Si te traigo a tu lobo, Savannah, ¿aceptarás *sus* cuidados? —Se lo propuso con dulzura. Un lustroso pelaje negro se onduló a lo largo de sus brazos, y los huesos crujieron y se estiraron hasta acomodarse a la forma cambiante.

La sensibilidad de la piel de Savannah era tan insoportable que incluso el roce del pelaje resultaba doloroso. Pese al temor que la dominaba, captó un destello de sufrimiento, como si Gregori se sintiera dolido porque ella prefiriera al animal que al hombre.

—No, por favor, Gregori, no. No traigas al lobo. Permite que me cure de forma natural —suplicó, incapaz de soportar que él sufriera. Cerró los ojos mientras los marcados músculos se flexionaban una vez más, en esta ocasión bajo la piel de Gregori.

Él encontró con la lengua la marca oscura que habían dejado sus dedos en el trasero redondeado de Savannah y siguió cada línea púrpura.

—No eres mortal, *ma petite*. Esto es lo natural entre nuestra gente. —La elección de Savannah le produjo placer, aun así no entendía por qué.

Las manos de Gregori siguieron el contorno del cuerpo de Savannah en busca de cada rasguño, cada contusión. Su lengua cálida y húmeda dejaba caricias a lo largo de las costillas, la cintura, las caderas y nalgas. Savannah jadeó cuando él insertó una mano entre sus piernas para permitirse tener acceso al largo y terrible rasguño del muslo. Él se abrió camino desde la parte posterior y se amoldó al interior de la pierna. El áspero terciopelo lamió con suavidad e insistencia la furiosa herida roja, con un contacto íntimo y erótico.

Savannah apenas podía respirar. Su contacto era como una droga que invadía su cuerpo, calentaba el riego sanguíneo y aliviaba todos los dolores. A él le resultaba tan fácil controlar su mente, como si Savannah no existiera sin él. Ella necesitaba cada momento de su contacto igual que lo detestaba. Incluso el aire de la alcoba era favorable a Gregori, pues las calmantes e insidiosas hierbas la tenían en un estado aletargado.

Gregori le dio la vuelta con ternura y con la respiración entrecortada. Nunca se había percatado de lo precioso que en realidad era el cuerpo femenino. *Suyo.* El orgullo y la posesión ardían en sus ojos claros mientras recorría con la mirada la piel desnuda y luego el delicado rostro. Unas lágrimas relucientes como joyas permanecían atrapadas en las largas pestañas de Savannah.

El gran sanador murmuró algo que ella no alcanzó a oír y rozó las lágrimas para que cayeran desde las puntas de las pestañas a la palma de su mano. Cerró la mano en torno a ellas, exhaló su cálido aliento a través de los dedos y volvió a abrir la mano. Tres diamantes perfectos yacían en su palma abierta.

Savannah, una maestra del ilusionismo, abrió mucho los ojos maravillada ante la hazaña de Gregori, y le rodeó la gruesa muñeca con los dedos. El corazón de Gregori dio un vuelco al notar el contacto, la mezcla de asombro infantil ante el juego de magia y el miedo absoluto a lo que el contacto íntimo estaba haciendo con su cuerpo. Todo carpatiano que se preciara sabía crear la ilusión de convertir lágrimas en diamantes, pero las gemas de Gregori eran reales, sólidas. Había empleado su enorme fuerza y el tremendo poder de su mente para dar forma a algo imposible para ella, para hacer realidad la ilusión.

Gregori, con la mirada clavada en ella, tomó su mano y permitió que los diamantes cayeran en la palma abierta, una lluvia de gemas. Con mucho cuidado, cerró los dedos de Savannah en torno a aquel regalo que le hacía. Sin apartar la mirada, le pasó la lengua por el puño magullado. Una vez, dos, tres veces.

Unos dardos de fuego se dispararon por su riego sanguíneo, y el cuerpo de Savannah se reanimó, se calentó en el frescor de la noche. Un leve sonido se le escapó cuando Gregori inclinó la cabeza para encontrar una mancha oscurecida en la comisura de los labios. El corazón de Savannah se tambaleó enloquecido. Quería salir corriendo, pero sentía su cuerpo demasiado pesado, la fragancia de las hierbas embriagaba sus sentidos. En su cabeza, podía oír un cántico débil y alejado, con su voz grave y calmada, en un lenguaje con siglos de antigüedad. Bajó las pestañas. Fuego y hielo. Dolor y placer. El áspero terciopelo lamía su boca irritada y suprimía el escozor.

Savannah cerró los ojos para resistir el tormento de su belleza masculina. Él movía la lengua sobre sus labios y a continuación la deslizó dentro para bañar un corte en la boca. Qué gusto.

Se demoró en el cuello, en la garganta, moviendo la lengua con gran cuidado sobre la carne desgarrada. La marca de sus dientes en los hombros, para sujetarla debajo de él, precisaba un perezoso giro lento de la lengua, con largas pasadas acariciadoras para eliminar el dolor y sustituirlo por un calor tortuoso.

Era obvio que el cuerpo de Gregori reaccionaba a cada centímetro que avanzaba por la piel de satén de ella, su sabor y contacto, su visión y olor, pero éste iba a ser el momento de Savannah. No había peligro de hacerle daño; estaba decidido a reemplazar cada contusión, cada arañazo, cada mal recuerdo por placer curativo.

Es suficiente, Gregori. Su mente fusionada encontró la de él, tan hambrienta y excitada como ella, pero sin el miedo que empañaba la suya. El aliento de Savannah surgía en jadeos breves situados en algún lugar entre el placer y el terror.

—Cada contusión, *mon petit amour*, por muy pequeña que sea. —Susurró a posta las palabras, con su cálido aliento contra la redondez de su pecho. Él se tomaba su tiempo, disfrutaba de su labor, seguía la blanda plenitud, raspando tiernamente los pezones con la lengua, calmando las feas marcas que mancillaban la perfección de su cuerpo. Con cada roce se demoraba, acariciaba, jugueteaba y curaba. Nunca tendría suficiente de ella, nunca se cansaría de su contacto, su perfección. Nunca asimilaría el hecho de que ella se negara a condenarle, que intentara protegerle del terrible crimen que había cometido. Parecía imposible que a ella le preocupara, que a alguien le importara —menos aún a ella, después de lo que le había hecho—, que Savannah se preocupara como para hacer lo que había hecho. Seguirle hasta las profundidades del infierno y traerle de vuelta con ella.

Gimió al pensarlo, dolorido por dentro, sollozando en silencio por haber cometido un acto tan horrendo contra esta mujer, la única mujer con coraje suficiente como para seguirle y sacar su alma del infierno para introducirla en su luz.

Savannah enredó sus dedos en la espesa melena, tejiendo una especie de magia particular. *Deja de atormentarte, Gregori. Conocías el riesgo, y no obstante me concediste la libertad. Esos cinco años de libertad eran preciosísimos para mí. Te doy las gracias por ello.*

Gregori cerró los ojos. Ella le desarmaba, fundía su frialdad, su frígida existencia, con la belleza de su naturaleza. Era todo lo que él no era. Compasión, perdón, luz y bondad; casada ahora con un demonio que desconocía todas esas cosas. Si lo que crecía en el interior de Gregori era amor por ella, la emoción era poderosa y peligrosa. *Pero ahora me temes.* El tormento estaba en su mente.

Savannah se movió un poco para que él pudiera ocuparse de la parte interior de su pecho. Gregori notó en ella el estremecimiento de reacción al suave lametazo de su lengua, el calor que se precipitaba por su cuerpo, la presión que crecía poco a poco.

Siempre te he tenido miedo, Gregori; temía tu poder sobre mí, temía lo que representabas, la pérdida de mi libertad. Me daba miedo un ser tan poderoso, y lo que me hacía sentir. Aunque esto no hubiera sucedido, seguiría temiéndote.

Él desplazó la boca aún más abajo, sobre el esbelto torso y la pequeña extensión de cintura. Prestó atención a cuatro largos arañazos sobre el estómago, disfrutando de su trabajo pese al ansia en su cuerpo: aquello no importaba. *Ahora te da miedo unirte a mí.*

Savannah se atragantó y se quedó quieta debajo de él, pero el cántico relajante continuó, igual que persistía el intenso aroma de las hierbas combinado con su suave contacto. Se relajó debajo de él. *No quiero ser dura con tu ego —los hombres son tan frágiles— pero el sexo es algo sin duda sobrevalorado. Podemos abstenernos en ese aspecto.*

Gregori encontró divertidos los pensamientos de Savannah. Era consciente del fuego vivo que él estaba provocando en su sangre, las oleadas de calor que se apoderaban de ella. Olía sin dificultad el perfume de buena disposición de Savannah llamándole. Pero ella no iba a caer en su trampa; Gregori era demasiado grande para su pequeño cuerpo, y había sido demasiado rudo. Él siguió adelante y encendió con la boca un reguero de fuego sobre su estómago, que descendió hasta el triángulo sedoso situado sobre la unión de sus piernas. Ella dio un brinco y retorció los dedos entre su pelo.

—No, Gregori, lo digo en serio.

Su voz sonaba ronca y de nuevo le temblaban las pequeñas manos en contacto con su cuero cabelludo. Aquello conmovió el corazón de Gregori, quien movió las palmas con suaves caricias sobre sus muslos y con la lengua encontró la hendidura que era su objetivo. *Sólo conozco una manera de curarte.* Entonces acarició su centro de calor con ternura infinita.

Ella soltó un grito, sacudiendo las caderas en un intento de escabullirse del torbellino de llamaradas que él estaba creando. Los músculos de Savannah se contrajeron mientras un temblor se iniciaba en su estómago. La presión iba a más. La necesidad creciente era tal que el calor estaba arrasando su núcleo más interno. *¡Gregori!* Era una súplica inútil... de deseo, de miedo, de confusión.

La conexión psíquica entre ellos era tan fuerte que a él le resultaba fácil leer cada una de las emociones contradictorias en ella y su ardiente necesidad. El cántico relajante no vaciló en ningún momento, Gregori tomó la precaución de mantener bajo control su propio cuerpo fogoso, así como sus pensamientos desenfrenados y apasionados. Por ella, se fusionó y creó placer sin miedo y una curación que sustituyera la anterior posesión brutal de su inocencia.

Savannah sabía hasta cierto nivel que él estaba en su cabeza, separando las emociones del miedo y realzando el placer, hasta el punto de que creyó que podría morir con su intensidad. El contacto era muy delicado y aliviaba el terrible dolor, hasta que el placer que crecía en ella resultó casi insoportable.

Suéltate, ma petite. *Estoy aquí para sujetarte.* La voz era un hechizo que obligaba a obedecer. Quería hacerlo, entregarse a su cuidado. Quería que él extinguiera las oleadas de llamaradas que la torturaban.

El suave lamento, el pequeño gemido que escapó de su garganta, casi destroza a Gregori. Su orgasmo fue demoledor y la cogió por sorpresa; su cuerpo parecía fragmentarse y disolverse mientras la tierra se movía y estallaban colores a su alrededor, a través de ella, en su interior.

Gregori la abrazó mientras su cuerpo se tensaba de placer, sacudido por las réplicas. La atrajo aún más al resguardo de su cuerpo; necesitaba con desesperación estar cerca de ella. Estaba bañado en sudor, con los músculos tensos y rígidos por su propia necesidad de liberación. Si el ciclo del celo se parecía algo al deseo que le aferraba en ese instante, él y Savannah iban a pasar por momentos muy difíciles o bien muy gloriosos.

Ella notó la imperiosidad de la necesidad de Gregori dominándole y desgarrándole hasta el alma.

—Lo siento, Gregori. —La voz era suave, llena de culpabilidad, un mero hilo de sonido, pues tenía el rostro enterrado contra las costillas de él cubiertas de seda.

Gregori se llevó algunos mechones del cabello ébano hasta su boca e inhaló su fragancia.

—No tienes que disculparte por nada, *ma petite.*

Savannah apoyaba su mano cerrada sobre el corazón de Gregori, con los tres diamantes dentro:

—¿Piensas que no puedo leer tu cuerpo? ¿Qué no noto la pesadez en tu mente mientras intentas protegerte de mí? No puedo cambiar quién soy, ni siquiera por ti. Sé que te estoy fallando y que provoco tu malestar.

Una sonrisa lenta curvó la boca de él. *Malestar.* Vaya, o sea, que así se llamaba. Manoseó su pelo y luego se lo pasó entre los dedos.

—Nunca te he pedido que cambies, ni quiero que lo hagas. Pareces olvidar que te conozco mejor que nadie. Soy capaz de apañármelas contigo.

Ella volvió la cabeza para que él pudiera ver las estrellas de plata que centelleaban en sus ojos azules con una advertencia provocativa.

—Eres tan arrogante, Gregori, que me entran ganas de arrojarte cosas. ¿Te oyes a ti mismo? ¿Apañártelas conmigo? ¡Ja! Estoy intentando decir que lamento fallarte, y tú actúas como un noble terrateniente. Que hayas nacido hace siglos, cuando las mujeres no eran más que un mueble no te sirve de excusa.

—Las mujeres carpatianas nunca han sido consideradas un mueble —corrigió con delicadeza—. La nuestra es una raza que disminuye en número. Nuestros niños sobreviven rara vez, y son tan pocas las mujeres disponibles para formar parejas que la mayoría de nuestros hombres se pierden en su propia oscuridad después de pasar largos siglos a solas. Nuestras mujeres son el tesoro más preciado, protegido y venerado.

—Gregori. —Savannah mantenía la mano cerrada, agarrando los diamantes de sus lágrimas como si fueran un símbolo—. Intentemos encontrar una especie de entendimiento y tal vez podamos vivir en paz. —Su cuerpo aún se estremecía con convulsiones; las miradas de Gregori por sí solas mantenían el calor propagándose por ella. Sintió un deseo de lo más sorprendente de tocar las cejas oscuras de Gregori con la punta del dedo.

Él encontró con la boca la fragancia sedosa de su pelo y recorrió con sus manos toda la longitud de su espalda, encontrando deleite en la manera en que la diminuta cintura se enclavaba en sus delgadas caderas.

—¿Qué tipo de entendimiento? —murmuró casi ausente; estaba claro que su mente andaba por otras áreas más provocativas.

El deje de diversión en su voz la irritó, como si simplemente quisiera hacer gracia. Savannah empujó el sólido muro del pecho para poner unos pocos centímetros entre ellos. Su gran cuerpo no se movió, y ella se encontró aprisionada contra su brazo. Le empujó de nuevo.

—Olvídalo.

Gregori inclinó la cabeza para saborear la línea vulnerable de su cuello, para sentir el pulso en la caverna húmeda y caliente de su boca. Su sangre se lanzó al galope.

—Estoy escuchando cada palabra que dices, *ma petite* —murmuró perdido en su suavidad, en su aroma. La deseaba con cada fibra de su ser, con cada célula de su cuerpo—. Podía repetir cada palabra con exactitud si así lo quieres.

Pronto se iniciaría el fuego y ninguno de los dos tendría opción alguna. La sangre de Gregori reclamaría la de ella con tal imperiosidad que ella no podría ignorar la llamada. La mente de él entraría y saldría con facilidad de la de ella con un vínculo psíquico tan fuerte que les uniría incluso a gran distancia. Ella sentiría la misma necesidad que él.

Gregori inspiró absorbiéndola hasta dentro de su cuerpo; su fragancia era tan femenina y seductora. La profundidad del sentimiento que ella despertaba después de una existencia tan estéril era tan intensa que le aterrorizaba. Estaba acostumbrado a una vida sin emoción. Cierto que ella aportaría bondad, pero el potencial de maldad era enorme en Gregori. Era vivir sometido a una terrible ley. Ni siquiera las leyes de su pueblo, las mismísimas leyes que él defendía, habían sido aplicadas sobre él.

Leía con suma facilidad los sentimientos de ella. Savannah tenía una naturaleza abierta y directa. Se sentía atraída por él, incluso estaba preparada para proteger a Gregori de sí mismo en caso necesario. Pero no tenía intención de permitir que volviera a hacer el amor con ella. Era una puñalada haber sido él el causante de tanto daño, el culpable de que ella temiera su unión natural.

—No estás escuchando. —Savannah se retorció en un intento de salir de debajo de él—. Estás intentando seducirme —dijo con indignación.

Él alzó la cabeza y sus ojos pálidos recorrieron con expresión posesiva sus hermosos rasgos.

—Sí, te escucho. ¿Funciona? —Su voz, una caricia grave y juguetona, la desarmaba cuando la negación no podía. La mano extendida sobre la garganta, con el pulgar rozando el cuello con ternura, propagaba llamas que lamían su piel.

Savannah sonrió al oír sus palabras pese a todos sus esfuerzos por no hacerlo.

—No, no funciona en absoluto —mintió. No podía mirarle sin desearle. Su pulso se aceleraba bajo su pulgar. Su piel de cálido satén invitaba a Gregori a tocarla, invitaba a nuevas exploraciones. En su mente tenía lugar un serio conflicto, el miedo por encima de todo, pero también deseo. Gregori se centró en eso y alimentó esa chispa de necesidad con la suya.

Tocó con su boca la comisura de los labios, los rozó con un susurro suave como el terciopelo, y sintió cómo brincaba alocado el corazón de ella como respuesta.

—¿Estás segura? He aprendido mucho a lo largo de los siglos. Existe el arte de hacer el amor. —Ahora era un hechizo ostensible, seducción total.

Estaba haciendo algo mágico con su boca. Casi sin establecer contacto, pero con tal mezcla de ternura y posesión que conquistó su corazón. Ella enredó los dedos en la espesa melena de pelo negro azabache. Las largas pestañas descendieron sobre las mejillas, luego abrió los ojos azules iluminados por la risa.

—¿Un arte? ¿Así lo llamas? Creo que podría dar con un nombre mejor.

Gregori alzó la cabeza, sus ojos pálidos destellaban plateados y luego adoptaron un tono más cálido de mercurio líquido.

—¿Tanto sabes? Tu primera vez ha sido con un travestido, una abominación. Ése no era yo, Savannah, era la bestia en mi interior. Desde luego que eso no era hacer el amor. No puedes contar eso como una experiencia. —Su voz reflejaba su profunda pena, pese a su mirada libidinosa, hambrienta y marcada por una excitación que hizo correr llamaradas por ella.

Savannah alzó la barbilla pues detestaba aquel dolor, la culpabilidad en él. En un intento de llevar su mente a otras cuestiones, desafió a posta su afirmación.

—No sabes tanto de mí. Hubo un hombre en una ocasión. Estaba loco por mí. —Intentó aparentar sofisticación—. Absolutamente loco por mí.

La risa de respuesta resonó cálida contra el cuello y la garganta de Savannah. Le tocó la piel con los labios justo encima del pulso y subió rozando ligeramente su piel hasta la oreja.

—¿Por casualidad te refieres a ese petimetre de pelo naranja y collar de pinchos? ¿Dragón no-sé-qué?

Savannah soltó un jadeó y se apartó fulminándole con la mirada.

—¿Cómo es posible que sepas eso? Salí con él el año pasado.

Gregori acarició su cuello con la nariz e inhaló su fragancia, deslizando la mano por el hombro y moviéndola con delicadeza sobre su piel de satén hasta tomar posesión de su pecho.

—¿Llevaba botas y conducía una Harley? —Su aliento surgió apresurado mientras tomaba en la palma de la mano el blando peso y con el pulgar le rozaba el pezón hasta formar una dura punta.

El contacto de su gran mano —tan fuerte, tan cálida y posesiva sobre ella— propagó la espiral de calor por su cuerpo. El deseo creció al instante. Él la estaba seduciendo con ternura. Savannah no quería que sucediera. Su cuerpo ya se sentía mejor, pero la irritación seguía ahí y le recordaba a dónde podía conducir esto. El miedo era algo vivo y feo de lo que no podía librarse. Le cogió la muñeca.

—¿Cómo descubriste lo de Dragón? —preguntó desesperada por distraerle, por distraerse a sí misma. ¿Cómo conseguía él que su cuerpo ardiera en deseo por él cuando le daba tanto miedo, cuando tanto le asustaba mantener una relación sexual con él?

—Hacer el amor —corrigió con voz ronca y acariciadora, que traicionaba la tranquilidad con que su mente se movía como una sombra a través de la de Savannah—. Y, respondiendo a tu pregunta, vivo en ti, puedo tocarte cada vez que desee. Estoy enterado de todo. Les conozco a cada uno, los muy puñeteros. —Soltó las palabras con un gruñido, y su respiración se entrecortó—. Fue el único al que pensaste en besar. —Le tocó la boca con los labios, con ternura, levemente. Regresó a por más. Jugueteando, provocando, hasta que ella la abrió para él. La dejaba sin respiración, le arrebataba la razón, la arrastraba en un torbellino que la transportaba al mundo de las sensaciones. Colores brillantes y calor candente, la habitación difuminándose hasta que sólo quedaron sus amplios hombros, sus fuertes brazos y duro cuerpo, y la boca perfecta, perfecta.

Cuando él alzó la cabeza, Savannah casi le obliga a bajar y pegarse de nuevo a ella. Él observó su rostro, sus ojos empañados por el deseo, los labios tan hermosos, privados de los de él.

—¿Tienes alguna idea de lo hermosa que eres, Savannah? Hay tal belleza en tu alma que la veo brillando en tus ojos.

Ella le tocó el rostro y moldeó el fuerte mentón con la palma. ¿Por qué no podía resistirse a su mirada hambrienta?

—Creo que me estás hechizando. No recuerdo de qué hablábamos.

Gregori sonrió.

—De besos. —Mordisqueó delicadamente con los dientes su barbilla—. En concreto, de tus deseos de besar a aquel imbécil con barba naranja.

—Deseaba besarles a todos ellos —mintió ella con indignación.

—No, no es así. Confiabas en que ese tonto petimetre te limpiara mi sabor de tu boca para toda la eternidad. —Acarició hacia atrás la melena de pelo que rodeaba su rostro. Dejó livianos besos a lo largo de la delicada línea de la barbilla—.

No habría funcionado, ya sabes. Por lo que recuerdo, parecía tener algún problema para acercarse a ti.

Los ojos de ella llamearon de un modo peligroso.

—¿Tuviste tú algo que ver con las alergias? —Sí que había deseado que alguien, cualquiera, limpiara de su boca, de su alma, el sabor de Gregori.

Él alzó una octava su tono de voz.

—Oh, Savannah, es que tengo que saborear tus labios —imitó. Luego sufrió un ataque de estornudos—. No sabes lo que es ir en moto hasta que llevas una Harley, preciosa. —Estornudó, tosió y se atragantó consiguiendo una imitación perfecta.

Savannah le dio un puñetazo en el brazo olvidando por un momento su puño magullado. Al sentir el dolor, dio un grito y le fulminó con mirada acusadora.

—¿Fuiste tú quien le hizo todo eso? El pobre hombre... destrozaste su ego para toda la vida. Cada vez que me tocaba, se ponía a estornudar.

Gregori alzó una ceja sin la menor muestra de arrepentimiento.

—Técnicamente no te puso la mano encima. Estornudaba antes de llegar a acercarse tanto.

Savannah reclinó la cabeza otra vez en la almohada y su pelo de ébano rodeó el brazo de Gregori, luego el de ella misma, entrelazándoles a ambos. Él encontró su garganta con los labios, después se desplazó más abajo y encontró el punto sobre el pecho que ardía de necesidad, con una invitación. Savannah cogió su cabeza con firmeza entre las manos y le apartó con determinación antes de que su cuerpo traicionero sucumbiera por completo a su magia.

—Y ¿el episodio del perro?

Él intentó aparentar inocencia, pero su risa resonaba en la mente de Savannah.

—¿A qué te refieres?

—Sabes muy bien a qué me refiero —insistió—. Cuando Dragón me acompañó a casa.

—Ah, sí. Parece que ahora lo recuerdo. Un chico tan malo, engalanado con cadenas y clavos, y le daba miedo un perrito.

—¿Perrito? ¿Una mezcla de Rottweiler de sesenta kilos? ¡Echando espuma por la boca, rugiendo y atacándole!

—Salió corriendo como un conejito. —La voz suave y acariciadora de Gregori reverberó con satisfacción. Había disfrutado de lo lindo corriendo detrás de aquel asno. ¿Cómo se atrevía aquel tipo a ponerle la mano encima a Savannah?

—No es de extrañar que yo no pudiera alcanzar la mente del perro y espantarle de allí. Maldito sinvergüenza.

—Después de que Dragón se largara, le perseguí varias manzanas hasta que se subió a un árbol. Le tuve ahí varias horas, sólo para dejar claras algunas cosas. Parecía un gallo con su cresta naranja.

Ella se rió pese a su deseo de no hacerlo.

—Nunca volvió a acercarse a mí.

—Por supuesto que no. Era inadmisible —dijo complacido, con total satisfacción, y el calor de su aliento encendió la sangre de Savannah. Movió su boca rozando un pezón, marcándole con aquel calor, con sus llamas, para buscar a continuación la parte inferior de su pecho. Ella cerró los ojos conteniendo la intensa necesidad que le estremecía. ¿Cómo podía desear algo que hacía tanto daño?

No habrá dolor, ma petite, *sólo placer*. Creó con su lengua un vacío doloroso. *Te lo juro por mi vida*. Su boca era ter-

111

ciopelo ardiente pegado a su pecho. El fuego danzó sobre su piel e invadió su cuerpo, fundió sus entrañas de tal manera que se transformó en calor líquido, palpitante de necesidad por él, sólo por él.

Capítulo 5

El miedo de Savannah estaba siendo eclipsado por la ternura acalorada de la boca de Gregori, por la delicadeza de sus manos acariciadoras. Él fue bajando la sábana despreocupadamente hasta dejar los pechos desnudos de Savannah expuestos a su hambrienta mirada. Fogosa. Su mirada era tan fogosa. Ella no soportaba el contacto de la fina sábana sobre sus caderas acaloradas, enrollándose en sus piernas. Tenía las manos enredadas en el espeso cabello de Gregori, que estrujaba con sus dedos como un montón de seda. Él tenía la camisa abierta hasta la cintura estrecha, y sus músculos duros apretaban los pechos blandos de ella. El vello áspero y oscuro del pecho raspaba sus pezones con gran erotismo.

Una oleada de calor anunció la tormenta de fuego a través de él y de ella. Las manos de Savannah, por iniciativa propia, apartaron la camisa de los amplios hombros. Ella observó con ojos enormes cómo él se la quitaba despacio, sin apartar la mirada plateada de los ojos azules. Savannah se estaba ahogando en esos ojos pálidos e hipnotizadores. Ojos llenos de intensidad, de un hambre atroz por una sola mujer. Ella. Tan sólo ella.

Asustada por el compromiso que estaba asumiendo, Savannah tocó la mente de Gregori con vacilación y cautela. Encontró allí un ansia tan profunda, tan frenética e imperiosa que al instante estuvo perdida. ¿Cómo iba a rehusar aquella fiera necesidad? Pese a que Gregori se sabía un hombre sin ternura, con instintos salvajes y desinhibidos, su único propósito era ser delicado y garantizar el placer de Savannah. Todos sus pensamientos giraban en torno a ella, en complacerla y adorar su cuerpo con el suyo.

—Sé que tienes miedo, *mon amour* —susurró con suavidad mientras deslizaba las manos por el torso hasta sus pechos—. Pero he dejado de ser una bestia: tú has atado al demonio. Soy solamente yo, un hombre con grandes deseos de hacer el amor con su pareja. —Ella notó el aliento contra su pezón—. Déjame enseñarte, tal y como se supone que debe ser: hermoso, placer enorme. Puedo darte tanto placer, *ma petite*. —Pegó la boca ardiente y húmeda al pecho de ella. El sonido de su voz era cautivador y muy sugerente. La mente de Gregori no dedicaba ningún pensamiento a su propio cuerpo ardiente, a sus propias exigencias imperiosas; quería enseñarle a ella la belleza y el placer de una auténtica relación.

Las llamaradas se precipitaron por la sangre de Savannah y lamieron su piel con la intensidad del erotismo que creaba el anhelo de la boca de Gregori en su pecho. Gimió, con una nota grave y suave que le rozó a él el alma como el aleteo de unas mariposas. Ella deslizó las manos por su espalda y siguió con los dedos cada músculo definido, con el deseo de retener a Gregori en su memoria. Las lágrimas llenaron sus ojos. ¿Cómo podía ser tan sensual y perfecto un hombre? Se apropiaba de su voluntad con la misma facilidad con que se apropiaba de su cuerpo.

—Deséame, Savannah —susurró él en voz baja—. Deséame del modo que yo te deseo. —La lengua le raspó la piel y continuó por el lado inferior del pecho, siguiendo cada costilla mientras exploraba con las manos sus caderas y muslos. Encontró con los dedos su objetivo, la entrada ardiente y húmeda, caliente y dispuesta, esperando a que su cuerpo se fusionara con el de ella.

Savannah se arqueó para pegarse a su palma; su cuerpo exigía alivio.

—¡Siento que las llamas me consumen, Gregori! —Él metió más a fondo los dedos para verificar la buena disposición de ella, deleitándose con su reacción. Las manos sobre la piel desnuda le estaban volviendo loco, pero sobre todo, lo que le conmovía tan profundamente era la confianza que Savannah depositaba en él.

Gregori no podía concebir una confianza así en una mujer a la que había tratado con tal brutalidad, y aquella manera de ser tan comprensiva era una humillación para él. Tal vez nunca fuera capaz de amar a un monstruo como él, pero con su comprensión y compasión, ella estaba decidida a sacar partido de la sentencia impuesta de pasar una vida juntos.

Las ropas que comprimían el cuerpo de Gregori resultaban estrechas y dolorosas, de modo que se las quitó con un simple pensamiento. Oyó el jadeo de ella cuando la fogosa erección presionó de modo agresivo contra su muslo. Savannah se había sentido a salvo con Gregori vestido. Pensaba que tendría tiempo para hacerse a la idea, para escoger por sí sola, pero su cuerpo estaba decidiendo por ella. Y él se perdía en el calor fundido, en los lugares secretos y ocultos de Savannah.

De pronto se puso rígida, cogió el rostro de Gregori entre sus manos con tal presión que le obligó a dejar las deliciosas exploraciones, y él clavó en su rostro unos ojos de plata fundida. Savannah respiró hondo.

—Y ¿si no soy capaz de hacer esto, Gregori? —Parecía a punto de echarse a llorar—. Y ¿si nunca puedo hacerlo?

—Nadie te obliga a hacer nada, *ma petite* —repitió él con ternura besándole el estómago—. Sólo estamos explorando posibilidades.

—Pero, Gregori —intentó protestar, en un intento de que él volviera a alzar la cabeza para que viera que el miedo que le inspiraba él y su vida juntos era muy real.

—Si no puedo convencerte de lo contrario, *mon amour*, no puede decirse que sea muy buena pareja, ¿o sí? —Las palabras sonaban amortiguadas contra los abundantes rizos sedosos, por el intrigante y pequeño triángulo en la cúspide de sus muslos.

—No entiendes, Gregori. —Savannah cerró los ojos para resistirse a las oleadas de fuego que corrían veloces por su cuerpo—. En todo caso yo no soy una verdadera pareja. No sé cómo complacerte, y esto me da tanto miedo...

—Relájate, *bébé*. —Ella notó contra su piel el cálido aliento de Gregori que inspiraba sus fragancias—. Me complaces más de lo que sabrás jamás. —Le mordisqueó el muslo y continuó acariciando con la lengua las sombras y profundidades, siguiendo el rastro emprendido por sus dedos.

Ella soltó un gritito mientras la dominaban las sensaciones, tumultuosas, turbulentas, salvajes e indómitas. Ya no estaba en la tierra sino que se elevaba libre, dando vueltas y describiendo espirales sin control.

El cuerpo de Gregori se movía sobre ella, duro y ardiente, su fuerza era enorme, pero sus manos eran tiernas al cogerle la cabeza. Luego insertó la rodilla entre sus piernas para facilitarse el acceso. Savannah, aún dominada por los estremecimientos de su clímax, apenas notaba el peso de él, que la retenía sobre la cama, dejándola una vez más vulnerable y abierta a él.

Gregori aprovechó la circunstancia cuando la tuvo delante y presionó íntimamente contra su entrada. Estaba humedecida y ardiente de necesidad, tersa y suave como el terciopelo. Él notó el jadeo que provocó su invasión, luego hizo una pausa para dar al cuerpo de Savannah una oportunidad de ajustarse a su tamaño. Ella contuvo el aliento, a la espera del terrible y desgarrador dolor. Le clavó las uñas en la espalda y profirió un pequeño sonido de protesta, amortiguado por el peso de su pecho. Pero sólo sentía las oleadas de fuego, una tormenta de intenso placer que la inundaba y la consumía.

—Relájate, Savannah, relájate por mí. Estás hecha para mí, has sido creada para mí, igual que yo estoy hecho para ti. —Dejó una lluvia de besos desde la sien a la garganta, mientras movía las caderas a un ritmo delicado e incitante.

Ella notaba el lustre de la transpiración en la espalda de Gregori, evidencia del tremendo esfuerzo que realizaba para contenerse. Cada caricia, cada movimiento, era tierno y delicado.

Entró en ella con cuidado exquisito, asombrado de lo perfecta que era, tan tirante y abrasadora. Le rozó el labio inferior con el pulgar, sobre la pequeña magulladura que decoloraba ese lado de la boca.

Al instante, el labio sintió un cosquilleo caluroso y se calmó como si él hubiera puesto un bálsamo místico. El corazón palpitaba con fuerza contra sus costillas. Él le estaba haciendo cosas no sólo con las manos y con el cuerpo, sino con la mente.

Pese a todos sus miedos, pese al recuerdo de su ataque anterior, Savannah estaba atrapada en las llamas y en la ternura. Su cuerpo se relajó poco a poco, aceptó poco a poco el de él. Gregori se enterró más a fondo con una penetración larga y segura que la dejó jadeando, clavándole las uñas en los brazos y agarrándose con fuerza para no alzar el vuelo y perderse en la noche.

Él le susurró en voz baja, en una mezcla de francés y su antigua lengua materna. Savannah conocía poco esas lenguas, no tenía idea de lo que decía, pero las palabras la excitaron y la reanimaron. Sentía que era importante para él. No su cuerpo, ella: Savannah.

—¿Cómo podías dudar de algo así, *chérie*? —susurró contra su pecho, mientras movía la boca hacia atrás y hacia delante con un sutil ritmo que seguía el compás de las largas y lentas embestidas de sus caderas.

El cuerpo de Savannah, por decisión propia, seguía aquel *tempo*. Se movían juntos como era de suponer, y sus corazones latían juntos como si fueran uno. Gregori deslizaba las manos sobre su piel con suaves murmullos de ánimo que se sumaban a la belleza de su unión. Él era de una ternura increíble y la iniciaba con cuidado y ternura como debería haber hecho la primera vez.

Savannah quería echarse a llorar. Era increíble la manera en que él le hacía el amor, como si fuera la mujer más preciosa, apreciada y hermosa del mundo. Se agarró a él, se aferró a la única realidad de la que estaba segura, mientras su cuerpo se tensaba cada vez más con la presión que crecía y crecía, con la necesidad del alivio. Soltó un grito exigente y sólo entonces él se permitió el lujo de enterrarse a fondo y con fuerza, fusionándose con ella por completo. Gregori les mantuvo a ambos en lo alto de la cima, montados en la cresta de la ola hasta que los pequeños lamentos de Savannah y el ardiente terciopelo que rodeaba su cuerpo le propulsaron por encima del precipicio. La llevó con él, más allá del abismo. La suave voz de Savannah quedaba amortiguada contra el pecho de él. Savannah estaba cayendo, mientras las luces estallaban y explotaban por doquier, pero Gregori seguía allí, estaba en todas partes y la sostenía cerca con sus fuertes brazos, manteniéndola a salvo.

Mientras yacían entrelazados, Savannah fue incapaz de asimilarlo todo; le costaba creer lo que él le había hecho sentir. Aún le acariciaba el pelo con las manos y rozaba su sien con la boca.

Gregori sabía que nunca se cansaría de ella. Enredó los dedos con aire ausente en la melena salvaje, un contacto que de nuevo propagó un nuevo fuego por su sangre.

Entonces algo invadió la paz y la serenidad. De pronto, presintiendo peligro, Gregori alzó la cabeza. De inmediato, una advertencia de los lobos se sumó a su propia alerta. Le llamaban, sus voces moduladas con tonos de excitación. Gregori bajó la cabeza y le dio un beso breve y brusco en la boca. Ella parecía adormilada, sexy, amada sin reservas.

En el momento en que llegaron las llamadas, una voz suave y apagada, pero insistente, le susurró a Savannah: *Cariño mío, estoy cerca. ¿Dónde estás?* ¿Era su madre? Intentó incorporarse invadida por una gran dicha. No había visto a su madre en cinco años. Ahora, cuando la necesitaba más que nunca, su madre aparecía de forma inesperada.

No se te ocurra responder. Era una orden tajante, imperiosa, y Gregori confiaba en que la obedeciera. Pero entonces ya estaba apartándose de ella con el rostro convertido en una máscara implacable y los ojos en unas hendiduras de acero.

Savannah por su parte buscaba la vía mental familiar que le permitía contactar con su madre. Pero al instante, antes de que de hecho lograra enviar un mensaje, notó su cuerpo pesado como el plomo, y su mente no pudo conversar. La dominó el terror, pues no entendía nada.

Dirigió una mirada de indefensión hacia Gregori y, cuando vio su máscara de granito, supo que él le había hecho algo. La mirada de Savannah fue elocuente, le suplicó, atemorizada por los rasgos fríos e inexpresivos. Había algo inflexible en él, algo severo e implacable. Despiadado. ¿Cómo había llegado a pensar que era tierno y amable? Era tan cruel como un vampiro.

—No puedes llamar a tu madre. No es Raven. Te están persiguiendo, Savannah —dijo en tono suave, sin ninguna inflexión en su preciosa voz—. Sólo podrás hablar conmigo mediante nuestra vía exclusiva. Quiero que me asegures que vas a hacer lo que yo diga.

Savannah estaba furiosa. Dolida. Más dolida que furiosa, y eso aún la enfadaba más por haberse permitido confiar y dejar que él la lastimara primero. *No tienes derecho a hacerme esto. ¡Suéltame de inmediato, Gregori! Conozco a mi propia madre cuando la oigo.*

Él se levantó y se desperezó, con un estiramiento lento de sus músculos que provocó en Savannah ganas de sacarle los ojos con las uñas.

—No es tu madre. Eres mía, Savannah, y mi deber es protegerte de la manera que considere conveniente. Estos amigos vampiros de Roberto andan detrás de algo, y creo que no están solos. Creo que han reclutado asesinos humanos. Aidan Savage está aquí en la ciudad, es un buen cazador, pero creo que estos renegados te están siguiendo a ti. —Se vistió con eficiencia fluida y gracilidad casual—. No tengo por costumbre dar explicaciones. Hacerlo ha sido una concesión. Ahora decide tú cómo vas a actuar.

Me niego a que me declares tuya, respondió ella de la única manera en que él le permitía comunicarse. *Transmitiré mi negativa a nuestra gente y les rogaré que tengan la clemencia que evidentemente tú me niegas. ¡No voy a permanecer unida a ti!*

Él inclinó su figura oscura y dominante sobre ella, irradiando poder. Sus ojos plateados centellearon al mirarla.

—Escúchame, Savannah. Aunque no te creas nada más de lo que yo diga, créete esto: me perteneces, tu sitio está a mi lado. Nadie que intente apartarte de mí continuará con vida. Nadie. —Su voz sonó grave, hermosa, y aún más mortífera.

La mirada violeta de Savannah quedó prisionera de aquellos pálidos ojos. Le creía. Y ni siquiera su padre, el príncipe de su pueblo, tendría posibilidades de destruirle. Cerró su mente a aquel pensamiento. ¿Destruir a Gregori? No quería eso. Pero él no podía poseerla. *Suéltame, Gregori*, exigió. La parálisis empezaba a enloquecerla. Sentía que no podía respirar. Se sentía asfixiada, estrangulada.

—O sea, que vas a obedecerme. —Ahora ya estaba vestido, elegante como siempre. Su mente ya no se centraba exclusivamente en ella; estaba sintonizando las vibraciones del aire, captaba cada nota que los lobos le cantaban.

Savannah sabía que estaba gritando —todo su cuerpo gritaba— pero ningún sonido surgía de su garganta. Su cuerpo ya no seguía sus órdenes. Su mente chillaba de rabia, pero Gregori controlaba su capacidad de lanzar un grito de ayuda.

Deja de oponerte a mí. Su voz fue un suave gruñido en su mente.

Suéltame. El corazón de Savannah latía con tal fuerza que temió que le explotara. No era posible que esto estuviera sucediendo. Hacía apenas unos momentos, Gregori yacía junto a ella, la rodeaba con brazos protectores, hacía el amor con ternura. O eso había pensado. Pero ¿qué sabía ella de hacer el amor? Gregori podía hacer sentir lo que quisiera a cualquiera. No tenía por qué sentir algo por ella para hacerle creer que sí lo sentía. ¿Cómo podía tomar su cuerpo con tal dulzura y luego volverse un monstruo sin sentimientos y controlarla como si sólo fuera un títere sin respetar su voluntad? ¿Qué tipo de persona haría algo así?

Savannah, vas a dejar ahora mismo de oponerte a mí. Estamos en peligro. Vas a obedecerme si es que quieres recuperar el control de ti misma.

Conozco muy bien a mi propia madre. No quieres que haya nadie cerca; por eso no vas a permitirme responderle, le acusó.

Que sea lo que tú quieras, es tu elección. Su voz sonaba serena como siempre. Nada parecía alterar a Gregori. Ni su hostilidad ni su confusión y decepción.

El cuerpo de Savannah se incorporó con una sacudida; luego se encontró sentada indefensa al lado de la cama, desnuda, totalmente vulnerable, incapaz de hablar o moverse. Le palpitaba la cabeza mientras intentaba con desesperación oponerse al control que él ejercía. No iba a someter su mente a su voluntad, no al menos de forma voluntaria. Tal vez él dominara su cuerpo, pero tendría que luchar a muerte para tomar posesión de su mente.

Una risa burlona reverberó en su cabeza. *Planta batalla, toda la que tú quieras,* bébé. *Sólo consigues hacerte daño a ti misma. Tendrás que obedecerme, Savannah.*

La desesperación crecía en su interior. Era cierto. Estaba indefensa frente al poder y la fuerza superiores de él. Le odiaba por hacerle ser tan consciente de ello, por obligarla a entender que por mucho que intentara ser ella misma, mantener un semblante de orgullo y dignidad, un mero pensamiento de él la reducía a la nada. Su cabeza parecía perforada por fragmentos de vidrio. Cuanto más se resistía, peor era el dolor.

Una camisa de algodón y unos vaqueros cubrieron de pronto su cuerpo. Unos zapatos de cuero blando envolvieron sus pies. Gregori le peinó el pelo con rapidez y eficiencia. Ella detestaba la manera fácil y competente en que él lo hacía todo. *Una última oportunidad, Savannah. ¿Me obedeces o no?* Se inclinó sobre ella con sus rasgos impasibles, severos pero sensuales, una máscara insondable. Sus ojos claros eran fríos como el hielo. Decía en serio cada una de sus palabras, y era obvio que no le importaba su opinión. Gregori no cedía, no había amabilidad ni remordimiento en él.

Savannah se estremeció por dentro. Estaba unida a este hombre sin piedad para toda la eternidad. Tenía que haber alguna manera de deshacer el ritual. Incluso la muerte era mejor que la esclavitud inconsciente. Se tragó su orgullo, incapaz de aguantar el peso plomizo de su cuerpo y su mente, incapaz de permitirle un control tan absoluto. *Obedeceré.* No le miró, no podía.

Él aflojó su control poco a poco, sin dejar de observarla, con su mente aún en ella. Savannah se encontró delante de él, temblando de rabia contenida, temblando de humillación y de sueños perdidos. Levantó el puño cerrado hasta dejarlo a la altura del pecho de Gregori, luego abrió la palma para revelar las tres lágrimas de diamante. Volvió la mano a posta y permitió que las gemas cayeran al suelo y se desperdigaran. No miró el rostro de Gregori ni los diamantes en el suelo, que ahora simbolizaban la liquidación de su relación. Miró al frente y esperó sus instrucciones.

—¿Eres capaz de cambiar de forma? —Su voz sonaba grave y suave, y también calmada. Le detestaba por eso.

—Sabes que no puedo.

—Necesitas sangre. Resguardarás tu mente a todas horas. Si sientes la compulsión de mandar una llamada, funde tu mente con la mía. Te sacaré de aquí y te llevaré a un lugar más inaccesible y fácil de defender. No cometas el error de desafiarme en esto, Savannah. Cuando tu vida está en juego, no tolero ninguna rebelión.

Si él esperaba que ella le contestara, podía esperar toda la eternidad. Esto era una orden, y el dictador le mandaba con su severa autoridad. No requería una respuesta, y se negaba a dignificar la imposición con una.

Gregori le rodeó la muñeca con dedos como grilletes y la atrajo hacia él. Su cuerpo estaba rígido como el tronco de un árbol, imposible de mover. Savannah no encontraba nada blando ni amable, ni en su cuerpo ni en su mente. ¿Había sido su ternura anterior sólo una ilusión, como su truco con los diamantes? Quería llorar de pena, pero se negaba a darle la satisfacción de que viera su debilidad.

Gregori se lanzó al aire llevándosela consigo; su peso no era más que una pluma para él. Se elevaron desde el dormitorio y procedieron a ascender a través de la casa hasta los niveles más altos. Una orden soltó los lobos por los terrenos de la inmensa propiedad. Podían cazar por sí solos, marcharse si era necesario. Su única obligación, su única preocupación, era salvar la vida a Savannah. Podía mandar un mensaje a Aidan

Savage para que se ocupara como debía de los animales en el momento en que estuvieran a salvo. El enemigo era mucho más fuerte, mucho más organizado de lo que Gregori había esperado, y Savannah era su objetivo. Tenían un plan, un programa que era obvio que habían preparado con mucha antelación a su llegada a la ciudad. Gregori haría cualquier cosa para protegerla. Cualquiera.

Ella permanecía quieta en sus brazos, con la mente cerrada a la de él. No importaba, por supuesto, desde que era una niña había sido capaz de introducirse y salir de su mente a voluntad. Siempre había sabido que en realidad ella nunca podría quererle, que nunca aceptaría su dominio. ¿Cómo iba a hacerlo si en realidad nunca podría saber quién era él? Pero no había esperado aquel terrible desgarro, el puñal retorciéndose en su corazón, cada vez más a fondo, directamente en su alma.

La noche llegaría pronto a su fin. Quedaban dos horas, tal vez, para la salida del sol. Los vampiros necesitarían refugiarse, y si eran lo bastante arrogantes como para pensar que su hogar les serviría para eso, se encontrarían con una sorpresa desagradable. Gregori ladró en silencio mientras se arrojaba al cielo despejado con Savannah en sus brazos.

Gregori intentó bloquear el dolor que le provocaba el rechazo de Savannah. Ella necesitaba tiempo para entenderle, y tenían una eternidad por delante. Se sentía sentenciada a una vida entera junto a un demonio. Y, en su opinión, tenía toda la razón. Se encontraba muy débil por haberse negado a tomar sangre humana, pues creía por error que esa privación le permitiría salir a la luz del sol. Su salud tenía una importancia capital.

Envió una llamada. Al instante dos hombres y una mujer que se encontraban en una cabaña al lado del río siguieron sus instrucciones de reunirse con él al resguardo de una arboleda formada por pinos y robles. Tocó la tierra con los pies, pero siguió llevando a Savannah en brazos mientras iba al encuentro del trío.

—Vas a alimentarte —le dijo con voz sedosa pues esperaba su desafío.

—¿Yo también soy tu títere, Gregori? —preguntó con voz suave—. ¿Va a ser esto la pauta de nuestra vida juntos? ¿Por qué me necesitas como pareja de vida si puedes hacer que cualquier mujer humana cumpla tus deseos sin oponerse?

El desprecio en su voz avivó el dolor que quemaba sus entrañas. La emoción era algo con lo que no estaba familiarizado, para nada.

—No tengo ni tiempo ni ganas de discutir contigo, Savannah. Aliméntate. —La dejó en pie.

—¿Crees que voy a hacerlo sólo porque tú lo ordenas? —Alzó la barbilla hacia él con claro desafío—. No necesito ayuda. —Sin volver a mirarle, se volvió hacia el más alto de los dos varones.

Gregori retrocedió, inquieto por su reacción. Sus ojos plateados centellearon. Le estaba tendiendo una trampa a un tigre.

Savannah se adelantó con una curva sensual en sus labios. Los enormes ojos estaban tan oscuros que se habían vuelto violetas, misteriosos y sexys. Tenía la mirada puesta en otro hombre. Incitante, sugerente. El humano sonrió, concentrado sólo en ella mientras avanzaba hacia Savannah. Ella le tendió los brazos, y su cuerpo se movió de forma seductora bajo la ropa.

Un grave gruñido de advertencia retumbó en lo profundo de la garganta de Gregori. Soltó un ladrido inesperado y sus dientes blancos relucieron peligrosos. Fue rápido; su sólido corpachón se encajó entre su pareja y la presa, por instinto, sin pensar. Este hombre no podía tocar a Savannah, ni siquiera para proporcionarle nutriente.

Ella alzó sus hermosos ojos, hipnotizadores y burlones, para mirar la pálida mirada de él.

—¿No es esto lo que quieres de mí? —Su voz, tan grave, jugueteaba sobre su piel como unos dedos—. ¿Que atraiga a mi presa con mi voz y mi cuerpo para que pueda alimentarme?

—No empieces algo que no tienes esperanzas de ganar, Savannah —advirtió Gregori con una sombría amenaza. Tiró del hombre hacia él e inclinó su cabeza hasta el cuello que quedó expuesto. La mirada de Savannah en ningún momento se separó de la de Gregori mientras él bebía su ración. Cuando alzó la cabeza, dejó caer al suelo al hombre, que se quedó despatarrado entre ellos dos—. Ven aquí a mi lado —le ordenó a ella quedamente.

De modo inesperado, el corazón de Savannah dio un vuelco y notó una agitación en su estómago. Nunca debería haberle provocado. ¿Por qué había sido tan tonta? A Gregori ni siquiera le preocupaba mostrarse civilizado. Ponerle celoso no era una buena idea. Levantó una mano apaciguadora.

—Gregori.

—Ven aquí, Savannah, conmigo. —Su voz estaba tocada de pureza y suavidad. Era imposible no hacer caso.

A su pesar, esquivó al hombre que se encontraba en el suelo y se aproximó con prudencia a Gregori, que la cogió por el brazo y la atrajo hasta su duro corpachón. Inclinó la cabeza hacia ella y agitó con su cálido aliento los mechones de pelo situados junto a su oreja.

—Vas a tomar de tu pareja lo que necesitas. —Dio la orden con un susurro, pero la engañosa suavidad de su voz sólo servía para incrementar el impacto.

Ella intentó apartarse de él, asustada de su enorme poder. Él la retuvo con más fuerza. Podía notar contra ella su cuerpo, tan duro y excitado.

—Vas a hacer lo que te digo. —Pasó un pulgar sobre su pulso con la suavidad de una pluma, causando estragos en sus sentidos. Como siempre, cuando él la tocaba, su cuerpo se ablandaba y se volvía líquido. Pero no quería el ardor y la excitación de su contacto.

Savannah tenía la boca pegada a su pecho, pero él se inclinó aún más para que acurrucara el rostro sobre su hombro, en el cuello. Olía a madera y especias. Tenía la piel caliente y, bajo la boca de Savannah en movimiento, se encontraba el pulso fuerte y atrayente de Gregori. Él le frotó de nuevo con el pulgar, con insistencia y provocación. Savannah gimió con respiración entrecortada.

—¿Por qué me obligas a hacer esto, Gregori?

—Tú necesitas, yo proveo. —Con la mano acunó la parte posterior de la cabeza de Savannah, sosteniéndola contra él.

Ella no pudo resistirse, no pudo evitar pasar la lengua por el pulso una, dos veces, con una pequeña caricia. Había algo en la manera en que el cuerpo de Gregori estaba pegado al suyo, protector y amparador por un lado, agresivo y exigente por otro; la combinación era estimulante, una tentación en sí misma. ¿Cómo podía resistirse a Gregori? Era tan poderoso. Savannah dio un suspiro y cerró los ojos, luego le perforó el cuello.

Sintió una sacudida de placer, de dolor, el azote del relámpago erótico centelleó por su riego sanguíneo. El cuerpo de Gregori se movía contra ella, duro y apremiante; sólo les separaba la ropa. El calor la recorría y se acumulaba en la parte inferior de su cuerpo, y la esencia de la vida de Gregori se vertía en ella, y la llenaba, la fortalecía como pretendía.

Gregori la estrechó en sus brazos y contuvo un estremecimiento. La sensación de su boca sedosa alimentándose era tan erótica que apenas podía reprimirse. Quería dejarla en el suelo justo allí y tomar lo que era suyo. La deseaba de tal modo que su cuerpo ardía en llamas. Era el paraíso y el infierno el tenerla pegada a él, tantísimo placer y tantísimo dolor. Y, maldición, ella jamás tocaría a otro hombre mientras alguno de los dos estuviera vivo. Nunca.

Inclinó la cabeza y rozó su sedosa cabellera con la boca, saboreando la sensación contra su mentón, contra su piel. Era tan pequeña y delicada, tan curvilínea y blanda. Toda seda y satén abrasadores. Cerró los ojos y simuló que ella le amaba. Que podía amarle. Un monstruo. *Gregori. El Taciturno.*

Savannah oyó el eco de sus pensamientos, las pullas de todos los niños carpatianos a sus amigos. ¿Quién vendría por la noche y les convertiría en piedra? *Gregori. El Taciturno.* El que tenía el poder de curar... o destruir. En ese eco captó un profundo pesar, y la creencia de que las crueles acusaciones contra él eran apropiadas. No había amargura sino aceptación.

Savannah sintió una piedra en su corazón, pesada y opresiva. Con sumo cuidado, cerró los pinchazos en el cuello de Gregori y descansó la cabeza contra su pecho. Podía oír su corazón, fuerte y constante. Fiable. Misterioso. Sexy. Temible. Ése era Gregori.

La mano que tenía ella en el pelo se cerró por un momento, agarrando largos mechones con el puño; luego la soltó de súbito. Sin mirarla siquiera, Gregori tiró hacia sí del segundo de los humanos, inclinó la cabeza y se alimentó con voracidad. Cuando hubo repuesto la sangre, permitió que el hombre se sentara en medio de la alta hierba. Bajó a la mujer para que quedara junto a sus compañeros.

Savannah retrocedió con incertidumbre. Gregori estaba agachado para verificar el estado de cada uno de los humanos. Les miraba a los ojos y les tendía con cuidado en el suelo para que se recuperaran.

—Estarán bien —dijo inconsciente de la nota ronca en su voz. Se enderezó y luego volvió la cabeza poco a poco para mirarla con sus relumbrantes ojos plateados—. No volverás a tocar a ningún otro varón. De ninguna especie.

—¿No te parece que estás exagerando, Gregori? —se aventuró a preguntar.

Él se acercó un poco y se inclinó sobre ella de tal modo que el calor de su cuerpo la envolvió.

—No sería capaz de contenerme y no hacerles daño. —Lo admitió con su habitual actitud calmada.

—Pensaba que el hecho de que me declararas tuya eliminaba cualquier amenaza.

—Es evidente que nos ha traído nuevos desafíos. Hasta que sea capaz de evaluar y controlar todo lo que me está sucediendo, lo que me haces sentir, es mejor que no desafíes mi voluntad.

Los ojos azules de ella se oscurecieron hasta volverse violetas y ardieron mientras le lanzaba una mirada fulminante.

—¿Tu voluntad? ¿Qué no desafíe tu voluntad? Como que tu respetas la voluntad de los demás, Gregori. ¿No me estás dando siempre órdenes sobre cómo debo pensar y sentir? Vivo sólo para complacerte. —Hizo una reverencia.

Un gruñido retumbó en la garganta de Gregori. Se estiró hacia ella y la acercó más a su cuerpo.

—Cómo me gustaría que eso fuera cierto. A mí me parece que vives sólo para volverme loco.

—Eso puede arreglarse —dijo con dulzura—. Tengo cosas de las que ocuparme, Gregori, y que son importantes para mí.

—¿Como cuáles? —Esos pálidos ojos quemaron el rostro que miraba hacia él.

—Peter. Tengo que ocuparme de Peter. Soy su única familia. No tiene a nadie más. Y por mi culpa, está muerto. Intentaba protegerme. —Se tragó la necesidad de soltar un sollozo, de gritar, de derribar a Gregori de un empujón.

Por un momento, él se quedó en silencio.

—La policía querrá hablar contigo. Lo más probable es que la historia ya haya saltado a las páginas de los periódicos. ¿Estás lista para las repercusiones de eso?

Ella alzó la barbilla hacia él.

—Quería a Peter como a un hermano. Se lo debo. —Se pasó la mano por el pelo llena de agitación—. Tengo que hacerlo. Así de sencillo. Por favor, Gregori. Apóyame en esto. Sé que no puedo oponerme a ti y ganar. Pero necesito esto.

Gregori maldijo con elocuencia y de manera repetitiva en cuatro lenguas. Lo que Savannah necesitaba era que la encerrara a salvo, que desapareciera de este estado, mejor aún, de este país. Todo el asunto de Peter Sanders iba a ser un circo mediático. La policía ya estaría dando batidas por la ciudad en su busca, qué diablos.

Sin responderle, Gregori le rodeó la cintura con un brazo y la levantó un poco. Luego él se elevó hacia el cielo con sus pensamientos normalmente tranquilos convertidos en un caos, un barullo de emociones poco familiares y arenas movedizas de indecisión. Siempre mantenía un control total. Con su inmenso poder, no tenía otra opción. Pero Savannah lo ponía todo patas arribas. No, no podía permitir esto. No iba a permitirlo. No le importaba si lloraba. Si sus enormes y fabulosos ojos estaban tristes y angustiados. Si su boca bella y perfecta adoptaba un aire desconsolado. Ella no iba a hacerle cambiar de camino. Su camino era el seguro y responsable. La seguridad era la cuestión primordial, no sus ojos angustiados o su tierna boca de satén. O su terrible pena.

La llevó a través del cielo nocturno, con sus pensamientos cada vez más turbulentos y explosivos dando vueltas y más vueltas por su cabeza, hasta que pensó que podría volverse loco. Sabía lo que tenía que hacer. ¿Qué demonios le sucedía para permitirse tan siquiera considerar una tontería así? Era demasiado peligroso, demasiado temerario. Si el vampiro que dirigía la cacería contra ella persistía en su plan, ¿qué mejor oportunidad para tenderle una trampa que cuando ella regresara para ocuparse del funeral de Peter?

Savannah estaba concentrada en las copas de los árboles que tenía debajo. No detectaba por ningún lado evidencia de viviendas. Se sentía vacía y fría por dentro. Gregori no podía ser de otro modo. Insensible. Duro. Frío. Sin emociones. Su vida iba a ser un infierno interminable. No era posible que acabara amándola. Ni siquiera la quería en realidad. Sólo quería alguien a quien controlar. Alguien a quien usar para obtener sexo. Ella se tragó la bilis que le subía por la garganta. Con toda certeza ella era esa persona.

Cada vez que él la tocaba y la miraba con sus hipnotizadores ojos plateados, su cuerpo se alteraba.

Oh, Peter. No había conseguido mantenerle vivo, había atraído a un vampiro, el azote de su pueblo, directamente sobre él. Ahora, sin el consentimiento de Gregori, ni siquiera podría ofrecerle un entierro decente. Quería sentir rabia —incluso odio— pero sólo conseguía sentir vacío. Lo había sabido durante todos aquellos años, desde que se había dado media vuelta y había encontrado a Gregori en su dormitorio, que estaba perdida para toda la eternidad.

Capítulo 6

Savannah de hecho no vio en ningún instante el exterior de la guarida. En un momento surcaban el cielo y al siguiente descendían de forma brusca sobre la tierra. Cerró los ojos con el estómago revuelto y, para cuando pudo despegar sus pestañas, Gregori se introducía a zancadas en una morada en la roca. Los muros interiores eran gruesos y frescos, suaves al tacto, como si los hubieran pulido. El techo era alto y de la misma roca pulida que las paredes y el suelo. Gregori había tallado la guarida en la propia montaña: era un milagro de construcción. Había tres habitaciones que ella pudiera ver, y estaba segura de que existía una cámara oculta bajo tierra, un refugio en caso de que corrieran un peligro mortal.

En el momento en que Gregori la dejó de pie en el suelo de roca, Savannah se apartó de él en una retirada rápida y femenina. Se negaba a mirarle y mantenía la cabeza girada de tal modo que no tuviera que encontrar su mirada. Anduvo despacio por la inusual estructura. Los muebles parecían cómodos, incluso acogedores.

—O sea, ¿que ésta va a ser mi prisión? —dijo con frialdad.

Gregori no respondió. No había expresión en su rostro, aunque las líneas que rodeaban sus ojos y boca parecían más profundamente cinceladas de lo habitual. Sus ojos plateados estaban muy pálidos; reflejaban las imágenes a su alrededor, no sus propios pensamientos interiores. Se llevó la mano a la nuca para aplicar un masaje con gesto cansado sobre sus músculos doloridos. Entonces dejó la sala de estar con pasos silenciosos. Se deslizó. Como una pantera. A pesar de su determinación, Savannah se encontró observándole con disimulo desde debajo de las pestañas. Había algo hipnótico en la manera en que se movía. Sus músculos se tensaban de manera poderosa y sensual. No podía evitar que su díscola mirada siguiera cada uno de sus movimientos o que su caprichoso corazón no diera un brinco al ver cómo se friccionaba el cuello con la mano.

Gregori se sentó sobre el borde de la cama, pero estaba claro que ella no le iba a prestar atención alguna. Quería mantenerse lo más lejos de él que fuera posible. Pero pese a esta distancia, él era una sombra en su mente. Leía cada uno de sus pensamientos. No había ni uno bueno ahí, pero Gregori no podía culparle de eso. Bajó la cabeza para apoyarla en sus manos. Era el monstruo que ella había mencionado. Le temía. Savannah detestaría siempre el destino que le había tocado, desearía siempre que la suerte le hubiera sonreído un poco más. Y ¿quién sabía? Tal vez hubiera tenido más suerte. Al fin y al cabo, él había manipulado su futuro desde el momento de su concepción. Era la luz para su oscuridad, la compasión para su crueldad. Ella nunca podría amar a una bestia así. Se había llevado algo que no le correspondía, había alterado la naturaleza y había hecho suya a Savannah.

A Savannah le dio un vuelco el corazón al verle de refilón sentado al borde de la cama, la viva imagen del abatimiento. Gregori. Era la seguridad personificada. Todo autoridad. Un robot sin emociones al que no le importaba haberse apropiado de su vida para siempre. Lo que ella pensara o sintiera no le importaba. Le había llamado monstruo, cruel. Un bárbaro brutal. Cada uno de estos calificativos había danzado en la cabeza de Savannah mientras volaban por el aire hacia su destino. Ella lo había hecho a posta para que él pudiera enterarse de lo que pensaba de él, para que no supiera que ella ansiaba su contacto pese a que despreciaba sus modales.

Pero la desgarró la manera en que él permanecía sentado a solas. Gregori, que siempre había estado solo. Retrocedió unos pasos hasta que notó la frialdad de la pared de roca en su espalda, y le observó con sus ojos azules pensativos. Gregori le estaba ofreciendo intimidad, si podía llamarse así; incluso se había retirado de su mente. Se mordió el labio inferior y dio un respingo ante la leve molestia y el recuerdo que traía. Comprendió que se había familiarizado con el contacto, tan delicado, en su mente. Primero él se había acercado como lobo, y después, en los momentos terribles en que la soledad había sido demasiado dolorosa como para soportarla, el contacto de Gregori había sido lo que la consolaba. Extraño, nunca había reflexionado sobre eso, ni una sola vez había pensado por qué había sentido alivio.

Gregori le había ofrecido que explorara con toda libertad su mente. Ella sabía que era capaz de protegerse, de ocultar las emociones y recuerdos con varias capas si así lo quería, para que ella sólo alcanzara a ver las partes que él deseaba. Dudaba que muchos carpatianos pudieran hacer algo así con su pareja, pero Gregori podía. Gregori era capaz de cualquier cosa.

Pero ella era Savannah Dubrinsky. Hija de Mijail y Raven. Su sangre fluía por sus venas, igual que la de Gregori. Tenía su propio poder, ¿no era así? Hasta ahora había sido una niña que escapaba de sí misma, de su vida con un hombre de tal poder. Pero si su vida estaba entretejida con la de Gregori, mejor que creciera pronto y descubriera a qué se enfrentaba exactamente. Mijail y Raven la habían criado para que creyera en sí misma.

Respiró hondo y permitió que su mente se fundiera de lleno con la de Gregori. Su contacto fue ligero como una pluma, delicado, una mera sombra, tan suave en su mente. No obstante, si él no hubiera estado tan preocupado con sus propios pensamientos, ella sabía que habría detectado su presencia. Permaneció quieta y se convirtió en una mera esponja.

Gregori creía que de verdad era un demonio. Creía que su alma era negra, sin posibilidad de redención. Estaba absolutamente convencido de que la había obtenido a ella mediante manipulaciones, en vez de verdadera química. Había estado tan cerca de transformarse en vampiro que se había jugado el alma alterando algo que no le correspondía. Había tocado a la criatura en la matriz de Raven, le había suministrado sangre, incluso había conversado con el nuevo ser. Savannah tenía un recuerdo borroso de la luz que la había alcanzado cuando sufría dolores, cuando quiso dejarse ir con la hemorragia que sufría el cuerpo de su madre. Gregori había impedido que lo hiciera.

Lo vio con claridad. Toda la vida de Gregori. Encontrar a su madre y a su padre con estacas clavadas en sus corazones y las cabezas cortadas. Los años terribles de las matanzas de los vampiros en Europa. Tantas mujeres y niños liquidados con estacas. Luego las cacerías. Las guerras. Tantos amigos que renegaban. Gregori persiguiéndoles para destruir el poder maligno con que azotaban a seres humanos y carpatianos por igual. Siglo tras siglo. Interminable. Tanta sangre, tanta muerte ejecutada por él. Cada muerte se llevaba una parte de él, hasta que le resultó imposible hacer frente a los demás carpatianos, hasta que ya no se atrevía a ser amigo de ninguno de ellos. Estaba condenado a una eternidad de aislamiento. Tan solo. Siempre solo. El mundo vacío y deprimente de su existencia casi la abruma de pesar y le llena los ojos de lágrimas. ¿Quién podía vivir año tras año en un vacío tan desolado y sobrevivir con el alma intacta? Era imposible.

El saber había sido su único amigo. Siempre había sido un rebelde. Ninguna autoridad podía esperar controlarle, sólo su lealtad a Mijail. Tenía un rígido código de honor que seguía de modo inquebrantable. El honor era su vida. No obstante, sentía que había puesto en peligro incluso eso con la manera en que había conseguido a Savannah.

La primera vez Savannah se había negado a examinar su mente por respeto a él, pese a que Gregori quería demostrar que ella le había traído de regreso del otro lado, quería que no tuviera miedo y supiera que era incapaz de volverle a hacer daño. Aun así creía que Savannah le rechazaba, creía que nunca podría perdonarle de verdad las cosas que él había elegido hacer a lo largo de su vida. Él no podía perdonarse a sí mismo.

Lo vio todo. Cada acto sombrío y peligroso. Cada muerte sombría y desagradable. Pero sobre todo vio su grandeza. Una y otra vez, se había entregado para curar al prójimo, había vaciado su fuerza vital, poniéndose en peligro una y otra vez para que los demás pudieran vivir. Una vida de servicio desinteresado a un pueblo que acabó por temer el poder del que dependían. Mientras los demás nunca sufrían la desgracia de la cacería, nada del peligro, él vivía constantemente preparado. Aceptaba la necesidad de su existencia solitaria, su estricto aislamiento. Había acabado por creer que los carpatianos tenían derecho a temerle. Y Savannah vio que tenían razón. Ejercía demasiado poder para un solo individuo; cargaba con demasiado peso sobre sus anchos hombros.

Durante siglos, Gregori no tuvo un sostén real en el mundo, ni emociones para evitar transformarse en vampiro. Había sido sólo por fuerza y determinación. Su férrea voluntad. Su estricto código de honor. Su lealtad a Mijail y su creencia en que su raza tenía un sitio en el mundo. Su determinación por impedir que murieran más niños de su raza, por encontrar compañeras verdaderas para que los hombres dejaran de convertirse en vampiros. El hecho de que Mijail encontrara a Raven le había proporcionado cierto alivio en forma de esperanza. De todos modos, una vez que Savannah había sido concebida, el mundo se había convertido en un largo e interminable infierno para Gregori. Cada minuto se había convertido en una hora, cada hora en un día, hasta que casi se vuelve loco de esperarla.

Con la negativa de Savannah a su unión, se había jurado a sí mismo que le concedería cinco años de libertad. Creía que le debía al menos esa pequeña cantidad de tiempo, puesto que ella quedaría unida para toda la eternidad a alguien que iba a dominar por completo su vida. Para Gregori, cada momento era un tormento, resistiendo la oscuridad que se afianzaba en él. Había esperado hasta que supo que iba a sucumbir, hasta que supo que ya no tendría ni la sabiduría ni el deseo de optar por el amanecer: la autodestrucción, la única opción honorable para un carpatiano a punto de transmutarse en vampiro. Había cumplido su juramento de concederle libertad y al hacerlo casi pierde su alma. Tras todos esos siglos de aguantar, se había arriesgado a la condena de su alma por esos cinco años de libertad para ella.

Savannah permanecía sentada muy quieta absorbiendo todos aquellos recuerdos. La única belleza durante la existencia solitaria y estéril de Gregori habían sido los años en que ella estaba creciendo, cuando él pudo compartir libremente la vida de Savannah como un lobo. A ella no le daba miedo el lobo, le entregaba un amor total e incondicional, toda su confianza, su aceptación incondicional. Nunca antes había tenido eso. Era algo que anhelaba, que necesitaba, y creía que ella nunca volvería a dárselo.

Aceptaba el hecho de que nunca le amaría, que siempre le miraría con temor. Casi era como si creyera que se merecía no ser amado porque estaba seguro de que la había conseguido de forma injusta. Pero no estaba preparado para el dolor lacerante que le ocasionaba ni para las violentas emociones que ella le despertaba. Savannah permaneció del todo quieta a punto de hacer un gran descubrimiento.

No es que quisiera a cualquier mujer, como ella había creído. Y desde luego no quería un títere, como le había acusado. Quería a Savannah, con su sentido del humor, su orgullo y compasión, e incluso su mal genio. No sentía el menor interés por ninguna otra mujer. Ninguna otra mujer le servía.

Gregori sufría. Un dolor terrible. Sentía la pena de Savannah por la pérdida de Peter. Sentía su miedo de él. Sentía el dolor de su propia soledad y eterno aislamiento. Lo irradiaba desde su alma. Estaba resignado a aguantar ese dolor para siempre. Y nunca se lo demostraría a ella.

Savannah salió de su mente antes de que él la detectara. Se encontraba terriblemente solo, tanto que ella sintió ganas de llorar por él. Y Gregori no tenía la menor idea de cómo querer a alguien, reírse con alguien o compartir la vida con alguien. Sólo sabía que tenía que mantenerla a salvo a toda costa. Ella le había calificado de monstruo, y él creía que estaba en lo cierto.

Miró por la ventana hacia el interior del bosque. Gregori era muchas cosas. Había quebrantado prácticamente todas las leyes de su pueblo sin ni un ápice de remordimiento. Había asesinado incontables veces. Tenía más poder en su dedo meñique que la mayoría de miembros de su raza juntos. Pero no era un monstruo. Eso no.

Savannah marcó un ligero ritmo con su pie sobre el suelo de roca. Las ramas de los árboles se balanceaban un poco sincopadas. Ella tenía poder, mucho más de lo que jamás hubiera esperado. Gregori la amaba. Más que eso, la necesitaba. Esa revelación en concreto lo cambiaba todo. Ponía de nuevo el control en sus manos, le devolvía la vida. Enderezó los hombros. Ya no era una niña que huía de un terror sin nombre. Ella era su pareja eterna, elegida por Dios para caminar con un hombre de poder y honor. Un varón sensual y fuerte que la necesitaba más de lo que nadie sobre la Tierra la necesitaría jamás.

Savannah respiró hondo y exhaló con cuidado.

—¿Gregori? —Mantuvo un tono grave y neutral.

Él alzó poco a poco la cabeza, pero ella notó que le rozaba la mente. La invasión no inspiró miedo esta vez. Aceptó la unión sin intimidarse.

—Qué lugar tan precioso. Es asombroso que fueras capaz de hacer esto. —Oyó un ligero rumor, un movimiento detrás de ella, pero no se volvió—. Eres todo un artista.

Podía olerle, su fragancia a bosque y especias. Masculino, cálido, excitante. Tocó la pared de roca y le sonrió, pensando que el tacto de la roca era muy parecido al del duro cuerpo de Gregori bajo la punta de sus dedos.

—Me ha llevado unos meses, *chérie*, los meses pasados aquí a solas, a la espera de que llegaras a San Francisco.

Su voz era tan hermosa. Se permitió escucharla, notar su pureza y dejar que el terciopelo negro rozara su mente.

—Es hermoso de verdad, Gregori. Podemos veranear aquí mientras estemos en este país.

Él le tocó el pelo porque no pudo contenerse, y le sorprendió que Savannah no diera un respingo. Le complacía oírla hablar como si aceptara que pasarían el futuro juntos. Sin embargo, no respondió, temeroso de romper su frágil tregua con sus comentarios.

Ella se estiró hacia atrás, hacia él, encontró su brazo con la palma y le tocó. Notó cómo se alteraba el pulso de Gregori bajo la punta de sus dedos y contuvo una sonrisa.

—Y bien, ¿vas a explicarme cómo el vampiro ha sido capaz de aprovechar la voz de mi propia madre para intentar sacarme al exterior? Doy por supuesto que era un vampiro. Y ¿cómo es que me sentí obligada a responder? Soy carpatiana, no debería haber reaccionado a la coacción con tal rapidez y facilidad. —Ella continuó mirando por la ventana.

Unas llamas lamían el largo brazo de Gregori desde el punto en que ella tenía la mano apoyada. De algún modo, Savannah había deducido por sí sola que él creía que su seguridad estaba en peligro.

—El vampiro es un ilusionista, en gran parte como tú misma. Ha practicado la imitación de voces durante años. Ahora emplea ese talento para atraer a los demás. Reconocí la inflexión de la coacción en el tono y, por supuesto, tu madre habría decidido usar tu canal privado de comunicación, no el habitual. —Su voz no denotaba emoción, no condenaba para nada su metedura de pata.

Ella de todos modos se sonrojó. ¿Por qué no había caído en eso? Qué error tan estúpido. Un error como ése podía significar su muerte, tal vez la de los dos. Volvió el rostro hacia él. Gregori mantenía sus rasgos sensuales cuidadosamente impasibles. Sus ojos de plata reflejaban tan sólo la imagen de Savannah.

—Supongo que te debo una disculpa por llamarte algunas cosas. He actuado de forma infantil y lo lamento.

Él pestañeó. Savannah le había sorprendido, y eso la animó; notó una curiosa sensación, como si su corazón se derritiera.

—Quiero que hagas algo por mí. Soy consciente de que no tengo mucha experiencia en vampiros, o sea, que tal vez podrías explicarme qué está sucediendo en vez de pedirme obediencia ciega. Voy a confiar en tu valoración, Gregori, no intentaré desafiarte. Es que tengo este problema cuando alguien me dice lo que tengo que hacer. Incluso de niña me costaba, ¿no te acuerdas? —Hizo a posta una referencia a su infancia, el único puente feliz que había existido entre ellos.

No sonrió con la boca, pero un atisbo de calor se insinuó en la desolación de los ojos de Gregori.

—Me acuerdo. Hacías todo lo posible por hacer justo lo contrario de lo que te decían.

La sonrisa de Savannah era intrigante. Gregori no podía dejar de observar su boca.

—Igual pensabas que a estas alturas habría cambiado, pero no es así. Intenta ayudarme a solucionar esto.

Sus enormes ojos azules le suplicaron, y él pensó que se caía dentro de sus profundidades.

—Por favor.

Gregori le cogió un largo mechón de pelo y se lo enroscó a la muñeca.

—Lo intentaré, *bébé*, pero lo primero es tu seguridad. Siempre.

Ella se rió un poco.

—Gregori, sé que nunca permitirás que me ocurra nada. Eso no me preocupa.

—Es lo primordial. —Sonaba muy firme.

Ella alzó la cabeza hacia él.

—¿Se te ha ocurrido pensar que he estado totalmente sola estos últimos años y que no me ha ocurrido nada?

Gregori sonrió entonces, dotando de cierta sensualidad la curva de su boca.

—Nunca has estado verdaderamente sola, *chérie*, nunca, en ningún instante. Cuando acercarme a ti resultaba demasiado peligroso, me aseguraba de que tuvieras a otros cerca.

El rápido mal genio de Savannah centelleó pese a su determinación de no permitirlo. Sus ojos azules echaban chispas.

—¿Tenías a alguien vigilándome?

Había algo en la manera en que sus mejillas se cubrían de rubor, en el destello de sus ojos, la manera en que su pecho se inflaba cuando estaba enfadada, que le hacía desear que siguiera así.

—No era yo el único, *ma petite*. Tu padre nunca te hubiera permitido estar sin protección. Deberías haberlo sabido.

—¿Mi propio padre? —¿Cómo podía no haberlo sabido? Era típico de Mijail. Era igual que Gregori. Ella pensando en cuánta independencia había adquirido, en lo que había conseguido en nombre de todas las mujeres carpatianas, y en todo momento la tenían vigilada—. Contraté un servicio de seguridad para poder trabajar en mis giras —dijo deseando que él reconociera que no se había despreocupado de su seguridad.

—Humanos. —Su tono lo decía todo—. Necesitabas la protección de alguno de nosotros.

—¿Quién? ¿En quién confiabas lo suficiente? —preguntó con curiosidad. La confianza era algo ajeno a su naturaleza. ¿A qué otro carpatiano le habría confiado la seguridad de su pareja? No parecía concordar con su carácter.

Gregori se pasó la mano entre la melena revuelta de pelo que caía hasta sus amplios hombros. Le dolía el cuello. Con aire ausente, lo intentó con otro masaje.

—Alguna situaciones exigen medidas extremas. Escogí al hombre más fuerte y más poderoso que conocía, con un código de honor inquebrantable. Se llama Julian, Julian Savage.

—El hermano gemelo de Aidan Savage. ¿Está aquí? ¿En la ciudad? —Nunca había visto a Aidan Savage pero había oído hablar de él a su padre. Era un cazador de vampiros para el pueblo carpatiano. Mijail le respetaba mucho, y eso por sí sólo decía mucho de aquel hombre. Recientemente había encontrado a su compañera de vida. Savannah confiaba en visitarles mientras estuviera en la ciudad. Lo más probable es que tuviera tantas ganas como ella de ver a alguien de su tierra—. ¿Sabía Aidan que su hermano estaba aquí protegiéndome?

—Estoy seguro de que Aidan percibía su presencia en la zona. ¿Cómo no iba a hacerlo? Son hermanos gemelos. No sé si Julian decidirá verle. Se enfrenta a la oscuridad.

Savannah se apartó de aquellos ojos sombríos y relumbrantes. Tan frío. Tan solo. Tan perdido. *Gregori. El Taciturno. Su Taciturno. Su Gregori.* A ella le costaba soportar aquel dolor. Su inexpresivo rostro no lo revelaba; aquel rostro tallado en puro granito, como la guarida en la roca. No eran sus ojos pálidos, tan glaciales que le recordaban la propia muerte. No se encontraba en ninguna parte de la mente que compartía con ella. Pero Savannah lo sentía de todos modos. El corazón de Gregori, su propio corazón. El alma de Gregori, su alma. Eran uno, el mismo ser. Dos mitades del mismo todo. Él aún no lo sabía, en realidad no lo creía. Al fin y al cabo, pensaba que no era verdadera química, que él había logrado manipular su unión. Ella sí que sabía.

Lo había sabido al compartir su vida con el lobo. Tal vez no en su cabeza, pero sí en su corazón y en su alma. Lo había sabido al acompañarle hasta el negro vacío, a la oscuridad, y al traerle de regreso junto a ella. Lo había sabido al compartir su cuerpo con él, inocente como era, y cohibida como se había sentido. Le temía, pero sabía que era su pareja. Su corazón y su alma le reconocían.

—Se acerca el amanecer, *chérie* —dijo en voz baja—. Es mejor que durmamos un poco. —Sería lo mejor para Savannah. Su cuerpo enloquecía, deseaba la piel de ella en contacto con la suya. Gregori necesitaba tenerla en sus brazos y cobijarla junto a su corazón. Por un breve instante, él podría simular que no pasaría toda la vida a solas. Ella mantendría a raya la oscuridad lo bastante como para ayudarle a superar otro día.

Savannah deslizó la mano por el largo brazo de Gregori, rozando con la punta de los dedos los contornos de sus músculos. Fue una sutil sensación, pero todo su cuerpo se contrajo de intenso deseo, que se propagó por él, una lava fundida que se precipitaba furiosa por su sangre y llenaba su cuerpo de calor penetrante. Savannah, en su inocencia, no advertía lo que le estaba haciendo. Entrelazó los dedos de Gregori con confianza.

—¿Qué me dices de Peter? ¿Qué crees que debemos hacer para reducir el riesgo al mínimo? Porque, tienes razón, la prensa va a ponérmelo difícil. Esa cutre prensa amarilla me sigue a todas partes. —Mantuvo sus enormes ojos fijos en la mirada plateada de él.

Gregori no podía apartar la vista, no podía soltarle la mano. No podría moverse aunque le fuera la vida en ello. Estaba perdido en esos ojos azules violetas, en algún lugar en sus profundidades misteriosas, inquietantes y sensuales. ¿Qué era lo que había decidido? ¿Qué había decretado? No iba a permitirle acercarse de modo alguno al funeral de Peter. ¿Por qué su determinación se desgastaba de tal manera, hasta reducirse a nada? Tenía razones, buenas razones. Estaba seguro de ello. Y aun así, ahora, sumergido en sus enormes ojos, pensando sólo en sus enormes pestañas, en la curva de su mejilla y el tacto de su piel, no se le ocurría negarle nada. Al fin y al cabo, ella no había intentado desafiarle, ni siquiera sabía que él había tomado la decisión de mantenerla alejada del funeral de Peter. Ella le incluía en sus planes, como si fueran una unidad, un equipo. Le estaba pidiendo consejo. ¿Sería tan terrible complacerle en esto? Era importante para ella.

Gregori pestañeó para no caer en el vacío de su mirada y se encontró observando con atención la perfección de su boca. La manera en que sus labios se separaban con tanta expectación. La forma en que la punta de su lengua salía disparada para humedecer su carnoso labio inferior. Casi una caricia. Él gimió. Una invitación. Se agarró para no inclinarse hacia delante y repetir ese trazado exacto con su propia lengua. Le sometían a tortura. Al tormento.

Los labios perfectos de Savannah se fruncieron ligeramente. Él quiso borrarlo a besos.

—¿Qué pasa, Gregori? —Se estiró para tocarle los labios con la punta del dedo. El corazón casi salta del pecho de Gregori. Él le cogió la muñeca y la sujetó contra el corazón alterado.

—Savannah —susurró. Un anhelo. Surgía tal cual. Un anhelo. Él lo sabía. Ella lo sabía. Dios, la deseaba con cada célula de su cuerpo. Sin domesticar. Salvaje. Demente. Quería enterrarse en sus profundidades de tal manera que ella nunca pudiera sacarle.

Como respuesta, a ella le tembló la mano con un leve movimiento que no llegaba siquiera al aleteo de las alas de una mariposa. De todos modos, él lo notó en todo su cuerpo.

—Está bien, *mon amour* —dijo con suavidad—. No te estoy pidiendo nada.

—Sé que no. Y yo no estoy negando nada. Sé que nos hace falta tiempo para hacernos amigos, pero no voy a negar lo que ya siento. Cuando estás cerca de mí, la temperatura de mi cuerpo se eleva mil grados. —Sus ojos azules estaban oscurecidos y fijos en él, y lanzaban una llamada.

Él le tocó la mente con gran suavidad, casi ternura, superó con delicadeza su protección y supo el coraje que exigía que ella admitiera aquello. Estaba nerviosa, incluso asustada, pero deseosa de encontrar una solución intermedia. Percatarse de eso casi le pone de rodillas. En su mentón se agitó un músculo y los ojos plateados se calentaron hasta convertirse en mercurio fundido, pero su rostro estaba tan impasible como siempre.

—Creo que eres una bruja, Savannah, y que me has hechizado. —Tomó su rostro con una mano mientras deslizaba el pulgar sobre el delicado pómulo.

Ella se acercó un poco más, y él apreció su necesidad de confortación, de confianza. Savannah le rodeó la cintura con vacilación y apoyó la cabeza en su esternón. Gregori la sujetó con más firmeza, se limitó a abrazarla, a la espera de que cesaran sus temblores. A la espera de que el calor de su cuerpo calara en ella.

Gregori subió la mano para acariciar la espesa melena de sedoso cabello de ébano, deleitándose en un acto tan simple. Aquello proporcionó cierta paz a los dos. Nunca hubiera pensado que algo tan sencillo como abrazar a una mujer tuviera tal efecto sobre un hombre. Ella le volvía el corazón del revés, emociones poco familiares surgían con desenfreno a través de él y hacían estragos en su vida tan ordenada. Entre sus brazos, junto a su fenomenal fuerza, ella se sentía frágil, delicada, como una flor exótica que podía romperse con facilidad.

—No te preocupes por Peter, *ma petite* —susurró contra los mechones sedosos de su pelo—. Mañana nos ocuparemos de su última morada.

—Gracias, Gregori —dijo Savannah—. Significa mucho para mí.

La levantó en brazos con facilidad.

—Lo sé. Sería más sencillo que no lo supiera. Ven a la cama, *chérie*, a tu sitio.

Los brazos de Gregori eran fueres, y Savannah no podía resistirse a su fiereza. Ella le puso los brazos en el cuello y le apartó el pelo para poder hurgar sobre de su piel.

—Y ¿si viene el vampiro? —Los labios de Savannah se perdieron contra su oreja y luego bajaron para acariciar con la lengua una intrigante hendidura pequeña—. ¿Qué planeas hacer conmigo si los renegados vuelven a aparecer?

El aliento de Savannah era seda ardiente, su boca caliente satén. Le mordisqueaba delicadamente con los dientes. En su mente no había ningún pensamiento, sólo el rugido del hambre de su cuerpo. Un hambre abrasador, sin sentido. Le pellizcó la clavícula con los dientes mientras introducía la mano por dentro de la camisa de Gregori. Enredó los dedos en el oscuro vello que cubría su pecho y encontró cada uno de los definidos músculos, cuyo contorno siguió. El fragor se propagó por todo el cuerpo de Gregori provocando un estremecimiento.

Consiguió llegar a la cama porque estaba muy cerca. Ella alzó la cabeza cuando él la dejó de pie sobre el suelo de piedra con una pequeña sonrisa curvando su suave boca. Misteriosa. Sexy. Su pequeña inocente le estaba seduciendo, y estaba haciendo un buen trabajo, sí señor. Cada músculo de su cuerpo masculino estaba duro y dolorido. Ardía en llamas. La sonrisa de Savannah. Su boca tan perfecta.

Gregori inclinó la cabeza y tomó posesión de esa boca. Tenía los labios calientes, suaves como el satén. Exploró con la lengua la suave curva, estirando con dientes insistentes, exigiendo entrar. Ella cumplió su orden silenciosa, con su boca húmeda, su seda ardiente. El mundo parecía desmoronarse. Gregori saboreó con voracidad, con largos besos embriagadores, devorando su dulzura y alimentándose de su sensualidad.

Enmarcó su prefecto rostro entre sus manos y sujetó a Savannah para satisfacer su exigente boca. Los colores estallaban por doquier, los relámpagos siseaban y brincaban, y el estruendo en su mente fue a más. Encontró la garganta de Savannah, suave y vulnerable. Desgarró las ropas de Savannah con las manos pues necesitaba tocar su cremosa piel, necesitaba sentirla blanda y elástica bajo sus palmas. El material flotó hasta el suelo en tiras que les rodearon con una lluvia frenética de tela.

A ella se le cortó la respiración. Había desatado algo que escapaba totalmente a su control, pese a sus buenas intenciones, y aquello le asustaba. Gregori estaba en todas partes, con su cuerpo sólido e inflexible y brazos de hierro. Su fuerza enorme la intimidaba, pero el contacto con su boca caliente y masculina, que exigía obediencia, la tenía cautiva. El cuerpo de Savannah, *motu propio*, parecía derretirse de calor.

Él retiró las braguitas de encaje blanco de su figura delgada y dejó al descubierto su mirada hambrienta. Savannah oía las rápidas inspiraciones. Su mirada plateada recorría su rostro, su boca y la línea de la garganta. Allí donde ponía los ojos, ella notaba una llamarada danzante, que persistía aunque él levantara la cabeza para pasar al siguiente punto. Bajo su mirada, su cuerpo era perfecto: piel cremosa, pechos firmes y redondos, torso estrecho que resaltaba su perfección. La tomó por la cintura y la atrajo hacia él, doblándola hacia atrás para acercar sus pechos a su boca.

Ella profirió un pequeño sonido, como si fuera un gatito, y restregó el cuerpo inquieta contra él. Acunó la cabeza de Gregori entre sus brazos, sosteniéndole contra ella. Notaba su boca sobre su pecho caliente y hambrienta, insistente. Cada fuerte succión la bañaba de líquido, la hacía gemir y apretarse contra él, deleitándose con la sensación de su boca.

Gregori bajó las manos por su espalda hasta encontrar sus caderas para instarla a acercarse aún más. Su erección, dura y gruesa, era resultado de aquella necesidad desesperada de ella. Cuando alzó la cabeza, su mirada fundida la abrasó de calor, y Savannah se apoyó en él para saborear la pequeña gota de transpiración que descendía por la mata de vello del pecho. La siguió sin llegar a alcanzarla del todo. Cuando acarició con la lengua el vientre plano, notó cómo se estremecía él de expectación. La pequeña gota descendió aún más. Savannah le rodeó la cadera y encontró los firmes músculos de las nalgas, le estrechó aún más. Mientras ella seguía inclinando la cabeza, jugando a pillar la gota que descendía, su cabello rozó el cuerpo fogoso de Gregori. Él gimió con un sonido desgarrador que surgió áspero y doliente de su garganta. Le cogió el pelo y lo retuvo allí entre sus grandes manos.

—Estás jugando con fuego, *ma petite*. —Las palabras casi no salían de su garganta atragantada.

Ella alzó la vista una sola vez. Una mirada rápida desde debajo de las medias lunas de sus largas pestañas. Juguetona. Sexy. Su inocencia llena de erotismo.

—Pensaba que yo estaba jugando contigo —negó con la atención puesta en su feroz erección. El aliento caliente de Savannah le bañó de calor, de tentación.

Gregori echó la cabeza hacia atrás sin soltar la espesa melena de la mano. Tenía el cuello arqueado y los ojos cerrados.

—Creo que podría decirse que es lo mismo —gruñó entre los dientes apretados.

Ella atrapó la pequeña gota con la lengua mientras cogía la plenitud de la erección en su mano.

—Eres tú el que ha empezado esto —murmuró ausente.

Gregori era hierro envuelto en terciopelo, caliente y duro. Buscó donde apoyarse mientras ella le incitaba a acercarse más con la boca de seda ardiente.

—*Mon Dieu*, Savannah —dijo entre jadeos sin poder contener el aliento que escapaba de sus pulmones—. Tal vez no sobreviva a esto.

Ella hacía girar su lengua con una presión exquisita, y esa simple fricción casi era más de lo que podía soportar. Las caderas de Gregori se movieron sin que él controlara el ritmo, abrazándola mientras el mundo se desmoronaba y sólo quedaba un intenso placer y luces explotando en su cabeza. Durante unos preciosos y breves momentos fuera de su interminable existencia vacía, creyó que le importaba a alguien, que alguien le quería bastante como para sacarle de la oscuridad a la luz. Al éxtasis.

Gregori la agarró y la levantó para echarla de espaldas sobre la cama. Era tan pequeña que por un momento le dio miedo hacerle daño con su fuerza, pero ella se movía sin descanso, le necesitaba, se consumía con un ansia a la altura del deseo de Gregori. La cogió por la cadera y la arrastró hasta el borde de la cama para poder explorarla como él quería.

Era sólo suya. Su cuerpo era su único consuelo. Estaba decidido a conocer íntimamente cada centímetro de ella. Sabía que lo que a ella le asustaba era su fuerza, no lo que él le estaba haciendo. Se puso rígida cuando él la sujetó sobre la manta; luego Gregori inclinó su morena cabeza y le arañó el interior del muslo con los dientes.

—Confías en mí, Savannah, sé que es así. —La saboreaba con su aliento caliente—. Formas parte de mí. No puedo hacerte daño. Toca mi mente con la tuya. Te deseo más que cualquier otra cosa en toda mi existencia. —La acariciaba con la lengua de forma íntima y juguetona.

Ella sufrió una sacudida debajo de él y luego soltó un brusco jadeo. No había paredes, ni techo, ni suelo, nada aparte del espacio y Gregori. Él movía las manos sobre su cuerpo mientras exploraba, memorizaba y poseía, mientras la volvía loca con la boca, llevándola otra vez hasta el clímax en un estallido de un millón de fragmentos y dejando que se recuperara para repetir el proceso. Era interminable, eterno. No cesaba, sucedía una y otra vez hasta que pensó que iba a explotar.

Savannah le cogió el pelo y tiró de él, pues deseaba su cuerpo, necesitaba que él la llenara, que se fundiera por completo con ella. Gregori cumplió su voluntad a su pesar y cubrió su delgado cuerpo con él suyo más fornido. Se apretó contra ella y notó su calor húmedo, notó su disposición incitante, y el furor con que le necesitaba. Se inclinó para encontrar su garganta. La acarició con la nariz. La mordisqueó. La acarició con la lengua. Luego echó hacia atrás las caderas y se precipitó hacia delante para enterrarse hasta el fondo al mismo tiempo que hincaba los dientes en la garganta vulnerable.

Savannah pensó que iba a morirse de placer. Él la estiraba, tersa y fogosa; y la fricción, mientras él se abría paso a través de ella con largas y profundas embestidas, casi la vuelve loca. Se agarró a sus hombros y le clavó las uñas con fuerza para no salir volando por los aires. Notaba la boca de Gregori en su garganta, devorando la esencia de su vida, y también sentía su mente invadiéndola para compartir el placer y realzarlo. Notaba como se inflamaba y endurecía aún más el cuerpo de Gregori, mientras una tormenta rugiente amenazaba con consumirla a ella, y también a él.

Él estaba en todos lados de su mente, su cuerpo, su corazón y su alma. El fuego arrasaba su interior, igual que el de Savannah. Su cuerpo la tomaba con agresión y dominación, y su boca la devoraba frenética de hambre. Parecía insaciable, igual que ella. No distinguía donde se acababa ella y dónde empezaba él. Gregori la poseía con más fuerza y rapidez hasta que el cuerpo de Savannah se estremeció lleno de vida y se convulsionó de placer. A ninguno de los dos les importaba. No era suficiente, nunca sería suficiente.

Gregori le pasó la lengua por la garganta para cerrar los pinchazos, pero su boca dejó a posta su marca en ella.

—Aliméntate ahora, Savannah. Demuéstrame que te mueres de hambre por mí. —Su voz aterciopelada y sugerente sonaba ronca de necesidad.

No hacía falta que se lo pidiera. Ella ardía en deseos. Lujuria era la única palabra en la que ella podía pensar para describir con aproximación la intensidad de su necesidad. Tenía que saborearle, tenerle dentro, no sólo dentro de su cuerpo o de su corazón y mente, sino de sus propias venas. Ansiaba su sabor, tenía que volver a degustarle, se moría por él.

—¿Me quieres? —preguntó Gregori mientras aminoraba el ritmo de las caderas y adoptaba unas embestidas más rítmicas y lentas.

Savannah sonrió contra su piel desnuda.

—Sabes que sí. Sientes lo que yo siento. —Mordisqueó su cuello intencionadamente y pasó la lengua sobre el pulso que latía con tal fuerza justo ahí—. ¿Cómo no iba a quererte?

El cuerpo de Gregori se contrajo con la expectación. Esperó. Su respiración se detuvo. También su corazón. Ella prolongó el momento a posta, arañando con dulzura su pulso, cerrando los ojos mientras el cuerpo de Gregori reaccionaba y su miembro aumentaba de grosor dentro de ella. Cuando perforó la piel con sus dientes, Gregori casi pierde el control, pues el placer era tan intenso que notaba que su cuerpo iba tomando más impulso, hundiéndose aún más en el alma de ella. Sentía a Savannah ajustándose a él, atrapándole con fuego y terciopelo, contrayéndose y arqueándose hasta que a Gregori no le quedó otra opción que responder a su llamada. Explotaron juntos, con una intensidad demoledora que nunca olvidaría: la rendición completa de ella, su entrega desinteresada de cuerpo y alma.

Gregori apoyó la cabeza al lado de la de Savannah y cerró los ojos con fuerza para impedir que ella viera la humedad en ellos. Savannah bebía su sangre con delicadeza, con boca tierna y sensual en su cuello, con su cuerpo aún estremeciéndose de tensión por las secuelas del clímax. La abrazó con fuerza, decidido a no dejarla marchar jamás. Decidido a encontrar la manera de que ella deseara quedarse con él. La manera de ligarla a él para que, si su engaño se descubría alguna vez, aun así no quisiera dejarle nunca.

Savannah cerró los dos pinchazos de entrada en la piel de Gregori y permaneció tendida en silencio debajo de él. Su cuerpo pesado la envolvía por completo, casi la aplastaba sobre las mantas. La inmovilidad de Gregori, la rígida posesión en la fuerza de sus brazos, aconsejó a Savannah permanecer en silencio. Él volvía a enfrentarse a sus demonios.

—¿Gregori? —Saboreó su hombro—. Soy tu verdadera compañera de vida. No hay nadie más. Tus miedos son infundados.

Él la estrechó aún más entre sus brazos y casi la estrangula.

—Soy peligroso, Savannah, más de lo que llegarás a saber nunca. No me fío de mis emociones. Me resultan nuevas y son demasiado intensas. He matado con demasiada frecuencia; mi alma quedó destruida en pedazos hace mucho tiempo.

Ella buscó su pelo con las manos y lo acarició en un intento de apaciguarle.

—Mi alma es tu otra mitad. Se ajusta a la perfección a la tuya, y no falta ninguna pieza. Sólo que a ti te da esa impresión porque, después de tantos siglos de nada, de vacío, ahora vuelves a sentir. Todo eso te tiene abrumado, así de sencillo.

Él cambió de posición pero no la soltó. No podía. Tenía que tocarla, permanecer dentro de ella, con el cuerpo pegado a ella.

—Ojalá fuera cierto, *mon amour*. De verdad deseo que sea así.

—Ya amanece, Gregori —le recordó en voz baja, de repente consciente de que estaban enredados juntos, enlazados como un solo ser.

—¿Tienes frío?

—No —¿Cómo iba a tener frío? Tenía su cuerpo caliente dentro de ella, encima de ella, moviendo las caderas con suavidad pero con insistencia.

Gregori hizo un ademán con la mano para cerrar las entradas y colocar las protecciones del exterior y del interior. En todo momento, su atención estaba centrada en cómo entraba y salía su cuerpo de ella. La belleza. El misterio. El placer.

—Nos dormiremos pronto, *chérie*, lo prometo. Pero no ahora, no durante un rato. —Murmuró las palabras contra el pecho de Savannah, luego se aproximó más y su boca succionó con delicadeza su blandura. Quería quedarse ahí, en el santuario de su cuerpo, para siempre.

Capítulo 7

El oficial David Johnson acompañó a la pareja hasta su despacho a través de la repleta sala de su brigada. Sus hombres volvían las cabezas y un silencio estremecedor parecía seguir su avance. En realidad, el oficial no podía culparles. En todos sus años de trabajo como policía, nunca había visto una mujer más hermosa o inquietante. Era la única palabra para describir su belleza. *Inquietante*. Se movía como una canción, un susurro, como agua atravesando el espacio. Fluida. No obstante, daba vergüenza ajena la manera en que algunos policías veteranos actuaban como cachorros locamente enamorados.

Ella era un celebridad, la causa de la aglomeración de revoltosos periodistas en los escalones de entrada a la comisaría, pero él sabía que era más que eso. Savannah Dubrinsky era el tipo de mujer que se quedaba en la mente de un hombre para siempre. El tipo de mujer con quien soñaba. Sueños de noches calurosas, sábanas de seda y mucho sexo tórrido. Una fantasía que cobraba vida.

Johnson se arriesgó a dedicarle una mirada al hombre que andaba a buen paso a su lado. Un tipo peligroso éste. Siniestro. Amenazador. Avanzaba con movimientos tan silenciosos que era imposible que alguien le oyera a menos que quisiera. Ni siquiera se oía el rumor de sus ropas. Tenía el pelo largo y espeso, atado con una correa de cuero en la nuca. Parecía elegante, a la antigua usanza, como un pirata o un conde. Su rostro fascinaba, todo ángulos y planos duros, con unos ojos inusualmente claros, de un plateado espectacular, que no delataban nada. No podía pasarse por alto a este hombre. Tenía algo, en la postura de sus hombros, en su aire de total autoridad. Johnson había visto antes hombres con poder, hombres que a diario tomaban decisiones de vida o muerte. Este hombre estaba por encima de los demás. Este hombre llevaba el poder en la piel. Él era poder. Johnson notaba el latido de su corazón cada vez que esos peculiares ojos felinos descansaban sobre él. Ojos que no pestañeaban. Perturbadores.

La postura del hombre lo decía todo. Dios tuviera piedad de la persona lo suficientemente necia como para ponerle un dedo encima a Savannah Dubrinsky. A Johnson le preocupaba que algún chiflado en San Francisco intentara acercarse a la famosa ilusionista mientras ésta se encontrara en la ciudad, pero ahora que había conocido a su esposo, imaginó que cualquiera que intentara tocarla sería un suicida.

Dio un paso atrás para dejar entrar a Savannah a su oficina y no se sorprendió lo más mínimo cuando su esposo consiguió de algún modo interponer su cuerpo entre el suyo y el de ella. Johnson cerró la puerta con firmeza y contuvo un impulso de bajar las persianas. Toda la patrulla estaba observando a través del deslucido cristal, comiéndosela con los ojos.

El oficial no se había fijado nunca en lo cochambroso que estaba su despacho, en las capas de polvo y mugre, en las grasientas cajas vacías de comida china y pizza tiradas por ahí. La pálida mujer de belleza arrebatadora hizo que fuera demasiado consciente de su deprimente entorno. Sintió ganas de barrer los restos de su escritorio y echarlos a la papelera fuera de la vista de ella. Para horror suyo, notó incluso un leve rubor que le subía por el cuello. En toda la comisaría era conocido como un policía casado con el departamento, completamente cínico, sin ningún tipo de sentimientos. Pero sus hormonas parecían estar aceleradas, trabajando a tope.

Johnson se aclaró dos veces la garganta, en un intento de no quedar como un burro.

—Agradecemos que haya tenido la amabilidad de venir aquí a ayudarnos. Gracias por identificar el cadáver; sé que habrá sido difícil para usted. —Esperó, pero, como nadie hablaba, continuó—: Nos gustaría aclarar unas pocas cosas referentes a esa noche. Ya tenemos declaraciones de los trabajadores de seguridad y de los conductores que cargaban el camión. Parece que tienen una coartada a toda prueba. Los de seguridad la vieron marcharse y también vieron a Peter en el muelle de carga. Peter nunca llegó a salir. ¿Cuándo fue la última vez que vio a Peter Sanders con vida?

Savannah sabía que Gregori había implantado aquella escena en las mentes del personal de seguridad mientras salían del estadio aquella noche horrible.

—Detective Johnson —comenzó.

Tenía una voz tan hermosa como ella misma.

—Puede llamarme David —se encontró diciendo para su asombro más completo.

Su marido se agitó, fue sólo una leve tensión en sus músculos, una sugerencia de poder. Esos ojos brillantes, penetrantes, se posaron en el rostro de Johnson y le tocaron con aire frío, el escalofrío de la muerte y la visión de una tumba vacía. Tragó saliva nervioso y de repente se alegró de no haber asignado este peculiar caso a uno de sus nuevos detectives. El oficial estaba casi convencido de que este hombre era perfectamente capaz de matar a alguien. ¿Qué hacía una mujer como Savannah Dubrinsky con un hombre así?

—Yo mismo recogí a Savannah más o menos una hora después de su actuación —le informó Gregori con voz suave mientras Savannah se sentaba con la cabeza inclinada, retorciéndose los dedos. Irradiaba angustia, algo que hacía puré el corazón de piedra de Gregori. Era muy consciente de los pensamientos del detective y descendió a posta una octava su tono de voz. Cualquiera con un poco de cerebro comprendería lo peligroso que era; no era fácil ocultar ese tipo de cosas, y a él no le apetecía especialmente hacerlo—. Estaban cargando la utilería en los camiones, y ya se había ido la mayoría de trabajadores —respondió en tono amable.

Johnson se encontró fascinado con cada palabra, escuchando el tono y cadencia de aquella voz. Era como un arroyo en movimiento. Este hombre, este Gregori, era sincero, tenía integridad. Johnson cambió de postura y se inclinó hacia el hombre, apoyándose en el escritorio. No podía evitarlo, se sentía casi hipnotizado.

—Peter estaba vivo y se encontraba bien en ese momento —continuó Gregori con voz suave—. Hablamos unos minutos, tal vez media hora. El camión con la utilería ya arrancaba cuando decidimos marcharnos. Peter se fue andando hacia su coche pero nos llamó una vez más porque se había dejado las llaves en la plataforma de carga.

Savannah agachó la cabeza y notó que la sobrecogía un estremecimiento. Estaba pálida pero serena. Por dentro, podía oírse gritar de rabia y de pena. Aunque Gregori parecía estar inmóvil, su cuerpo la tocaba para que su calor penetrara a través de su piel. Era asombroso el relato tan aceptable que había ido hilvanando con su hermosa voz. Nadie lo pondría en duda jamás. ¿Cómo podían si controlaba todo lo que estaba al alcance de su voz?

—¿Fue la última vez que le vieron con vida? —le preguntó Johnson.

Savannah asintió. Gregori le cogió la mano y enlazó sus dedos.

—Peter era nuestro amigo y también era socio de nuestro negocio. Se ocupaba de todo por Savannah. Sin Peter, no había espectáculo. Yo tengo muchos negocios que me tienen ocupadísimo. Como puede imaginar, para mi esposa ha sido un golpe tremendo. Para los dos. Deberíamos haber esperado a que él se hubiera montado a salvo en su coche, pero yo he estado lejos de mi esposa durante un tiempo y estábamos ansiosos por quedarnos a solas. El personal de seguridad continuaba por allí, de modo que no pensamos en que pudiera suceder algo así.

—No fueron al hotel. —Era una afirmación.

De nuevo, fue Gregori quien contestó con voz amable, suave e hipnótica.

—No, nos fuimos a nuestra propiedad fuera de la ciudad. Hasta esta noche no hemos oído las noticias.

—Savannah, y ¿por qué no dejó usted su habitación en el hotel? —Johnson le preguntó directamente a ella. Era difícil no admirar su fascinante belleza.

—Pensábamos que nos reuniríamos otra vez con Peter dentro de dos días cuando regresáramos a la ciudad, de modo que conservamos la habitación. —Su voz sonaba tan baja que Johnson apenas alcanzaba a oír las palabras. Sonaba tan triste que Johnson sintió que una piedra le oprimía el pecho y se llevó una mano al corazón.

Gregori se agitó un poco y acarició el pelo y el cuello de Savannah moviendo los dedos para aplicarle un masaje tranquilizador. Transmitía su pena interior con demasiada intensidad, y al detective eso le estaba afectando demasiado. *Respira hondo, mon amour. No podemos permitir que el policía sufra un ataque cardiaco en nuestra presencia. El hombre es muy sensible a ti.*

No puedo soportar mentir de esta manera. Había llanto en su voz, en su mente. Se aferraba a la mente de Gregori como su único sostén, y eso a él le hacía sentir que la conexión con ella era real y sólida. Tal vez inquebrantable. *Peter se merecía algo mejor.*

Cierto, bébé, pero creo que no podemos contarle a este hombre la verdad. Nos meterían a los dos en un manicomio. Gregori se inclinó hacia delante y miró a Johnson a los ojos. *Cuando nos vayamos buscarás ayuda para ese problema de corazón. Por el momento dejarás de interrogar a Savannah y me dirigirás las preguntas sólo a mí.*

Johnson pestañeó, con ojos un poco vidriosos. ¿Se había quedado dormido? No se sentía muy bien. Se secó el sudor de la frente. Tal vez hiciera una rápida visita al hospital y pidiera hora para aquellos análisis que siempre dejaba para otro momento. Entretanto, Savannah parecía tan angustiada que el policía se concentró en Gregori. Había algo en la voz de este hombre que le cautivaba. Podría escucharla eternamente.

—Por lo visto nadie sabía nada de su matrimonio. No hemos encontrado constancia en ningún sitio —se aventuró a decir.

Gregori asintió.

—La carrera de Savannah exigía aparecer ante el público, ¿cómo podría decirlo?, disponibilidad. Una mujer soltera tiene mucho más gancho que una casada. Hace casi cinco años que somos marido y mujer. Celebramos la boda en nuestro país. La madre de Savannah es estadounidense, pero su padre es de los Cárpatos. Nos casamos allí.

Johnson se contuvo y no dijo que ella parecía demasiado joven e inocente para un hombre tan poderoso como Gregori. Era casi imposible adivinar su edad.

—¿El señor Sanders aceptaba esa boda?

Los ojos plateados atravesaban como el acero.

—Por supuesto que sí. —Gregori se percató de que aquella pregunta había trastornado aún más a Savannah. Volvió a inclinarse hacia el detective. *Vas a interrumpir esa línea de indagación.*

Johnson sacudió la cabeza.

—Nos estamos alejando del tema, creo. ¿Sabe si el señor Sanders tenía algún enemigo?

Esta vez Gregori se tomó un tiempo para contestar, su aspecto era reflexivo. Al final negó con la cabeza.

—Ojalá pudiéramos ayudarle, detective, pero Peter le caía bien a todo el mundo, a excepción de los periodistas; se tomaba muy en serio lo de proteger la vida privada de Savannah y preservar de este modo la mística del espectáculo. No creo que encuentre absolutamente a nadie que hable mal de Peter.

—Era quien llevaba las cuentas del espectáculo, ¿cierto? —preguntó Johnson con perspicacia.

—Sí, cierto —respondió Gregori sin problemas—. Peter era socio del negocio con Savannah. Trabajaba duro, hay que reconocerlo.

—¿Había algún problema con la contabilidad? —dejó caer Johnson sin dejar de mirar sus rostros.

Savannah se quedó tan pálida, abrumada por la pena, que el detective se sintió un torturador. El rostro de Gregori no mostró ninguna emoción, y Johnson sabía que nada que dijera o hiciera iba a cambiar eso.

—Soy un hombre rico, detective, con mi fortuna personal y más dinero del que podría gastarme en toda la vida. Savannah ni siquiera necesitaría los ingresos de su espectáculo. Si alguna vez hubiera habido alguna divergencia en la contabilidad, de la que desde luego no estoy enterado, ni tampoco Savannah, estoy seguro de que sería algún error honesto. Peter tenía buenos ingresos con el espectáculo y no tenía necesidad de amañar los libros. Estoy seguro de que podrán verificar con facilidad sus cuentas bancarias y nuestros libros. Desde luego que tiene nuestro beneplácito si quiere hacerlo. Peter Sanders no era ningún ladrón.

Savannah alzó la barbilla.

—Peter nunca robaría a nadie. Y si alguna vez hubiera necesitado dinero, sólo le habría hecho falta decirlo. Le hubiéramos dado lo que necesitara, y él lo sabía.

—No era más que una idea. No hay ninguna prueba que lo sugiera, pero tenemos que considerar cualquier posibilidad. —Johnson se pasó una mano por el pelo. Detestaba molestar a esta mujer—. ¿Se ocupaba Sanders de las medidas de seguridad?

—Teníamos un hombre para eso —respondió Gregori con soltura—. Peter le daba las órdenes y le mantenía informado de la agenda para que el hombre pudiera hacer su trabajo.

—¿Podría ser la señorita Dubrinsky objetivo de algún admirador psicópata?

Savannah profirió un sonido sordo que a Gregori le rompió el corazón. Bajo el masaje de sus dedos, ella estaba empezando a temblar.

—Siempre existe esa posibilidad, detective. A veces ha recibido correos muy perversos de admiradores. Peter y Roland, el encargado de seguridad, la protegían de la mayoría de experiencias desagradables. Pero si en esta gira hubiera habido algún mensaje amenazante, Peter me habría informado de inmediato.

A Johnson no le cabía la menor duda de que Gregori era el tipo de hombre que se implicaba en cualquier aspecto de la vida de su esposa.

—¿Recuerda algún incidente extraño que se le haya quedado grabado en la mente?

Savannah negó con la cabeza.

—¿Y algún ruido extraño, inesperado, aquella noche?

Al instante, Savannah recordó la horrenda risa del vampiro. Gregori intervino de inmediato.

—Mi esposa está muy afectada, detective, y todavía tenemos que ocuparnos de todos los preparativos para el funeral de Peter. El equipo del espectáculo también nos está esperando.

—Y los periodistas.

Los ojos plateados de Gregori relucieron con una advertencia.

—Savannah no va a hablar con los periodistas. Esto ya es bastante difícil para ella.

Johnson hizo un gesto de asentimiento.

—Intentaremos sacarles por la puerta trasera para que pasen desapercibidos. Pero esos tipos llevan ahí acampados en nuestras escaleras desde que identificamos el cadáver.

Savannah se estremeció visiblemente.

—Pirañas —comentó Gregori.

—Son igual que vampiros —coincidió Johnson. No percibió el escalofrío de Savannah—. Una vez que clavan sus dientes en una historia, ya no la sueltan. Hay uno en concreto, venido de fuera, que ha estado volviéndonos locos a todos. De hecho, le hemos pillado intentando colarse en nuestros archivos en un intento de leer nuestros informes. Además ha intentado sobornar a alguien en el despacho del juez de instrucción para sacar información.— El detective era consciente de que estaba dando información que no debería revelar, pero al parecer no podía parar. Brotaba de él como si fuera agua.

Gregori alzó la cabeza, con su pelo negro caído sobre la frente. De repente parecía un depredador, siniestro y peligroso. El corazón de Johnson latió de nuevo con golpes secos y, por un instante, habría jurado que aquellos ojos plateados refulgían con un rojo intenso. Gregori transmitía la impresión de una bestia con las garras retraídas, esperando y acechando a su presa. El oficial sintió un escalofrío y luego pestañeo. Cuando volvió a mirar, el rostro del hombre seguía tan imperturbable como siempre, y sus ojos sólo le devolvían su propia imagen reflejada. Había cierta belleza masculina en aquel rostro duro y cruel. Johnson sacudió la cabeza para disipar de su mente la imagen de un lobo al acecho.

—¿Qué periodista era ése, detective?

—No es que pueda divulgar esa información —dijo Johnson preocupado. No podría decir en concreto por qué, pero no iba a ser responsable de que algún periodista acabara en el hospital. No le cabía la menor duda de que cualquiera que se enredara con Gregori saldría malparado.

Gregori le sonrió con un destello de relucientes dientes blancos. La mirada plateada se fijó en los ojos cansados de David Johnson. Esos ojos plateados de repente se volvieron mercurio fundido, ardiente. Johnson sintió que se caía hacia delante, incapaz de apartar la mirada. Gregori penetró en la mente del hombre, traspasó la delgada barrera de protección y buscó entre sus recuerdos. Satisfecho cuando obtuvo lo que necesitaba, suprimió el recuerdo de cualquier conversación relacionada con el periodista e implantó cierta noción de que Savannah y Gregori habían cooperado en todo y que no tenían nada que ver con la muerte de Peter Sanders.

Johnson pestañeó y de repente se encontró de pie estrechando la mano de Gregori y sonriendo con pesar a Savannah. La figura musculosa de Gregori empequeñecía su delgada estructura mientras su marido la cobijaba con gesto protector debajo de su brazo. Ella le dedicó una lánguida sonrisa a Johnson.

—Preferiría haberle conocido en circunstancias diferentes, detective.

—David —le corrigió con amabilidad, haciendo todo lo posible para no quedarse embobado.

Gregori empujó con suavidad a Savannah para que saliera del despacho.

—Gracias por respetar los sentimientos de Savannah.

Johnson abrió la marcha a través del laberinto de despachos que llevaban hasta las escaleras de la parte de atrás.

—Si lo creen necesario, podría asignarles un par de hombres para vigilar a la señorita Dubrinsky unos días.

—Gracias, detective, pero no será necesario —declinó Gregori con amabilidad, con un atisbo de amenaza en su voz de terciopelo. Buscó con su mano la parte posterior de la cintura de Savannah—. Me sé defender.

La escalera era estrecha y estaba polvorienta, y la alfombra gastada en varios sitios. La pareja descendió junta en perfecta sincronización, como un par de bailarines. Gregori detuvo a Savannah antes de que ella pudiera empujar la puerta para abrirla.

—Hay alguien afuera.

Savannah vio el gesto cruel en la boca de Gregori.

—No sabemos de quién se trata, Gregori —le amonestó en voz baja.

—Es fácil someter a alguien a un escaneo —respondió Gregori—. Ese periodista es peligroso, Savannah. Es algo más que un simple reportero metomentodo.

—Has leído la mente del detective, sus recuerdos, ¿verdad? —Rodeó su gruesa muñeca con los dedos, con sus enormes ojos azules fijos en su rostro.

Gregori ni se inmutó con la acusación. No intentaba parecer arrepentido.

—Por supuesto que sí.

—Gregori —dijo ella en voz baja—, si vieras la expresión que pones.

Él alzó las cejas.

—¿Qué expresión es ésa?

—Como si tuvieras mucho hambre y acabaras de descubrir el almuerzo.

Gregori sonrió como respuesta, pero no había calor en sus ojos.

—Ten mucho cuidado con ese individuo, Savannah. No va a desistir con facilidad.

Ella se encogió de hombros con cuidado.

—Pues démosle lo que busca y tal vez nos deje en paz. —Temía que ya sabía lo que Gregori tramaba. Si no podían controlar al periodista, si se volvía una amenaza para su raza, Gregori no tendría otra opción que destruirle. Ella no podía soportar la idea de otro derramamiento de sangre innecesario; quería una coexistencia pacífica con la raza humana.

—Lo intentaremos a tu manera —concedió Gregori con un nudo en el estómago. ¿Por qué cedía él a sus disparates? Aquellos ojos grandes y tristes vencían su buen juicio a cada ocasión.

Savannah le apretó el labio con la punta del dedo y siguió su severo contorno hasta que se suavizó, y él se metió el dedo en la boca con un movimiento lento y erótico. Necesitaba esa conexión con ella siempre. Era tan joven, y la fealdad de la vida de Gregori quedaba tan distante de ella. ¿Cómo podía entender ella que necesitaba asegurarse de que tal fealdad nunca la alcanzara?

Savannah sonrió con una leve sonrisa secreta que él creía que nunca entendería. Gregori conocía la tierra, el viento, el agua en movimiento, el fuego, el aire e incluso el mismísimo espacio. Podía dar órdenes a todo aquello, pero Savannah le era esquiva. ¿Por qué importaba tanto que ella entendiera? ¿No era su seguridad lo más importante en el mundo de Gregori?

Savannah se estremeció con el inesperado calor que ardió por su cuerpo. Gregori tenía tal poder sobre ella. Cuando él soltó el dedo de la caverna caliente y húmeda de su boca, ella se inclinó hacia él y deslizó la mano sobre su garganta hasta apoyarla en el pecho.

—Creo que deberían declararte fuera de la ley, Gregori. Eres mortífero para las mujeres. —Su voz pasó como una pluma sobre su piel, como si fueran dedos.

—Sólo para una mujer —respondió con sus ojos plateados convertidos en mercurio fundido. Le cogió la mano, tuvo que hacerlo para que su cuerpo no ardiera en llamas. Se llevó los nudillos a la boca y suspiró mientras le daba un beso en el dorso de la mano, en los dedos y luego en la palma abierta—. Acabemos esto, *ma petite*, antes de que cambie de idea y convierta a este periodista en piedra.

A Savannah se le cortó la respiración y abrió mucho sus azules ojos.

—No puedes hacer eso ¿verdad? —Le miraba con una mezcla de asombro y miedo, tal vez con una pequeña dosis de orgullo.

El rostro de Gregori estaba del todo impasible; la mirada plateada meditabunda.

—Puedo hacer cualquier cosa. Pensaba que era algo sabido entre nuestra gente.

Ella estudió su rostro en un intento de determinar si le estaba tomando el pelo. Cuando se dio cuenta de que no podía saber con certeza si era una cosa o la otra, se dio la vuelta y empujó la puerta.

Casi al instante, un hombre se plantó con firmeza ante ella y disparó el fogonazo de un flash. Pestañeando por el dolor repentino y atroz de la brillante luz en sus sensibles ojos, Savannah levantó una mano instintivamente para taparse el rostro. Gregori la volvió contra su pecho. *Tú has insistido en esto.*

¡No se te ocurra decir «Te lo dije»!

La suave risa de Gregori alivió el escozor en sus ojos, pero su expresión era dura y peligrosa mientras miraba al periodista y a su fotógrafo.

—Apártense de nuestro camino —advirtió en tono sospechosamente suave.

La expresión del periodista era de cautela. Retrocedió un paso con los pulmones a punto de estallar.

—Wade Carter, periodista por cuenta propia. Llevo un tiempo siguiendo a la señorita Dubrinsky, y me gustaría entrevistarla.

—Tendrá que dirigirse al secretario de prensa. —Gregori no dejó de andar rodeando con gesto protector los hombros de Savannah.

El periodista tuvo que ceder, no se atrevía a desafiar a aquel hombre. Gregori parecía un depredador. Una máquina de matar siniestra y perturbadora. Amenazador. Estaba mostrando su verdadera naturaleza al periodista, sin vacilar. Carter maldijo para sus adentros, pero la excitación seguía en su rostro.

—Circula el rumor de que usted es su marido. ¿Es eso cierto?

—No tengo motivos para negarlo. —Gregori continuaba caminando, rodeando con el ancho brazo de músculos fibrosos la cabeza de Savannah, consiguiendo de este modo ocultarla del escudriñamiento del otro hombre. Lanzó un vistazo al fotógrafo, que se preparaba para otra foto—. Tendrás que contentarte con una foto. Repítelo y te quitaré la cámara. A la fuerza. Y no te la devolveré, ¿lo entiendes?

El hombre bajó la cámara al instante, con la cara blanca. La voz de Gregori sonaba grave y baja, incluso amable, pero transmitía tal amenaza que el fotógrafo, veterano en tantos altercados, optó por no hacerse el valiente.

—Sí, señor —balbució, negándose a mirar a Carter.

—O sea, que no niegan su matrimonio. ¿Es cierto que los dos provienen de los Cárpatos? —Carter sonaba ansioso.

—Es una zona muy extensa —dijo Gregori con vaguedad e indicó a su chófer que abriera la puerta de la limusina.

Carter se adelantó.

—¿Conocía Peter Sanders los secretos de su espectáculo de magia, Savannah? —En su voz había una acusación, hostilidad—. Ningún otro miembro de su equipo los conoce. Lo cual podría volver bastante conveniente la muerte de Sanders, si hay algo que quiera ocultar.

Savannah alzó el rostro al periodista pese al brazo de Gregori que la refrenaba. Sus ojos azules centellearon de un modo peligroso.

—¿Cómo se atreve? —Peter Sanders era amigo mío.

Carter se acercó aún más.

—¿Guarda muchos secretos, no, Savannah, que no tienen nada que ver con el espectáculo de magia?

—¿Qué se supone que significa eso?

Los ojos plateados de Gregori lanzaron llamaradas. *Protege su mente de algún modo. Puedo intentar traspasar esa barrera, pero es complicado, y él se enteraría, y por consiguiente cualquiera que le haya ayudado a conseguir eso. Éste sí que es peligroso para ti,* mon amour. *No te enfrentes a él. Vayámonos de aquí. Haré una visita a Wade Carter en otro momento, más tarde.*

No me asusta.

Debería hacerlo. Es uno de los asesinos humanos, y te ha escogido como objetivo. Esa maldita bruma en la que te disuelves en tu espectáculo, a Julian nunca acabó de convencerle.

—Creo que sabe muy bien a qué me refiero. Peter Sanders descubrió el secreto de algunos de sus trucos, y usted decidió liquidarle.

Savannah sacudió la cabeza.

—Me da lástima, señor Carter. Tiene que ser horrible ganarse la vida acusando a la gente de crímenes sólo por conseguir un artículo sensacionalista. Dudo que tenga demasiados amigos. —Agachó la cabeza y se metió en la limusina, en la seguridad de su sombrío interior.

—No se ha librado de mí —ladró Carter inclinándose hacia delante para intentar entreverla por última vez.

Gregori iba tras ella y su imponente cuerpo irradiaba poder. Sonrió al reportero, con un destello de dentadura blanca. Los ojos plateados reflejaban la propia imagen de Carter con claridad, con vívidos detalles. Pero era una imagen de muerte, de un cuerpo destrozado y sangriento cayendo al suelo como una muñeca de trapo. Gregori no apartó su mirada mortífera del hombre.

—Usted tampoco se ha librado de mí —dijo en voz baja, con una amenaza de terciopelo negro.

Wade Carter sintió una repentina debilidad a causa del miedo. Se santiguó y con la mano derecha buscó el crucifijo de plata que le colgaba del cuello. Una risa grave y burlona retumbó en su cabeza. Por lo visto no conseguía sacársela de la mente, ni siquiera cuando el elegante y alto hombre se introdujo con gracilidad en el coche, al lado de Savannah en el asiento. Carter sacudió la cabeza repetidas veces en un intento de sacarse la risa, la amenaza, de su cabeza.

Siguió con mirada iracunda la limusina que desaparecía y se puso de golpe las manos en las orejas. No tenía pruebas de que Savannah Dubrinsky fuera una vampiresa, sólo era una intuición. Las cosas que hacía sobre el escenario eran imposibles. Ningún otro mago había conseguido los trucos que ella había perfeccionado. Era tan joven, ¿cómo podía haber aprendido a hacer lo que nadie más en su campo conseguía? Había seguido toda su gira, intentando sin éxito sobornar a los que trabajaban con ella. Nadie admitía saber nada.

Cada vez que intentaba colarse para ver su utilería, para estudiar lo que hacía, algo iba mal. Era misterioso. No creía en las coincidencias. Podía haber fracasado en una o dos ocasiones, pero no en cada concienzudo intento. Él era un profesional; su gente era profesional. Ningún equipo de gira ni de seguridad era tan bueno. Algo olía mal y su intención era llegar hasta el fondo. Tal vez los policías se hubieran tragado la historia, pero la muerte de Peter Sanders apestaba, de verdad. Todos los conductores y cargadores de los camiones contaban la misma historia con exactitud. Pero dos testigos nunca cuentan la misma historia con tal precisión, eso jamás sucede. Los detalles siempre difieren. Y no podía ser una conspiración; aquellos a quienes preguntaba no siempre se conocían unos a otros. De modo que tenía que haber algo más. Como recuerdos implantados en las mentes de la gente, algo que los vampiros sí podían hacer.

De pronto, Savannah tenía un esposo del que nadie sabía nada. Y no era un hombre cualquiera, alguien fácil de pasar por alto. El marido de Savannah era siniestro y peligroso. Un asesino. Wade Carter estaba seguro de que era un vampiro. Desde luego que sí. Se sentó en los escalones con el corazón acelerado. Por fin había dado con la verdad. Y la verdad le ponía los pelos de punta. Tendría que mandar un mensaje a los demás para que vinieran. Ya era hora, y él sería quien les había descubierto. O al menos le había descubierto a él. No sabía a ciencia cierta si Savannah Dubrinsky era un vampiro, pero su investigación decía que era una posibilidad. Iba a hacerse famoso. Muy, muy famoso. Y muy, pero que muy rico.

—Está enterado de lo nuestro —dijo Gregori en voz baja—. Ese periodista no es ningún periodista. Es uno de ellos.

—¿Quiénes son ellos? —Savannah se pasó la mano por el pelo, de repente estaba agotada y al borde de las lágrimas. *Peter. Todo era culpa suya. No debería haberle permitido intimar tanto con ella, no debería haber puesto en peligro a Peter. Qué ingenua había sido.* Savannah siempre había vivido en un mundo de infinito amor. Sus padres la protegían y la defendían. Su lobo —no, su pareja de vida— sólo le había mostrado amor durante los años de crecimiento. En ningún caso habían permitido que la alcanzara la fealdad ni los peligros de sus vidas.

Echó un vistazo a Gregori, con expresión imperturbable, con las líneas grabadas a fondo en su hermoso rostro. Su mirada era muy fría y distante. Había visto demasiado horror en su vida; ya había pasado por cualquier cosa que pudiera suceder. Lo había visto todo con sus ojos.

—¿Quiénes son ellos, Gregori? —volvió a preguntar.

Él recorrió su rostro con una mirada que rozó su tierna boca, dejando calor a su paso.

—Hay un grupo peligroso de humanos que cree en los vampiros y que se dedica a cazarlos podría decirse que de forma profesional. Pese a su obsesión por los no muertos, que a lo largo de siglos les ha llevado a formar sociedades secretas para dedicarse a sus pasiones depravadas, no reconocen ni admiten la diferencia entre carpatianos y vampiros. Para ellos, somos lo mismo y nos merecemos el exterminio. Pero tal vez sea mejor que no entiendan que tratan con dos entidades diferentes.

—¿Qué motiva a esta gente? ¿Tienen pruebas de la existencia de los vampiros? —Costaba creerlo; los cazadores carpatianos de renegados ponían sumo cuidado en destruir toda evidencia de los traidores.

—Nada en concreto. Pero las eternas leyendas, las historias y mitos mantienen a esta gente haciéndose preguntas. Y algunos de los vampiros más listos pasan tiempo en sociedad antes de que nosotros consigamos darles caza.

—Cierto —dijo Savannah. Conocía la historia. La Edad Media y la época inmediatamente posterior habían sido un festín para los no muertos, quienes vivían sin ocultarse entre los humanos y se alimentaban de ellos. Había requerido un enorme esfuerzo colectivo borrarles del mapa, antes de que destruyeran cualquier oportunidad de una coexistencia pacífica entre las dos especies, carpatianos y humanos. Después de que desaparecieran los más famosos cazadores de vampiros, como Gabriel y Lucien, fueron Mijail y Gregori, Aidan y otros carpatianos antiguos como ellos, los que dieron caza a quienes se transformaban en vampiros. Juntos habían protegido a las mujeres que quedaban y también habían tomado medidas para que los carpatianos y vampiros quedaran como productos de la imaginación humana, personajes de leyendas, novelas y películas. Su campaña para borrar todo recuerdo, todo conocimiento certero de su especie, en general había tenido éxito, pero era evidente que también había habido algunos fallos.

—Unos años atrás, antes de que tú nacieras, se formó una sociedad de humanos, una organización secreta, para investigar y exterminar a los vampiros, el tipo de vampiros sobre los que escriben en las novelas baratas. En su momento pensamos que esos humanos no plantearían una amenaza real para nosotros. Ninguno de nosotros esperaba una repetición de las cacerías de vampiros que barrieron Europa siglos atrás.

No había pesar en su voz inexpresiva, nada que delatara que estaba recordando el descubrimiento del cadáver de su madre, pero Savannah lo sabía, igual que si él lo hubiera confesado.

—La primera vez que salieron a la luz con uno de sus ataques, asesinaron a tu tía Noelle. Iban a matar a otra mujer, pero tu propia madre, aún humana, tuvo el coraje de salvarla. Entonces la sociedad secreta se marcó como objetivo eliminar a tu madre y a tu padre, Raven y el príncipe de nuestro pueblo. Una vez más pensábamos que nos habíamos sacado de encima la amenaza, pero volvieron a atacar unos años después. Mataron a varias personas de nuestra especie y a unos cuantos humanos. Asesinaron al hijo de Noelle y torturaron a tu tío Jacques hasta hacerle perder el juicio. Una vez más, Raven sufrió un ataque, cuando estaba embarazada de ti, y casi te pierde.

Savannah apoyó la mano en su brazo, aunque por otro lado tuvo cuidado de no dejar entrever su compasión, pues no quería que él se percatara de qué manera tan fácil ella se había introducido en su mente y había memorizado sus recuerdos con su corazón. Había desarrollado bastante habilidad en leerle.

Gregori le cogió la mano, maravillado de que algo tan pequeño pudiera proporcionarle tanto placer. Sólo el simple hecho de que tocara su brazo, que sus dedos rodearan su muñeca, podía derretir sus entrañas y aportarles una cantidad de alivio, de seguridad. Le asombraba. Ciertos recuerdos siempre habían provocado en él una reacción de aislamiento, de quedarse en blanco por dentro, para poder hacerles frente por desagradables que fueran, sin que la bestia rugiera de furia. Sin embargo, ahora esa pequeña mano templaba el fuego y la furia. Gregori describió el dibujo de una salvaguarda en su palma, casi sin darse cuenta de lo que hacía. Incluso su subconsciente deseaba asegurarse de que ella se encontrara siempre a salvo.

El roce de los dedos de Gregori disparó dardos de fuego por el riego sanguíneo de Savannah, quien se mordió nerviosa el labio inferior.

—Estabas hablando de este periodista... ¿qué puede saber él con certeza? —le inquirió con amabilidad. No quería que dejara de cogerle la mano o que parara de trazar ese extraño diseño tranquilizador en medio de su palma. Quería que los terribles recuerdos dejaran de oprimir a Gregori, para devolvérselo a ella. Savannah le sonrió con sus ojos azules, claros y serenos.

—No sabe nada con seguridad. —En sus ojos apareció un destello levemente perverso—. Al menos, no en tu caso.

—¿Qué hiciste? —preguntó en tono suave—. Gregori no tienes que atraer la atención sobre ti para protegerme. Somos un equipo, ¿no es así? Lo que te pase a ti, me pasa a mí.

Él apartó la vista de ella y miró por la ventanilla. Le rodeó la mano con dedos posesivos.

—Tal vez no sea así en todos los casos —respondió escogiendo las palabras.

—¿Qué quieres decir, Gregori? Somos pareja de vida. Uno no puede vivir sin el otro. Tal vez yo no lo sepa todo sobre las parejas de vida, pero eso sí que lo sé.

—Eso es verdad, *ma petite*, por lo general. Y por lo general, un cazador que encuentra a su pareja deja de cazar. No obstante, Aidan Savage, por ejemplo, tiene que continuar porque se encuentra en una tierra en la que existen pocos cazadores. Los cazadores están más expuestos que la mayoría de carpatianos a la amenaza de los no muertos, de modo que para no poner a sus parejas en peligro, los cazadores normalmente permiten que otros carpatianos se ocupen de esa tarea. Aidan Savage no goza de ese lujo. —*Ni yo.*

—¿Y tú? ¿Tienes intención de dejar la caza? —preguntó en el mismo tono dulce, pues ya sabía la respuesta, ya estaba en su mente.

—Sabes que no. —Lo dijo con ternura, en voz baja.

—Yo soy tu pareja, Gregori. —La voz le temblaba un poco—. Entiendo que tengas que cazar porque eres el mejor que tenemos, y nuestro pueblo te necesita. Pero si algo te sucediera, yo te seguiría.

Gregori movió su pulgar arriba y abajo sobre su muñeca, como una pluma, y se detuvo sobre su pulso. Era rápido.

—Sería deshonesto por mi parte permitir que pensaras que tengo una motivación tan noble. Lo cierto es que he cazado durante tantos siglos que no conozco ninguna otra forma de vida. —Mantenía su rostro imperturbable, pero por dentro contenía la respiración.

Una leve sonrisa se insinuó en su boca perfecta.

—Si te complace pensar eso de ti mismo, Gregori, por mí ya está bien. Eres tan arrogante como varios hombres juntos; no necesitas mis cumplidos. Pero tal vez yo pueda hacer algo para enseñarte otra forma de vida. Entretanto, sugiero que me enseñes un poco sobre las costumbres de los vampiros, pues da la impresión de que vamos a tener que cazarlos. Y también tendrías que recordar que además eres nuestro mejor sanador. Eso nadie lo pone en duda.

—Soy el mejor asesino, indiscutible. —Intentó ofrecerle la verdad una vez más.

Ella tocó el gesto severo de la boca de Gregori.

—Entonces cazaré contigo, pareja.

El corazón de Gregori resonó contra sus costillas. La sonrisa de Savannah era misteriosa, reservada, y tan hermosa que le rompía el corazón.

—¿Qué hay tras esa sonrisa, *bébé*? —Acercó su mano a la garganta de Savannah y la extendió allí, rozándole con el pulgar los labios, con una ligerísima caricia—. ¿Qué sabes que yo desconozco? —Introdujo su mente en la de ella, con un empuje sensual. Era la intimidad definitiva, no tan diferente de la manera en que a veces su lengua se batía en duelo con ella, ni de la forma en que su cuerpo tomaba posesión del de Savannah.

Ella ya estaba familiarizada con ese contacto mental. Sabía que él intentaba mantener al mínimo la invasión de su mente, le dejaba marcar a ella los límites y nunca superaba ninguna barrera que ella levantara, pese a que podría hacerlo con facilidad. Los dos necesitaban la fusión íntima de sus mentes, Savannah tanto como Gregori. Y, de cualquier modo, su conocimiento de él, recién descubierto, se encontraba a salvo tras una barricada en miniatura que había erigido de manera apresurada. Le miró con ojos grandes e inocentes.

Él presionó su labio inferior con el pulgar, medio hipnotizado por su perfección de satén.

—Nunca cazarás vampiros, *ma chérie*, jamás. Y si alguna vez te pillo intentándolo, la represalia será atroz.

Ella no parecía asustada. Más bien, en el azul oscuro de sus ojos apareció cierta diversión.

—¿No me estarás amenazando, *Taciturno*, terror de los carpatianos? —Se rió un poco, con un sonido que descendió como una pluma por la columna de Gregori y de algún modo consiguió eliminar el aguijón que esa designación de siglos de antigüedad había supuesto—. No pongas esa cara tan seria, Gregori, aún no has perdido del todo tu reputación. Los demás todavía sienten terror del gran lobo malo.

Él alzó las cejas. Ella le estaba tomando el pelo. Con su siniestra reputación, nada más y nada menos. La mirada clara y chispeante de Savannah delataba su diablura. No le recriminaba su destino, el estar atada a él, a un monstruo. Estaba demasiado llena de vida y risa, llena de dicha. Lo notaba en su mente, en su corazón, en su mismísima alma. Deseaba contagiarse de eso, que le hiciera una pareja más compatible para ella.

—Tú eres la única que tiene que temer al gran lobo malo, *mon amour* —amenazó con fingida seriedad.

Ella se inclinó para mirarle a los ojos, con una sonrisa que curvaba su tierna boca.

—Has hecho un chiste, Gregori. Estamos haciendo progresos. Vaya, ya somos prácticamente amigos.

—¿Prácticamente? —repitió con amabilidad.

—Vamos rápido —le dijo con firmeza, alzando la barbilla y desafiándole a llevarle la contraria.

—¿Alguien puede hacerse acaso amigo de un monstruo? —Lo soltó sin darle importancia, como si sólo estuviera pensando en voz alta, pero en sus ojos plateados había una sombra.

—Me comporté como una niña, Gregori, cuando hice esa acusación —dijo en voz baja, encontrando su mirada—. Quería tener mi propia vida, sin tener que dar explicaciones a nadie. Fue desconsiderado y equivocado por mi parte. Y estaba asustada. Pero ahora no, y te pido perdón...

—¡No! —ordenó él con brusquedad—. *Mon dieu, chérie*, no me pidas disculpas por tu miedo. No lo merezco, y ambos lo sabemos. —Apretó con el pulgar el satén caliente de su labio—. Y no intentes ser tan valiente. Soy tu pareja y no puedes ocultarme algo tan potente como el miedo.

—Inquietud —corrigió ella mordisqueándole la base del pulgar.

—¿Hay alguna diferencia? —Sus ojos pálidos se habían calentado y eran mercurio fundido. Con la misma rapidez, el cuerpo de Savannah se derritió como respuesta.

—Sabes muy bien que sí. —Se rió de nuevo y el sonido descendió desde el corazón de Gregori hasta su entrepierna, con un ansia intensa y familiar—. Leve, tal vez, pero muy importante.

—Intentaré hacerte feliz, Savannah —prometió con aire serio.

Ella subió los dedos para acariciarle la densa melena que le caía sobre el rostro.

—Eres mi pareja, Gregori. No tengo duda de que me harás feliz.

Él tuvo que apartar la vista y mirar la noche por la ventanilla. Era tan buena, su belleza era tal, y él era tan tenebroso, vaciado de toda bondad, vertida en la tierra con la sangre de todas las vidas que se había llevado mientras la esperaba a ella. Pero ahora, enfrentado a la realidad de Savannah, Gregori no soportaba que ella presenciara su negrura interior, la atroz mancha que atravesaba su alma.

Más allá de los asesinatos y las transgresiones de la ley, había cometido el más grave de todos los delitos. Y se merecía el máximo castigo; había perdido el derecho a la vida. Había alterado la naturaleza de forma intencionada. Sabía lo poderoso que era, sabía que su conocimiento superaba los límites de la ley carpatiana. Había privado a Savannah de su libre albedrío, había manipulado la química entre ellos para que creyera que él era su verdadera pareja. Y por eso estaba con él: menos de un cuarto de siglo de inocencia enfrentada a sus miles de años de tenaz estudio. Tal vez ése fuera su castigo, reflexionó: estar sentenciado a una eternidad sabiendo que Savannah nunca podría enamorarse de verdad de él, que nunca aceptaría su negra alma. Que ella estaría siempre cerca y sin embargo tan lejos.

Si alguna vez ella descubría la extensión de su manipulación, le despreciaría. De todos modos, él nunca permitiría que se marchara, jamás. No si debían seguir a salvo mortales e inmortales por igual. Su mentón adoptó un gesto duro y continuó mirando por la ventana, apartándose un poco de ella. Salió de la mente de Savannah, con decisión, pues no quería alertarla del grave crimen que había cometido. Podría soportar la tortura y siglos de aislamiento, podría aguantar sus pecados enormes, pero no podría soportar el desprecio de ella. Inconscientemente, le cogió la mano y la apretó tanto que amenazó con aplastar sus frágiles huesos.

Savannah le dedicó una rápida mirada y soltó una lenta exhalación para no hacer una mueca de dolor, manteniendo la mano pasivamente en la de él. Gregori creía que le bloqueaba el acceso a su mente. No creía que fuera su verdadera pareja de vida. Estaba convencido de que había manipulado el resultado de su unión de forma injusta y que en algún lugar podría estar esperando otro carpatiano con la química adecuada para ella. Pese a que él le había ofrecido libre acceso a su mente, le había brindado el poder de hacerlo, de fundir su mente con la suya —como su lobo y, antes de nacer, como su sanador—, lo más probable es que él no creyera que una mujer, una novata, que además no era su verdadera pareja, pudiera tener la capacidad de leer sus secretos más íntimos. Pero Savannah podía. Y tras concluir el ritual ancestral de las parejas, la unión sólo se había reforzado todavía más.

Capítulo 8

Las cenizas de Peter Sanders se enterraron en los terrenos de una mansión que Gregori había construido para Savannah mientras esperaba a que llegara a San Francisco. El equipo de Savannah y el oficial David Johnson se personaron para la ceremonia, pero de todos modos consiguieron mantener en secreto la localización exacta, bien alejada de la ciudad, y ocultarla a la mayoría de la prensa. Sólo apareció Wade Carter, quien había seguido a uno de los miembros del equipo de la gira, aunque no se le permitió el acceso al otro lado de las verjas. Su fotógrafo se había negado a venir; algo en el marido de Savannah Dubrinsky le ponía los pelos de punta. Eso dejó a Wade con la incómoda cámara colgando del cuello y una sensación de inquietud. La finca estaba rodeada de una verja y había lobos sueltos dentro del terreno.

Savannah, rodeada en todo momento por el brazo de Gregori, se dirigió con voz tranquila a su equipo para agradecerles su asistencia y para anunciarles que se retiraba. A cada uno de ellos se le hizo entrega al marcharse de un sobre que contenía una bonificación considerable. Gregori pasó unos minutos hablando con Johnson. El policía, una vez que comprobó que no podía obtener más información, dejó la residencia.

Savannah permaneció un rato más en el lugar de la ceremonia, observando la bonita placa de mármol que Gregori había diseñado para Peter. Las lágrimas en sus ojos se debían en parte a la pena por la pérdida de tan buen amigo y en parte a la amabilidad de Gregori. Peter descansaría cerca de ellos gracias a él, y había hecho que el día fuera todo lo reconfortante posible, teniendo en cuenta las circunstancias.

Se volvía para regresar a la casa cuando los lobos alzaron la cabeza y empezaron a aullar. Gregori se giró en redondo y la cogió por el brazo para acercarla a él.

—Creo que es Aidan Savage —dijo en voz baja—. Tenemos que entrar en la casa, donde Carter no tenga oportunidad de ver a Aidan. No me gustaría atraer algún asesino a la puerta de Aidan. —Con un siseo, dio una orden a sus lobos e instó a Savannah a que regresara deprisa a la mansión.

—Pensaba que este lugar estaba salvaguardado —dijo ella.

—Con tu equipo y la policía presentes en la ceremonia, era demasiado peligroso. Alguien podría haberse alejado del lugar y acabar lastimado. —Le frotó el pelo con ternura—. Sé que estás cansada. Deberías descansar al menos una hora más o menos. Nos hemos levantado demasiado pronto.

Ella se apoyó en su dura fuerza y leyó el remordimiento en la mente de Gregori.

—No ha sido culpa tuya, en absoluto, Gregori. Nunca te he culpado de lo de Peter.

Él le acarició el pelo.

—Sé que no. —Su atención se centraba en la agitación del viento, que anunciaba la llegada de alguien de su especie—. Pero si no me hubiera dejado abrumar por los sentimientos físicos, el deseo —se condenó—, habría sabido que el vampiro acechaba esa noche. Había liberado a Julian de su responsabilidad y tú ya estabas a mi cuidado.

—¿Tienes que ser tan duro contigo mismo? —preguntó con un suspiro—. No eres responsable de todos los carpatianos, ni de todos los humanos. Si hay que culpar a alguien, sería a mí por insistir en mi libertad. Fui inconsciente, no comprendía lo que te estaba haciendo, ni siquiera a los varones sin pareja de nuestra especie. No pensé ni una vez en lo que tú sufrías mientras yo huía de mí misma y de nuestra vida juntos. Y desde luego que no pensé en el peligro que corría Peter. Debería haberlo hecho. Debería haber sabido que me perseguirían.

Gregori la rodeó con el brazo y la estrechó en su círculo reconfortante.

—No has hecho nada mal, *chérie* —dijo con vehemencia. La estaba moviendo con firmeza hacia la protección de la casa.

Los prismas de un arco iris se mecieron chispeantes a través de los árboles. Gregori sacudió la cabeza cuando la luz empezó a titilar para dar forma a una silueta material.

—Siempre has sido un fanfarrón, Aidan —saludó al visitante, con voz tan inexpresiva como siempre—. Mejor entramos.

Savannah notó al tocar su mente el afecto que sentía Gregori por el otro hombre. Había oído hablar de Aidan Savage, un cazador de vampiros, pero había partido de su tierra natal medio siglo antes del nacimiento de Savannah para establecer su residencia en Estados Unidos. Era uno de los pocos de su especie de constitución similar a la de Gregori: alto, como todos los carpatianos varones, pero mucho más robusto, con músculos nervudos y definidos. No obstante, en vez del cabello oscuro de su raza, tenía una melena larga, densa y leonada y sus ojos eran de un ámbar peculiar que destellaba con un oro brillante y relumbrante.

El gemelo idéntico de este hombre la había protegido durante estos últimos cinco años. Aidan era una figura imponente, y su hermano también lo sería, aunque Savannah no le había visto ni una sola vez. Ni siquiera había detectado su presencia. ¿Cómo se había mantenido oculto Julian pese al poder, autoridad y seguridad en sí mismos que rezumaban todos los miembros masculinos de su raza, resultado de siglos de persecuciones y de la adquisición de conocimientos?

Gregori movió el brazo desde la cintura de Savannah hasta su cuello, con un gesto masculino de posesión. Savannah se rió para sus adentros. Los hombres carpatianos parecían no haber bajado hace mucho del árbol.

He captado eso, mon amour. La voz suave de Gregori le rozó la mente, una caricia queda que formó una espiral de intenso calor en su estómago. Casi parecía que Gregori estuviera de broma, pero se percató de que no soltaba el brazo de su cuello.

—Aidan, no te esperaba tan temprano. El sol aún no se ha puesto, y es incómodo viajar con la luz del atardecer —dijo en voz alta una vez que se hallaron en el interior de la casa.

—Mis disculpas por haberme perdido la ceremonia —contestó Aidan en tono amable—. Pero no podía correr ese riesgo. No obstante, quiero que sepáis que no estáis del todo solos en este país.

—Savannah, éste es Aidan Savage. Es fiel a tu padre y un buen amigo mío. —Gregori les presentó—. Aidan, mi compañera de vida, Savannah.

—Te pareces a tu madre —comentó Aidan.

—Gracias. Me lo tomo como un cumplido —dijo deseando de pronto que su madre estuviera allí. Echaba de menos a Raven y a Mijail—. Nos haces un honor al haber venido a esta hora del atardecer para compartir nuestro dolor. Sé que es difícil para todos nosotros, pero había que escoger una hora que se adaptara a los horarios de los amigos humanos de Peter.

—Hay peligro en la zona, cerca de ti, Aidan —le advirtió Gregori—. Me gustaría ponerte a salvo de esos carniceros, tanto a ti como a tu familia. Son humanos, de la misma sociedad secreta que asoló nuestras tierras hace varios años.

Una sombra oscureció el rostro de Aidan. Tenía seres humanos en su familia a los que proteger, además de su pareja de vida. Un oro intenso relumbró en sus ojos color ámbar.

—El periodista. —Un suave gruñido amenazador retumbó en la profundidad de su garganta.

Gregori hizo un gesto de asentimiento.

—Esta noche descubriré cuanto pueda del señor Wade Carter. Mi intención es llevarme a Savannah y atraerles a él y a quienes sean sus compinches lejos de esta ciudad, para que no haya peligro para ti o los tuyos. —Se encontraban dentro de la casa, libres de miradas indiscretas, pero Gregori notaba la presencia maligna del periodista invadiendo su territorio—. Te envié un aviso claro, Aidan. —Había un vislumbre de censura en sus palabras, aunque su voz era amable.

La boca de Aidan adoptó un gesto duro.

—Recibí tu advertencia. Pero ésta es mi ciudad, Gregori, y mi familia. Yo me ocupo de los míos.

Savannah entornó los ojos.

—Sólo falta que os golpeéis el pecho, también. Quedará muy bien.

Muestra un poco de respeto, ordenó Gregori.

Savannah estalló en carcajadas, luego levantó la mano para tocarle el mentón severo.

—No pierdas las esperanzas, cielo, tal vez algún día alguien te obedezca.

Un gesto de diversión estiró la boca de Aidan y sus ojos dorados se desplazaron a Gregori.

—Ha heredado de su madre algo más que el atractivo, ¿cierto?

—Es tremenda.

Aidan se rió haciendo caso omiso del destello de advertencia de los ojos claros de Gregori.

—Creo que todas lo son.

Savannah salió de debajo del brazo de Gregori y encontró un sillón muy mullido en el que repantigarse.

—Por supuesto que lo somos. Es la única manera de mantener la cordura.

—Me hubiera gustado traer a Alexandria para que os conocierais, pero la advertencia de Gregori me ha obligado a ser prudente. —Aidan sonaba petulante, como si él sí fuera capaz de imponer obediencia a su mujer aunque Gregori no lo consiguiera.

Savannah dedicó una mueca pícara al hombre.

—¿Qué has hecho, dejarla durmiendo mientras salías a hacer el héroe? Apuesto a que tiene un par de cosas que explicarte cuando la despiertes.

Aidan tuvo la cortesía de poner cara avergonzada. Luego se volvió a Gregori.

—Tu pareja es un poco listilla, sanador. No te envidio.

Savannah se rió sin arrepentimiento.

—Está loco por mí. Que no te engañe.

—Te creo —reconoció Aidan.

—No le animes con sus rebeldías. —Gregori intentaba sonar severo, pero ella le desarmaba. Lo era todo para él, incluso con sus tonterías. ¿De dónde sacaba ese escandaloso sentido del humor? ¿Cómo podía estar contenta con alguien que no se había reído durante siglos?—. Le fundía las entrañas. Le derretía. Le costaba mantener el rostro inexpresivo. Ya era duro que Savannah supiera que lo tenía en el bolsillo; Aidan no tenía que saberlo también.

—En serio, Gregori, no hay necesidad de que alejar a los asesinos de la ciudad. Juntos podemos ocuparnos de ellos —dijo Aidan—. Julian está por aquí cerca en algún sitio. Le percibo, aunque no contesta a mis llamadas.

—A Julian le falta poco para transformarse en vampiro. Mejor no requerir su ayuda. Cuanto más matanzas, más aumenta el peligro. Ya lo sabes. Julian asumirá su destino, Aidan. Y si es necesario cazarle, si no acude a ti antes del cambio, debes llamarme. Julian se ha vuelto muy poderoso. No corras riesgos porque sea tu hermano. Uno de los hermanos de Mijail se ha convertido, y cuando la justicia fue en su busca, intentó, como cualquier otro vampiro, destruir a todo el mundo. No hubiera dejado vivo ni a Mijail. —Gregori no añadió que había sido él quien había hecho justicia con el hermano de Mijail. Había sido una misión muy difícil, y había decidido no tomar aprecio a nadie más a partir de entonces, como había hecho con Mijail y su familia. Gregori lanzó una mirada a Savannah, encontró sus increíbles ojos azules descansando en él y en cierto modo aliviaron el doloroso recuerdo—. Julian siempre ha sido un hombre peligroso y cultivado.

—Como tú, sanador. —Aidan no pudo contener el tono acusador. Detestaba que se hablara de su hermano, que estaba a punto de transformarse en vampiro.

Gregori ni se inmutó.

—Exactamente como yo. Ésa es la cuestión. Llámame para que te ayude cuando sea necesario. —Miraba directamente a los ojos dorados del otro hombre. Su voz era grave y sugestiva, hermosa e inquietante.

Aidan apartó la vista de esos ojos plateados. Ojos que podían ver el interior del alma de un hombre.

—Lo haré, Gregori. Sé que lo que dices es verdad, aunque no quiero creer que Julian pueda transformarse.

—Cualquiera puede, Aidan. Cualquiera de nosotros sin una pareja. —Gregori se deslizó por la habitación porque no podía soportar el distanciamiento físico que Savannah había puesto entre ellos. Una vez más, tenía los ojos sombríos y angustiados; la ceremonia la había llenado de tristeza y culpabilidad. Él se colocó detrás de su silla y bajó las manos para apoyarlas en sus hombros e iniciar un masaje. Necesitaba el contacto tanto como ella.

Aidan disimuló su sorpresa. Hacía siglos que conocía a Gregori, había aprendido de él sus destrezas curativas, y también de él había aprendido a acosar y matar al vampiro. Nada alteraba jamás a Gregori. Nada. Pero esos ojos fríos, al desplazarse a Savannah, eran mercurio fundido, la postura del hombre era claramente protectora, posesiva, y las manos sobre sus hombros eran francamente cariñosas. *¿De verdad estás bien,* chérie? *Tal vez te siente bien tumbarte un rato.*

Savannah le sonrió con gesto lánguido. Se la veía mucho más pálida de lo que a él le gustaba. Aquella tarde, Gregori había salido de caza pese a ser demasiado temprano, y había traído sangre suficiente para los dos. Pero ella se había negado a tomarla, como si negar su hambre fuera alguna clase de penitencia por sus pecados. Le puso la mano en la nuca y aplicó un suave masaje. El hambre de Savannah le llegaba con fuerza, y sabía que Aidan también lo sentía.

El carpatiano le observaba, sin censura obvia pero sí con una expresión de perplejidad en su mirada dorada. Gregori la notó como un cuchillo: no se estaba ocupando de su pareja como debiera.

No seas tonto, Gregori. La suave voz de Savannah dio vueltas en su mente. *Me cuidas a las mil maravillas. ¿A quién le importa lo que piensen los demás?*

—Y bien, sanador —dijo Aidan—, ¿has decidido ya a dónde quieres llevar a esos carniceros?

Savannah sintió un escalofrío y se volvió para mirar a Gregori; sus ojos azules cobraron vida de pronto:

—¿Hay algún sitio en concreto al que quieras ir?

—¿Tienes algo pensado? —le preguntó él. Sabía que era un error mirar a los ojos de Savannah. Podía ahogarse en ellos. Era como caer por el borde del precipicio.

—Sí. Nueva Orleans. El festival de jazz del barrio francés es esta semana. Hace mucho que quiero ir allí. Ahora podemos ir juntos. ¿Te gusta el jazz? A mí me encanta. —Le dedicó una amplia sonrisa—. Había hecho planes para ir antes... de que sucediera todo esto. De hecho, tengo un sitio allí.

Quería ir, lo decía en serio. Se notaba en sus ojos, en su mente. Era importante para ella. Gregori notó el miedo atroz creciendo en él. Era casi imposible negarle algo a Savannah. Aun así, no podía llevarla a Nueva Orleans, la capital del mundo de los vampiros y ciudad de pecado. Lo más probable es que los asesinos tuvieran allí su cuartel general. Sofocó un gruñido.

—¿Tienes residencia en Nueva Orleans?

—No suenes tan lúgubre. Querías ir a algún sitio y alejar a la sociedad de los Savage, ¿qué mejor entonces que el siguiente lugar en mi gira? Nadie encontrará extraño ni sospechoso nuestro traslado en lo más mínimo —comentó— puesto que ya estaba en mi agenda.

Gregori le lanzó una mirada a Aidan y sacudió la cabeza.

—¿Encuentras tú la lógica en eso? Aunque nunca ha estado en el barrio francés de Nueva Orleans, a nadie le resultará extraño que de pronto aparezca allí y que tenga casa en la ciudad.

—Muy lógico —respaldó Aidan—. Ya veo que tienes mucho trabajo aquí, y yo tengo que volver junto a Alexandria. Primero de todo, me gustaría mucho visitar al periodista contigo. —Por un momento, su rostro adoptó un gesto duro y severo en la boca—. Recuerdo lo que le hizo esta sociedad a nuestro pueblo.

—No puedes encargarte de esta lucha —dijo Gregori—. No voy a ponerte en peligro, ni a ti ni a tu familia.

Aidan inclinó la cabeza.

—Merodea por ahí. Noto cómo está acechando la propiedad. —Mostraba ganas, Aidan necesitaba pelear.

Savannah sabía que formaba parte de la naturaleza instintiva y depredadora de los indómitos carpatianos varones.

—Vuelve a casa, Aidan —dijo Gregori con firmeza.

—Ha sido un placer conocerte por fin, Aidan —añadió Savannah—. Espero también conocer pronto a Alexandria. Tal vez, cuando Gregori y yo acabemos con la amenaza de los asesinos humanos, podamos reunirnos.

—Cuando yo acabe con esa amenaza —corrigió Gregori, con su implacable voz de mando, su tono de «no se te ocurra cuestionar mi autoridad».

Aidan se despidió con un ademán. Entonces su imagen empezó a titilar y desapareció por la ventana abierta formando un caleidoscopio de colores que se llevó la brisa nocturna.

Savannah se estiró hacia atrás y cogió la mano de Gregori.

—Nueva Orleans. ¿Qué te parece?

Se produjo un breve silencio.

—Es un sitio peligroso —dijo escogiendo las palabras.

—Cierto, pero todo será peligroso vayamos donde vayamos, ¿no es así? —indicó no sin razón—. O sea, que, ¿qué importa a dónde vayamos? Tal vez hasta nos divirtamos.

—Prefiero las montañas —indicó él con tono calmado y neutral.

De pronto ella le puso una mueca, esa sonrisa traviesa y pícara a la que él no podía resistirse.

—Cuando un vegestorio se casa con una jovencita, tiene que aprender a coger la marcha de nuevo. Fiestas. Vida nocturna. ¿Te suena a algo o hace ya demasiado tiempo? —se burló.

Gregori se enroscó el pelo en la mano y le dio un tirón.

—Muestra un poco de respeto, *bébé*, o tal vez tenga que ponerte sobre mis rodillas.

—Qué pervertido. —Subió y bajó un delicado hombro, encogiéndose con un leve gesto muy sexy—. Estoy dispuesta a probar cualquier cosa.

Él se inclinó hacia delante y le dio un beso. Tenía que besarla, no tenía ninguna otra opción. Una vez que pegó su boca a la de ella, Gregori estuvo en serio peligro. Ella era calor y luz, sabor y satén, encaje y luz de velas. Y él estaba perdido. Por completo, absolutamente perdido. Se apartó con un movimiento, maldiciendo en su antigua lengua.

Savannah tenía los ojos somnolientos y los labios húmedos, un poco separados, y su tierna boca se curvaba con esa sonrisa sensual y misteriosa que él nunca conseguía descifrar.

—Tengo una gran idea, Gregori —le dijo con malicia—. Cojamos un vuelo comercial.

—¿Qué? —Él no dejaba de mirar su boca. Tenía una gran boca. Una boca perfecta. Una boca sexy. *Mon dieu*, deseaba su boca.

—¿No suena divertido un vuelo comercial? Podríamos coger un vuelo nocturno y mezclarnos con la gente. Eso puede despistar incluso al periodista.

—Nada va a despistar al periodista. Es tenaz. Y no habrá vuelo comercial. Eso no se discute tampoco. Nada. Si vamos a Nueva Orleans, y no estoy diciendo que vayamos, nada de vuelos comerciales.

—Oh, Gregori. Sólo estaba bromeando. Por supuesto que haremos las cosas a tu manera —añadió con recato.

Él sacudió la cabeza, exasperado consigo mismo. Por supuesto que le había estado tomando el pelo. No estaba acostumbrado a que le trataran como hacía Savannah. *Mujer descarada.*

—Necesito salir y hablar con Wade Carter.

Ella se levantó al instante, con expectación y los ojos azules muy abiertos y excitados.

—Dime qué quieres que haga. Tal vez lo mejor es que me ocupe de la bruma. Ahora soy más fuerte, al emplear tu sangre. Puedo cubrirte.

La diversión aportó calor a la fría plata de sus ojos.

—*Mon dieu*, Savannah, suenas como una película policíaca. No, tú no vas a cubrirme. No vas a hablar con Carter. Te quedarás aquí, a salvo, donde yo sepa que no puede tocarte. ¿Me he explicado con claridad cristalina, *bébé*? No vas a salir de esta vivienda.

—Pero, Gregori —dijo en voz baja—. Ahora soy tu pareja. Se supone que tengo que ayudarte. Si insistes en abordar a ese Wade Carter, entonces tengo que ayudarte. Soy tu pareja.

—No hay ninguna posibilidad de que te permita hacer tal cosa. Puedes intentar desafiarme, pero, te lo aseguro, es una pérdida de energía. —Habló en tono amable, con esa burlona superioridad masculina que a ella le producía dentera—. Soy tu pareja, *chérie*, y te daré cualquier orden que considere necesaria para tu seguridad.

Ella le dio un fuerte golpe en el pecho con el puño cerrado.

—¡Me sacas de quicio, Gregori! Intento con gran esfuerzo llevarme bien contigo y aguantar tus órdenes arrogantes. ¡Ni siquiera cambias de expresión! Podríamos estar hablando del tiempo en vez de tener una pelea.

Él alzó las cejas.

—Esto no es una pelea, *ma petite*. Una pelea es cuando los dos estamos enfadados y tenemos una contienda de voluntades, un batalla. Y aquí no puede pasar nada entre nosotros. No siento rabia cuando te miro, sólo la necesidad de que nos ocupemos de ti y de protegerte. Soy responsable de tu salud y tu seguridad, Savannah. No puedo hacer otra cosa que protegerte, incluso de tu propia locura. No tienes esperanzas de ganar. Lo sé de un modo absoluto, por lo tanto no hay por qué alterarse por esta cuestión.

Ella volvió a golpearle. Él parecía asombrado, luego le cogió el puño en pleno vuelo y le abrió los dedos con delicadeza. Le dio un delicado beso en el centro exacto de la palma.

—¿Savannah? ¿Intentabas pegarme?

—Te he pegado, dos veces, ¡canalla! Ni siquiera lo notaste la primera vez. —Sonaba muy irritada con él.

Por algún motivo a él le entraron ganas de sonreír.

—Mis disculpas, *mon amour*. La próxima vez que me pegues prometo que me percataré. —La expresión dura de su boca se ablandó hasta formar algo parecido a una sonrisa—. Incluso llegaré a fingir que me duele, si así lo quieres.

Sus ojos azules le miraban centelleantes.

—Ja, ja, ja, qué gracioso eres, Gregori. Deja de ser tan petulante.

—No es ser petulante conocer el poder de uno mismo, *chérie*. Intento cuidar de ti lo mejor que puedo. No me lo pones fácil. Me encuentro tomando decisiones erróneas sólo para ver esa sonrisa en tu rostro —admitió a su pesar.

Savannah apoyó la cabeza en su pecho.

—Siento darte tantos problemas, Gregori. —No estaba segura de que fuera la pura verdad. Le gustaba bastante alterarle—. Sólo quiero que seamos compañeros. Así es como he concebido siempre mi relación con mi pareja de vida. No quiero ser una diminuta florecilla protegida del mundo real y utilizada como yegua de cría para preservar la raza carpatiana. Quiero ser la mejor amiga y confidente de mi pareja. ¿Es eso tan malo? —Suplicaba para que le entendiera—. Son humanos. Podemos ocuparnos de ellos —dijo con más seguridad de la que sentía. Si Gregori estaba preocupado tenía que haber un buen motivo. De todos modos, ella estaba decidida a ir con él, a compartir cada aspecto de su existencia. Sabía que la caza constituiría siempre una importante parte de su vida.

Gregori la rodeó con el brazo y la acercó a él, luego le acarició el pelo con ambas manos.

—Los humanos han conseguido matar a los de nuestra raza a lo largo de siglos. Tenemos grandes poderes, sí, pero no somos invencibles. No quiero que esta gente te toque. Me ocuparé de que Wade Carter y sus amigos tengan presente la evidencia que de hecho ya obra en su poder, y también de que sean conscientes de quién corre peligro aquí. Luego comentaremos a dónde vamos y en qué modo permitiré que te involucres en esta situación.

Ella sintió vergüenza ajena al oír la palabra «permitiré», y él deseó retirarla. La estrechó con un abrazo posesivo y le dio un breve y fuerte beso en la parte superior de la cabeza.

—Te quedarás dentro de estos muros, Savannah, pase lo que pase.

Ella se abrazó a él por un momento.

—No permitas que te pase nada, Gregori. Lo digo en serio. Me enfadaré mucho contigo.

Una pequeña sonrisa se dibujó en la boca de Gregori pero no iluminó sus pálidos ojos.

—Continuaré en tu mente, *chérie*, y tú sabrás que me encuentro bien. —Vaciló por un momento—. Tal vez no te gusten mis métodos. —Era un aviso. Había una sombra en las profundidades de sus ojos plateados, que no intentó ocultarle a ella.

Savannah alzó la barbilla.

—Tal vez actúe como una niña, Gregori, pero no lo soy. La conservación de nuestra raza siempre es lo primero, tiene que ser lo primero. Sé que es preciso que emplees los medios que hagan falta para que sea así.

—Confío en eso, Savannah. Confío en que estés preparada para la realidad de nuestra forma de vida. No me queda otro remedio que proteger a nuestro pueblo. Pero no siempre es posible de un modo agradable o limpio. —Habló con aspereza, pero su hermosa voz sonaba cautivadora. Se volvió de súbito para apartarse, no obstante los pequeños dedos de Savannah continuaban cogiéndole la mano—. Permanecerás dentro de la casa, *ma petite*. Dejaré protecciones para ti. No intentes desafiarme.

Ella le frotó el dorso de la mano con su mejilla.

—Haré lo que me pides.

Gregori cogió su barbilla con firmeza, inclinó hacia arriba su rostro y pegó la boca a sus labios. Al instante la electricidad formó un arco que chisporroteó entre ellos. Un calor candente les envolvió a ambos. Luego Gregori la apartó un poco y desapareció como si tal cosa.

Se movió a través del espacio sin ser visto, con la facilidad de la larga práctica, como un suave viento soplando a través de los árboles. Wade Carter intentaba trepar al muro oeste. Tres de los lobos se movían debajo de él con los colmillos reluciendo en la oscuridad creciente. Los pantalones se le engancharon en el saliente de una roca y por un momento se quedó atrapado. Gregori titiló, suspendido en el viento, insustancial, y luego se materializó a escasa distancia del periodista.

Carter se quedó sin aliento en los pulmones.

—¡Dios mío, de verdad es un vampiro! ¡Lo sabía! ¡Sabía que estaba en lo cierto!

Gregori podía oler su miedo, su agitación. Se acomodó como si tal cosa en el muro al lado de Carter, con gracilidad perezosa y natural.

—Le dije que volveríamos a vernos pronto. Siempre cumplo mis promesas —contestó en voz baja.

La voz pareció perforar la mente del periodista. Wade se frotó sus sienes palpitantes. Nunca había estado tan asustado, nunca tan excitado. El auténtico vampiro estaba sentado justo a su lado. Hurgó en su bolsillo para darse tranquilidad, palpó su pistola de dardos.

—¿Por qué ha decidido mostrarse? —Intentaba que la voz no le temblara demasiado.

Gregori le sonrió. No había humor en esa sonrisa, sólo el destello blanco de una amenaza reluciente. Sus fríos ojos plateados no parpadeaban, como los de un enorme felino de la jungla. A Carter le puso los pelos de punta.

—Ha molestado a mi esposa —respondió Gregori con suavidad. Su voz era hermosa e hipnótica.

Carter sacudió la cabeza para suprimir su aletargamiento cerebral.

—¿De verdad se cree tan poderoso como para asesinarme con toda impunidad?

Los músculos de Gregori se tensaron, una muestra de su enorme fuerza.

—¿De verdad piensa que no?

—Jamás se me hubiera ocurrido plantarle cara sin apoyo. No estoy solo —soltó bravucón. Intentaba sacar la pistola de dardos del bolsillo, donde estaba atascada.

—No hay nadie más aquí, señor Carter —corrigió Gregori—. Sólo nosotros dos. He pensado que estaría bien echar un vistazo por dentro de su cabeza. —Su tono había descendido una octava, era suave y persuasivo, imposible de resistir.

La frente de Carter se llenó de sudor.

—No voy a permitirlo —protestó, pero no pudo evitar inclinarse hacia delante para mirar dentro de esos ojos de plata fundida. ¡Se suponía que estaba protegido contra cualquier invasión mental! Todos los miembros de la sociedad estaban protegidos. Las voces de los vampiros no podían afectarles, los ojos no podían sumirles en ningún trance. Nadie podía leer sus mentes o llevarse sus recuerdos. Cada miembro de la sociedad había sido sometido a sesiones profundas de hipnosis para resistir ese tipo de abominación. Y llevaban más de treinta años trabajando en la fórmula. Científicos, buenos científicos, que ya contaban con la sangre de vampiro con la que trabajar.

Gregori forzó la barrera sorprendentemente fuerte para inspeccionar la mente del hombre. Pudo ver la culminación de la investigación de la sociedad secreta, su ansia por encontrar un nuevo espécimen. Habían extraído sangre a varias víctimas a las que habían torturado y mutilado unos treinta años antes. Gregori inspiró con brusquedad. Tenían una droga que estaban convencidos que podían emplear para incapacitar a sus víctimas, para poder encarcelar a los que creían que eran vampiros y estudiarlos y diseccionarlos según les viniera en gana. La sociedad era más grande de lo que hubiera podido pensar cualquiera de su especie.

Soltó la mente del periodista, permitiendo de forma deliberada que el hombre supiera que había estado extrayendo información. Carter maldijo con lenguaje obsceno y sacó la pistola de dardos. La aguja perforó la piel de Gregori justo por encima de su corazón. Notó la penetración, notó la liberación instantánea de veneno en su sangre.

¡Gregori! El grito de angustia de Savannah resonó en su mente. *Déjame acudir a tu lado.* Intentaba liberarse del muro invisible que él había levantado a su alrededor, luchaba contra las protecciones.

Tranquila, ma petite. *¿Crees que no he permitido intencionadamente que este imbécil me inyectara veneno? Soy el sanador de nuestra gente. Si ellos tienen algo que pueda perjudicarnos, debo encontrar el antídoto.*

Savannah golpeaba la barrera invisible para intentar llegar junto a Gregori. Las lágrimas le ardían en los ojos, notaba el terrible miedo que amenazaba con abrumarla por su propia indefensión. El veneno era doloroso, avanzaba por el sistema de Gregori y le paralizaba. Calambres y sudor, contracción y bloqueo en los músculos. Ella lo notó igual que él y la exasperó su incapacidad de llegar hasta él, de acudir con ayuda, como era su derecho.

Gregori continuaba tan calmado e impasible como siempre, estudiando la química del preparado, con el interés de un científico. Apenas dedicaba atención el jubiloso periodista. Estaba perdido dentro de su propio cuerpo, fluyendo a través del riego sanguíneo para seguir la ruta del veneno que se propagaba.

Carter casi daba brincos de alegría, y de no haber sido por su incómoda postura, lo habría hecho. Por supuesto, no tenía ni idea de cómo iba a conseguir meter a un hombre tan grande en el coche y llevarlo de regreso al laboratorio. Tendría que pedir ayuda. Pero por otro lado, había sido fácil. Los técnicos del laboratorio tenían razón. ¡El veneno era perfecto! Todos aquellos años de investigación por fin habían dado frutos. Y ¡era él quien iba a llevarse la gloria!

Hurgó en el pecho de Gregori con un puñal y le extrajo una gota de sangre.

—No pareces tan duro ahora, vampiro —se regodeó—. No tan impresionante, nada en absoluto. ¿Acaso te sientes un poco mareado? —Se rió en voz baja—. He oído que cuánto más viejo es el vampiro, mayor sensibilidad al dolor. —Volvió a clavar el puñal, ampliando la incisión hacia abajo para que la sangre manara por el corte—. Espero que así sea. Espero que tardes mucho en morirte cuando te cojan los técnicos. Entretanto, recuerda quién va a jugar con Savannah. Tengo planes para esa fulanita. —Se inclinó un poco más para escudriñar los ojos bajo los párpados caídos de Gregori—. No es nada personal, entiéndeme. Todo es en nombre de la ciencia.

El estallido de fuerza de Savannah, avivado por su ira ante la manera en que el periodista se burlaba de Gregori y le hacía daño, la hizo chocar contra el muro invisible. La base no cedió. Fuera lo que fuera lo que había construido Gregori para retenerla era más fuerte de lo que pensaba. Golpeó hasta que le sangraron los puños, con lágrimas surcando su rostro. Sentía cada corte, cada hendidura que provocaba el periodista. Oía las burlas y amenazas. Imploró a su pareja para que le permitiera acudir en su ayuda, pero el silencio fue la última respuesta.

Nada de esto parecía afectar a Gregori. Notaba el dolor pero lo dejaba a un lado, así de sencillo, mientras realizaba su autoexploración. El veneno era denso, se movía con lentitud, dolorosamente, a través del sistema. Empezó a descomponer los productos químicos para analizarlos y que su propio pueblo diera con el antídoto para una cosa así. La mayoría de miembros de su especie jamás hubiera conseguido lo que él hacía en ese momento. Pero él era un sanador, experto en hierbas y productos químicos, en venenos tanto naturales como creados por el hombre. Era una mezcla interesante, peligrosa, y actuaba con rapidez. Para la base habían empleado sangre tomada de sus víctimas. En cuestión de minutos, el dolor había pasado de una molestia persistente a pura agonía, suficiente para incapacitar a cualquiera, a excepción de los carpatianos más ancianos y sanadores más expertos. En cuanto descompuso los elementos, se los transmitió a Aidan Savage. El cazador de San Francisco había estudiado las artes curativas con él y sería capaz de aprovechar la información.

Luego inició el proceso de curación dentro de su propio cuerpo, descomponiendo cada ingrediente químico hasta su forma natural independiente, para deshacerse de él o absorberlo. Sólo cuando finalizó el proceso regresó a su entorno exterior. Se había dado cuenta de que el periodista le hendía un cuchillo y provocaba cortes, supuestamente para debilitarle con la pérdida de sangre. Estaba sangrando por varios cortes diferentes. Notaba el escozor mientras el viento le levantaba la ropa hecha jirones.

Descansó su mirada plateada en el rostro del periodista.

—¿Ha acabado, Carter, o hay alguna otra cosa que le gustaría intentar antes de regresar a ese laboratorio suyo? —preguntó con amabilidad.

El hombre soltó un resuello al percatarse de que la droga ya no tenía efecto en el vampiro. Apuñaló frenéticamente buscando el corazón de Gregori. El puñal se detuvo abruptamente en medio del aire, como si lo atrapara una fuerza enorme. El extremo se volvió, de forma lenta pero inexorable, para apuntar directamente a la garganta de Carter.

—¡No, Dios, no! Puedo contarte tantas cosas. ¡No lo hagas! Hazme uno de los tuyos, puedo servirte. —Wade Carter suplicaba mientras el cuchillo avanzaba cada vez más cerca de su yugular.

De pronto, el cuchillo cayó ruidosamente y sin hacer daño a nadie al suelo que tenían debajo. Al instante, Wade hurgó para sacar la pistola de dardos. Pero el arma en su mano se alargó adoptando una forma escamosa y horrenda que empezó a enroscarse a su brazo. Wade dio un grito, cuyo sonido llenó el aire e hizo aullar a los lobos como respuesta.

Gregori le contempló con unos impresionantes ojos plateados. Los ojos de la muerte.

—Éste es mi mundo, Carter, mi dominio. Ha entrado en él y me ha desafiado de forma premeditada. Ha intentado hacer daño a lo que es mío, y no puedo permitir algo así. —Inclinó la oscura cabeza para que sus ojos imperturbables retuvieran al hombre sometido y prisionero—. Y comprenda esto, Carter: esto es muy personal.

Arrojó al hombre al suelo con facilidad, sin importarle que la caída pudiera ser peligrosa. La serpiente se enroscaba al cuerpo del periodista, le comprimía con tal eficacia que Wade era incapaz de moverse. Gregori flotó hasta el suelo, enganchó al hombre por la camisa y le arrastró a través del polvo hasta su coche.

—Creo que tenemos que hacer una pequeña visita a ese laboratorio, ¿no le parece, señor Carter? Parecía muy ansioso por contar con mi presencia allí, y no puedo hacer otra cosa que complacerle a usted y a mis amigos.

No, Gregori, rogó Savannah. Larguémonos *de aquí, déjale y vayámonos.*

Desconecta, bébé, le ordenó, y entonces se retiró, apartando su mente de la de ella.

Savannah notó la determinación implacable. Él había decidido destruir el laboratorio, lo que quedara de la droga que habían empleado con él y todos los datos sobre la misma. Su intención era destruir también a cualquiera que encontrara que tuviera conexiones con la sociedad. No notaba en él la misma ira que sentía ella. Ni necesidad de venganza. Le percibía frío y cruel, una máquina que ejecutaba una tarea brutal por el bien de su raza. Gregori había dejado a un lado toda emoción y era un robot anónimo entregado por completo a la destrucción. No respondía, no paraba. Nada podía detenerle.

Savannah, atrapada en su cubo de protección se dejó caer al suelo y encogió las rodillas. Así era la vida de Gregori. Éste era él, en esto se había convertido después de largos siglos: un sombrío ángel de la muerte para quienes declaraban la guerra a su raza. *Gregori, el Taciturno.* Él mismo se consideraba un monstruo sin igual. Savannah se cubrió la cara con las manos. No había manera de detenerle. En absoluto. Mijail, su propio padre, príncipe de su pueblo, el único que imponía lealtad a Gregori, no conseguiría impedir que hiciera lo que considerara justo o necesario.

Se mordió el labio inferior con los dientes. Ejercía tal poder, ningún otro carpatiano hubiera sido capaz de descomponer el veneno mortal que corría por su riego sanguíneo. Ningún otro hubiera tendido una trampa usando su propio cuerpo de ese modo. Gregori sí. Ella sabía el precio que pagaba. Compartía la intimidad de su mente además de la de su cuerpo.

Gregori sabía bien cómo desconectar sus sentimientos y quedarse como una máquina sin emociones con tal de hacer todo lo necesario para proteger a su pueblo. Pero por dentro, en la profundidad de su alma, se creía un monstruo sin redención. Las cosas que tenía que hacer para la preservación de su raza requerían enormes pedazos de su alma.

Capítulo 9

La noche era oscura y sin luna. Las nubes cubrían las estrellas y añadían un aire de misterio y maldición al anochecer. El coche se detuvo delante de lo que parecía un almacén desierto junto a la bahía. No había nadie en los muelles. El agua parecía turbia, casi aceitosa. Gregori salió del coche y escuchó las olas que daban contra el embarcadero. Inspeccionó la zona con la facilidad que da la larga experiencia.

Dentro del gran edificio había tres hombres que hablaban en voz baja. Gregori hizo un ademán al periodista, y Wade Carter se desplomó contra el respaldo tras el volante del coche, con ojos vidriosos. El viento se agitó, y un remolino de hojas y ramitas giró con una danza peculiar donde había estado la figura de Gregori. Luego la noche volvió a quedarse en silencio. Algo poco natural.

Gregori entró en el edificio a través de una rendija en una ventana amarillenta. Flotó por la habitación y se abrió camino a través de una serie de quemadores y vasos de precipitados llenos de varios productos químicos. En el extremo más alejado había tres mesas, con ejes de acero que sostenían argollas para tobillos y muñecas. Eran tres mesas de disección donde los «científicos» de la sociedad podían realizar sin prisas los experimentos con sus víctimas. Una de las mesas estaba salpicada de sangre. Gregori se suspendió encima para examinar su composición. Sintió alivio al comprobar que no era de nadie de su gente.

En un extremo del almacén había una hilera impresionante de ordenadores, equipo de alta tecnología y filas de archivadores. Tres escritorios formaban un semicírculo informal que separaba un poco la zona.

Los tres hombres jugaban al póquer, era obvio que estaban esperando a alguien más. Gregori fluyó sobre la mesa como un viento frío que levantó las cartas en todas direcciones. Los hombres se lanzaron a por las cartas que volaban, mirando a su alrededor en busca del origen de la inesperada alteración. Se miraron con inquietud unos a otros, luego volvieron a estudiar el gran almacén.

Gregori llamó a Wade Carter para que se presentara en la puerta. El periodista la abrió de golpe y entró, caminando con el andar reconocible de un zombie, del títere humano de un vampiro, con pasos pesados y pausados, con la cabeza baja, adelantando primero un pie, luego otro. Se detuvo con brusquedad delante de la mesa de cartas con la misma precisión que una marioneta. Una marioneta con cuerdas.

—Y bien, ¿dónde está, Wade? —preguntó el hombre más voluminoso, que iba con bata blanca—. Mejor que tengas algo importante para sacar a Morrison de la fiesta que tenía esta noche. Era una gran reunión... va a conseguir fondos para su obra caritativa favorita.

Los otros se rieron.

—Sí... nosotros —añadió un técnico de pelo oscuro—. Maldición, Wade, espero que nos traigas una mujer. Me viene en gana un poco de diversión esta noche. —Se tocó la entrepierna de modo obsceno—. Vaya ganas tengo de ponerle las manos encima a esa maga que afirmas que es vampiresa. Es de lo más sexy, me pone a cien.

El hombre con la bata blanca escudriñó al periodista.

—¿Así que dónde está ese vampiro?

—Justo a tu espalda —dijo Gregori en voz baja y suave.

Los hombres se giraron en redondo, y la forma de Gregori brilló, primero en la forma de hombre sólido y real. Luego se contrajo y crujió mientras los huesos y tendones estallaban y el rostro se alargaba hasta formar un morro, y los colmillos llenaban sus hambrientas mandíbulas. Una ondulación recorrió sus músculos y pelaje, y la bestia se arrojó hacia delante, directamente a la garganta del hombre de bata blanca.

El hombre chilló pero no tuvo opción de salir corriendo antes de que el lobo negro se le pusiera encima, desgarrándole la garganta. La habitación se llenó de salpicaduras que formaron cascadas carmesíes, una fuente brillante en forma de arco. Los otros dos hombros continuaban de pie, horrorizados, helados, sin poder moverse ni apartar la mirada de la herida abierta, en carne viva, que en otro momento había sido una garganta.

Luego, impulsados a actuar ante el río de sangre roja y espesa, se volvieron al unísono y se fueron corriendo hacia la puerta. El lobo dio un brinco, salvó con facilidad esa distancia y cayó sobre el técnico de pelo oscuro. Desgarró el blando estómago con sus zarpas, que luego hincó en los intestinos, pero utilizó el hocico para ensañarse a fondo, destrozando a conciencia aquel premio. La sangre salía a chorros, surgía en un estallido volcánico. El hombre aullaba de un modo atroz y se agarraba el cuerpo, aunque demasiado tarde para salvar su vida, qué decir de sus partes.

La última víctima había alcanzado la puerta cuando el lobo saltó sobre su espalda. Un rápido chasquido de su poderosa mandíbula y el cuello quedó roto. El lobo retrocedió y examinó a los muertos y los moribundos. Luego se fue trotando hasta la hilera de terminales de ordenador y recuperó poco a poco su forma.

El hambre de Gregori parecía un ente vivo, le llenaba de necesidad. La sombría compulsión de la matanza le dominaba. Bestia u hombre, no importaba, era su naturaleza, su destino. Pero contuvo el hambre, pese al olor a sangre que le rodeaba. Era necesario destruir los ordenadores. Todos sus discos. Todos sus documentos.

Gregori se serenó y empezó a concentrar la energía necesaria para atravesar las máquinas con rayos de electricidad. Explotaron, estallaron desde sus cajas y se fundieron sobre los escritorios en los que descansaban. Tras él, los vasos de precipitación se hicieron añicos y derramaron su contenido sobre el suelo. Las llamas empezaban a lamer con ansia la madera seca. Hizo un ademán y los archivadores se volcaron, los papeles se esparcieron y alimentaron el fuego que danzaba a buena altura y se extendía por la habitación.

Wade Carter continuaba inmóvil al lado de la mesa de cartas. No parecía fijarse en los compañeros caídos o el fuego que consumía deprisa el contenido del almacén. Gregori se aseguró de que todo en el laboratorio quedaba destruido antes de volver su atención al periodista. Una densa humareda giraba a su alrededor cuando agarró al hombre y lo arrastró hacia él.

El hambre se expandía y le consumía, convertido en algo con vida propia. Gregori inclinó su morena cabeza y encontró el pulso en la garganta de Carter.

—Has intentado condenar a muerte a mi raza, has intentado traer a mi pareja premeditadamente a este lugar terrorífico. Por eso y por todos tus crímenes contra mi pueblo, te sentencio a muerte. —Murmuró las palabras rituales mientras perforaba su piel con los dientes y los hundía en la arteria.

La sangre caliente alcanzó sus células famélicas. Su cuerpo tan hambriento, su energía y fuerza agotadas tras el esfuerzo y tras el choque con el veneno, aceptaron el oscuro líquido de vida. Bebió con voracidad, insaciable. Su presa permaneció quieta bajo sus manos mientras se le llevaba toda la vida.

¡Gregori, deténte!, suplicó Savannah. *No puedes quitarle la vida así. Por favor, por mí, deténte.*

Gregori gruñía con sus ojos plateados destellantes de rojo, reflejando las llamas del fuego. Alzó la cabeza a su pesar y observó impasible cómo manaba la sangre de la herida de Carter y el hombre caía al suelo. Soltó la camisa de Carter, con la mirada aún pegada al constante goteo de sangre que caía sobre el suelo del almacén.

Oyó el gemido distante de las sirenas, el murmullo de la multitud que se congregaba. De todos modos, se quedó para asegurarse de que cada uno de los cuerpos presentes en el laboratorio había perdido por completo la fuerza vital. Ahora contaba con un nombre, un inicio por donde empezar la cacería. Morrison. Alguien que era capaz de recoger fondos. Alguien que se relacionaba con la alta sociedad.

¡Gregori! Ven aquí ahora mismo, conmigo. Savannah sonaba insistente. Podía oír el miedo en su voz. Desde su nacimiento le habían enseñado que sólo los vampiros llegaban a matar cuando se alimentaban de sangre. La aterrorizaba

pensar que Gregori pudiera quebrantar esa norma sagrada, que hubiera hecho algo así en algún momento en su pasado. Más de una vez.

Tu monstruo ya regresa, le contestó con esa voz sin emoción que empleaba casi siempre. Se convirtió en humo, un viento oscuro flotó describiendo círculos por el laboratorio en llamas, y se incorporó apresuradamente al aire nocturno del exterior. Se dejó arrastrar y observó a los humanos en suelo firme, corriendo de un lado a otro para enganchar mangueras. Una alargada limusina llegó y aparcó a escasa distancia del almacén. La ventanilla trasera se bajó un poco, pero el ocupante permaneció dentro. Morrison.

Gregori se elevó aún más. Iba a regresar junto a Savannah con su verdadera personalidad, no el fraude que le había dejado creer que era. Tenía que saber qué monstruo tan brutal era. Su monstruo. Tenía que entender que era mucho más peligroso de lo que creía, que lo más prudente era no hacer ciertas cosas. Pero no quería volver a ver el miedo en sus ojos. Con un leve suspiro, inició el viaje de regreso hacia las montañas. Viajó despacio, como humo en el viento, dispersando el aire por el que se desplazaba sin alteraciones, para no alertar a los vampiros de su presencia. Notaba el peso de los años, los asesinatos, la sangre que manchaba sus manos. Savannah tendría que mirarle y ver por fin su terrible destino.

Una vez en la propiedad hizo un ademán para prescindir de las protecciones y liberar a Savannah de su prisión invisible. Ella estaba sentada con las rodillas recogidas contra el pecho y la barbilla apoyada en ellas. Fijó sus grandes ojos azules en la corriente de humo que se aproximaba. Gregori se materializó ante sus pies, y su alto y fornido cuerpo se plantó imponente ante ella.

Se levantó poco a poco, sin apartar en ningún momento sus enormes ojos azules del rostro de Gregori. Fue ella quien recorrió los centímetros que les separaban, quien le rodeó la cintura con sus delgados brazos. Apoyó la cabeza en su pecho, sobre el ritmo constante de su corazón.

—He pasado miedo por ti, Gregori. —Había lágrimas en su voz, restos de lágrimas en su rostro—. No vuelvas a dejarme así. Es mejor estar contigo, pese a que sea peligroso. —Movía las manos sobre él y las deslizó bajo la camisa para explorar su piel y asegurarse de que no había sufrido ningún daño—. Podía notar cuánto dolor estabas sufriendo, el daño que hacía el veneno que usó aquel hombre.

Le tocó la garganta con las manos y acarició su densa melena. Le tocó en todas partes. Tenía que tocarle. No podía evitarlo. Buscó cada herida abierta por el puñal de Carter. Se le cortó la respiración y bajó la cabeza para aliviar cada corte con saliva curativa.

Gregori la cogió por los brazos y la apartó unos centímetros de él.

—Mírame, *ma chérie*. Mírame bien. Ve lo que soy. —La sacudió un poco—. Mírame bien, Savannah.

Los ojos azules violetas inspeccionaron la mirada pálida de Gregori.

—¿Qué crees que veo, pareja? No eres el monstruo que te he llamado antes. No eres el monstruo que tú te llamas. Eres un gran carpatiano, un gran sanador. Eres mi otra mitad. —Su mirada era centelleante—. No pienses que te va a funcionar ese disparate que te has montado, que me vas a dejar atrapada esperándote a solas entre estas paredes. Nunca más. Lo digo muy en serio, Gregori. A partir de ahora, yo voy contigo.

Gregori le cogió el pelo y se lo echó hacia atrás. La acercó un poco.

—Nunca te pondré en peligro, nunca. —Bajó la cabeza y buscó su boca para reclamar lo que era suyo. Le estallaba el corazón en el pecho. No había miedo en su mirada clara, tal vez ensombrecida por la preocupación. Gregori mantuvo la cabeza de Savannah perfectamente quieta mientras movía la boca sobre ella, mientras devoraba su dulzura y le exigía respuesta. Savannah no se resistió, aceptó su dominación y le devolvió el beso con el mismo ansia que él le comunicaba. Gregori la cogió en sus brazos y estrujó su cuerpo contra él—. Nunca, Savannah. Nunca voy a permitir que te expongas a peligros.

—¿Y qué piensas que sentía yo? —inquirió ella—. Inspecciona mi mente, averigua por lo que he tenido que pasar mientras tú te ocupabas de ese veneno —le tocó las heridas con dedos delicados—, mientras te hacía esto.

—El veneno te habría consumido, Savannah, si te lo hubieran inyectado. Transmití los elementos tóxicos a Aidan. Él se asegurará de que en nuestra patria estén al tanto de este nuevo peligro. Podemos desarrollar un antídoto con lo que sabemos ahora. —Movía las manos de arriba abajo de su espalda, de sus caderas, y cogió su firme trasero, estrechándola un poco más contra él. Sentía el ansia en su cuerpo y la erección casi dolorosa. Las manos acariciadoras de Savannah sólo le enardecían aún más.

—Podría haber sido mortal sin que tú lo supieras, Gregori —replicó—. No tenías ni idea de lo que había en ese veneno. —Le tiró de la ropa y le abrió la camisa para alcanzar su pecho e inspeccionar cada centímetro, saboreando la piel y las desagradables heridas que había dejado Carter.

—Soy sanador, Savannah. Puedo neutralizar el veneno.

—Sus manos le estaban exacerbando, llenando de fuego su cuerpo.

Ella tiró de sus pantalones con ansia, deslizando la palma alrededor de su fuerte erección. La bestia en la naturaleza de Gregori, tan cerca ya de la superficie, se desató, la echó al suelo y desgarró sus ropas como ella había hecho. Él la sujetó contra el suelo, empujando con una rodilla entre sus piernas para tener mejor acceso.

Pero en realidad eran los ojos de Gregori los que la inmovilizaban, los que retenían su mirada. Fue Gregori quien le sujetó las caderas con manos delicadas y Gregori quien verificó su disposición con dedos escrutadores.

—Eres mía, Savannah. Sólo mía —dijo en voz baja mientras se impulsaba hacia delante y la penetraba. Quería decirle que la quería, pero no era capaz de pronunciar aquellas palabras, de modo que las pronunciaba con su cuerpo. Una y otra vez, se enterraba en lo más hondo de ella. Duro y rápido. Lento y tierno. Él se tomaba su tiempo, quería quedarse allí eternamente, ocultando el rostro para que ella no pudiera ver la humedad inesperada en sus ojos.

El cuerpo de Savannah estaba hecho para él. Tirante. Ardiente. Sedoso. Su piel era satén, su boca estaba hambrienta. Quería que ella se llevara los largos e interminables siglos, la desolación. Quería que llenara ese vacío sin emociones de su alma. Ese punto negro y vacío, del todo inhóspito y desesperanzado. Y lo hacía. De algún modo, con un milagro de total aceptación incondicional, lo conseguía. Se entregaba de buena voluntad, sin reservas, aceptando su dominio y su cuerpo que la tomaba.

Notó cómo se arqueaba de placer una y otra vez, con calor candente, y aquel terciopelo sujetándole tirante, llevándole por fin hasta el punto culminante y propulsándole por el espacio con ella. Savannah le agarraba y le clavaba las uñas en la espalda, con la boca pegada a sus hombros, con un grito de satisfacción ahogado contra la fuerte musculatura de su pecho.

Gregori la abrazó con fuerza, aplastándola casi. Aún no creía que de hecho estuviera con él. No podía creer que pudiera aceptarle. Había matado tantas veces, había quebrantado sus leyes. No sentía remordimientos, no sentía nada. Y ella era tan compasiva, tan joven. Tan llena de belleza y vida. Enterró el rostro en el cuello de Savannah.

—Aliméntate, *bébé*, tienes que hacerlo —le recordó con su voz neutral.

A Savannah se le revolvió el estómago. Había estado con Gregori, en su mente, cuando él se había alimentado del periodista. La sangre era una necesidad, lo aceptaba, incluso aceptaba que Wade Carter hubiera muerto para preservar su raza. Pero no quería su sangre. Le tocó el labio inferior con cuidado mientras su corazón latía con fuerza. Con suma cautela, se movió y de inmediato se percató de la dureza del suelo de baldosas de mármol. No lo había notado antes; de hecho, había potenciado sus relaciones pues permitía a Gregori penetrar a fondo en ella. Ahora notaba las magulladuras y la irritación, las caderas doloridas.

—Esto es un poco incómodo —aventuró a decir.

Él se levantó con un movimiento fluido y la cogió para acunarla en sus brazos.

—Lo siento, *ma petite*. Debería haber sido más cuidadoso contigo.

Ella le tocó la mandíbula con sus suaves dedos.

—Prométeme que no volverás a dejarme así otra vez. La próxima vez déjame ir contigo.

Su mirada era elocuente, suplicante, tanto que él tuvo que apartar la vista.

—No me pidas algo que no puedo concederte. Te daría la luna si me la pidieras, *chérie*, pero no puedo permitir que te pongas en peligro ni siquiera para ayudarme.

Ella le rodeó el cuello con sus delgados brazos. Su cuerpo se apretó con fuerza contra el de él.

—No sé si podré sobrevivir a eso otra vez —dijo en voz baja contra su garganta—. Estaba aterrorizada por ti.

—Siento tu hambre con violencia. Quiero que te alimentes.

—No puedo —admitió a su pesar, temerosa de su reacción—. Ese hombre...

Él se quedó en silencio y la bajó hasta el vestíbulo, a uno de los dormitorios.

—Sí, sí que puedes, y lo harás porque yo lo quiero. —La dejó en la cama.

Ella se quedó mirando sus ojos pálidos, ojos que la mantenían cautiva, que ordenaban incluso mientras recorrían su cuerpo con expresión posesiva. Tomó un pecho en su mano, llenó su palma con aquella blandura, mientras pasaba el pulgar como una pluma sobre la punta rosada, que formó una dura punta.

—Gregori. —Su voz era una débil súplica.

—Vas a hacer lo que yo te diga, Savannah. —Sonaba implacable. Sus rasgos sombríos eran casi crueles, inflexibles.

Ella intentó apartar la mirada, pero Gregori le cogió la barbilla y la mantuvo quieta.

—Ahora, Savannah. Aliméntate. No lo has hecho esta mañana, y aún tenemos toda la noche por delante. Vas a alimentarte.

Ella tragó saliva, su estómago se rebelaba.

—No puedo, Gregori. Está muerto. De verdad, no puedo.

—Te refieres a que le maté. —Pronunció aquellas palabras en voz baja.

—No, sé que era una amenaza para nuestro pueblo, sé que intentó matarte, sé que no había otra opción. Pero no puedo. —Intentó escurrirse de él. De pronto quería tener la ropa puesta, le cohibía su desnudez.

—Vas a alimentarte —repitió él. Esta vez, la voz era un sonido susurrante, tan imperioso, tan hipnótico, que se encontró inclinándose hacia él. Notó el calor de su cuerpo, sintió su cálido aliento. *Aliméntate, Savannah. Ven junto a mí.* Gregori la acercó todavía más y la estrechó contra su pecho—. Soy tu pareja. No puedo hacer otra cosa que ocuparme de tus necesidades.

Savannah podía saborearle, la sal de su piel. También el hambre de él, su propia hambre; no distinguía dónde acaba una y empezaba la otra. Él le susurraba en su mente, palabras imposibles de entender, la música de ambos reverberaba por todo su cuerpo. Era imposible soltarse de su abrazo, de la mano en la nuca que la retenía junto a él. No había escapatoria, no podía luchar contra su voluntad de hierro. Sin querer, su boca ya se movía sobre su piel.

Gregori cerró los ojos cuando ella clavó a fondo los dientes. El placer-dolor era sensual; su cuerpo desnudo resultaba irresistible, pero contuvo su ansia insaciable. Él ya había sido egoísta, la había tomado sobre las baldosas del suelo, por impaciencia y necesidad de ella en medio de su propia incertidumbre. Ahora él acunaba la cabeza de Savannah junto a su pecho, alimentándola hasta que su piel pálida fue recuperando un tono reluciente y saludable. Luego, poco a poco, de mala gana, permitió que ella escapara de la coacción.

Los ojos de Savannah parpadearon; de pronto la consciencia reaparecía en su profundidad. Se apartó de súbito, se alejó de él rodando y luego se puso a buscar sus ropas a gatas.

—Eres auténtica escoria, Gregori. No tienes derecho a forzarme si yo digo que no.

Él la observó mientras ella buscaba a su alrededor las ropas destrozadas. Savannah volvió a hundirse en la cama con un suspiro cansado:

—Parece que una vez más he vuelto a quedarme sin ropa —suspiró.

—Tiene fácil arreglo —le contestó en voz baja. Dar forma a ropas a partir del aire y los elementos era un truco tan viejo como el origen de los tiempos, tan sencillo como cualquier otra cosa que hiciera habitualmente. Ella parecía tan molesta que Gregori quiso cogerla en sus brazos y abrazarla, consolarla. Seguía alterada por el hecho de que hubiera ingerido veneno voluntariamente, de que hubiera quebrantado sus leyes, matando mientras se alimentaba. Pero sobre todo estaba molesta porque él la había dejado esperando mientras él se arriesgaba a nuevos peligros sin permitir que le ayudara. Y le angustiaba que le hubiera forzado a alimentarse de sangre bajo coacción.

Le tendió sus gastados vaqueros y una camiseta de algodón, sin dejar de estudiarla con sus ojos plateados.

—Soy lo que han hecho de mí los siglos interminables, Savannah —dijo escogiendo las palabras.

Ella se echó el pelo hacia atrás con gesto cansado. Todo sucedía tan rápido. Su mundo cambiaba, se volvía patas arriba, le era desconocido y escapaba a su control. Peter. El vampiro. El cazador humano. El veneno. Que su propia pareja la dejara encerrada. Se mordió el labio inferior llena de agitación mientras se sostenía la camisa para taparse el pecho.

—Puedes escoger ser diferente, Gregori. Todo el mundo puede.

Él le tocó la mente, fue sólo un leve roce, y supo que ella estaba a punto de echarse a llorar. Le tomó un lado de su cara y rozó su mejilla con el pulgar.

—No puedo permitirte poner en peligro tu vida, *mon amour*. Es algo que no va a cambiar, jamás.

—Pero yo sí tengo que vivir contigo poniendo en peligro tu vida —replicó con los ojos azules centelleantes al mirarle.

Sus dientes blancos relucieron con una sonrisita.

—En ningún momento he estado en peligro. Wade Carter se pensaba que estaba protegido, pero hasta los niños carpatianos tienen barreras más fuertes contra los predadores.

—La cuestión es que no podías saber eso, Gregori. Saliste y dejaste que te disparara con esa pistola de dardos sin tan siquiera saber lo que era. Y te aseguraste de que yo no pudiera ayudarte.

Gregori cogió la blusa de sus manos y se la metió por la cabeza.

—En ningún momento he estado en peligro, Savannah. —Lo dijo en tono tranquilo, paciente, con voz aterciopelada.

Ella inclinó la cabeza y el largo pelo le cayó hacia delante ocultando su expresión. No importaba. Gregori estaba en su mente, leía con facilidad sus pensamientos. Y ella estaba confusa, asustada y triste. Notaba la presión como un terrible peso en su pecho.

Gregori la levantó como si fuera una muñeca y le metió los pantalones, recubriendo sus piernas desnudas y delgadas.

Estaba sentado en la cama con ella acunada en su regazo. La acunaba con ternura hacia delante y hacia atrás.

—Siento haberte asustado, *ma petite*. No lo haría por nada del mundo, pero tienes que comprender que estás unida a un hombre de poder. Muchas situaciones que pondrían en peligro a nuestra especie no funcionan conmigo. Soy capaz de muchas cosas que nunca han hecho otros miembros de nuestra raza. Conozco mis propias habilidades. —Le pasó la mano por el pelo, con una caricia tranquilizadora y dulce.

Ella volvió el rostro hacia la garganta de Gregori, con lágrimas calientes saltándole a los ojos.

—Yo no conozco tus habilidades. —Su voz sonaba apagada, las lágrimas le obstruían la garganta. Agarró con fuerza la espesa melena de Gregori y se aferró a él casi con desesperación.

Bajó la cabeza con gesto protector sobre ella.

—Necesitas tener más fe en mi fuerza, Savannah. Ten fe en mí. No voy a echar a perder mi vida ahora que te he encontrado. Cree en mí, en mi poder y en mis habilidades.

Ella se apretujó aún más, como si intentara entrar en él.

Gregori la estrechó aún más entre sus brazos, cobijándola junto a su cuerpo.

—Sé lo que puedo y lo que no puedo hacer, *mon petit amour*. No corrí ningún riesgo innecesario. —La abrazó e inspiró su aroma, las fragancias combinadas de ambos, considerándose afortunado de que ella estuviera tan preocupada por su seguridad—. Siento mucho haberte asustado —repitió contra los mechones sedosos de su cabello.

—No vuelvas a hacer eso —ordenó acariciándole la garganta con la nariz. Movió la boca sobre su piel y dejó el rastro de una llamarada viva.

El cuerpo de Gregori reaccionó, cobró vida. Notaba el malestar de Savannah, sus puntos irritados en su cadera y espalda, resultado de su propio descuido. Apoyó la mano sobre la cadera y se envió fuera de su propio cuerpo para hacer una exploración. Al instante, Savannah sintió el calor relajante que aliviaba sus irritados músculos, que acudía veloz a curar los moratones. Podía oír el ancestral cántico curativo en su mente, y la voz hermosa de Gregori fluyendo por su interior.

Yació pasivamente en sus brazos, observando sus rasgos sensuales tallados y cincelados por el tiempo, observando la masculina belleza carpatiana. Él era poder y fuerza. Era su pareja de vida. Le estudió, examinando cada centímetro de su rostro.

Gregori le sonrió de pronto, con una sonrisa genuina que aportó calor al frío acero de sus ojos, convirtiéndolo en mercurio fundido.

—¿Qué es lo que ves?

Ella le tocó la barbilla con la punta del dedo. Era un mentón bonito. Testarudo. Con determinación. Pero bonito de todos modos.

—Veo a mi pareja de vida, Gregori. No quiero que te suceda nada. —Enmarcó su rostro entre sus manos. Alzó la boca hasta la de él. Le besó despacio, a fondo, por completo. Su lengua invadió la boca de Gregori, exploró, jugueteó y le tentó. Cuando levantó la cabeza, apoyó la frente contra él—. No vuelvas a hacer eso. No me dejes sola e indefensa sin ti.

De hecho notó la profundidad desgarradora en su corazón. Le estaba desarmando. Ella no le condenaba, como debería, pero enfermaba de preocupación. Gregori encontró su cuello y dejó un rastro de besos sobre la delgada columna. Le raspó el hombro con los dientes.

—O sea, que te gusta el jazz.

Savannah alzó la cabeza y exploró la mirada de Gregori con sus ojos.

—Me encanta el jazz —contestó en voz baja. Él distinguía la ansiedad en ella y la repentina esperanza.

—Entonces supongo que no podemos perdernos el famoso festival de Nueva Orleans —se encontró diciendo, sólo para borrar las sombras de sus ojos.

Ella permaneció un momento en silencio mientras retorcía la manta con los dedos.

—¿Lo dices en serio, Gregori? ¿Podemos ir?

—Ya sabes cuánto me gustan las multitudes humanas —dijo con rostro serio.

Ella se rió con su comentario.

—No muerden.

—Yo sí —replicó, con palabras graves y bajas, y la mirada plateada se volvió posesiva al instante. El calor de su sonrisa por sí solo hacía estragos en su cuerpo. La había tomado apenas unos minutos antes, no obstante sentía de nuevo su ansia. Un ansia feroz. Su cuerpo reaccionó con urgencia salvaje, y esta vez no se reprimió, no hizo ningún esfuerzo por ocultar su enorme necesidad.

A Savannah se le cortó la respiración ante la visión de su erección. Al menos tenía este poder sobre él, y le maravillaba el alcance del mismo. Le rozó la piel adrede con los dedos. Él se estremeció bajo el leve contacto. Savannah pasó la mano sobre el vientre plano y notó que Gregori inspiraba a fondo. Rodeó con sus dedos toda la longitud de la erección, y entonces notó su escalofrío de placer.

Gregori le cogió la cabeza entre las manos para atraerla hacia él. La necesidad le desbordaba, resultaba dolorosa.

—Voy a detestar Nueva Orleans —susurró contra su cabello sedoso antes de que ella empezara a bajar la cabeza.

El aliento de la boca de Savannah calentó la punta de terciopelo de su miembro y propagó un fuego por su sangre.

—Tal vez se nos ocurra algo interesante que hacer para que nos resulte más agradable —aventuró ella. Su boca era suave como el satén, húmeda y caliente.

Gregori empujó las caderas hacia delante, obligando a Savannah a tumbarse de espaldas sobre la cama, con él de rodillas encima de ella sobre la gruesa manta. Era tan hermosa, su piel perfecta parecía de crema, con su espeso cabello derramado en torno a los delgados hombros. Savannah se incorporó para sentarse y poco a poco fue desprendiéndose de la camisa de algodón y reveló todo su pecho a los ojos plateados de él. Estaba exuberante y sexy en la oscuridad de la noche, era un regalo misterioso y erótico que le hacía a Gregori.

—¿Crees entonces que podrías hacer Nueva Orleans más soportable para mí? —Los ojos de él decían más que su boca, la tocaban aquí y allá, demorándose en cada curva de su cuerpo.

Savannah estiró la mano sobre el vientre plano y la dejó allí.

—Estoy segura de que tengo la suficiente inventiva como para hacerte olvidar tu terror a las multitudes. Quítame los vaqueros.

—¿Los vaqueros? —repitió él.

—Tú me los has puesto, y está claro que se interponen en el camino. Quítamelos. —Su mano se perdía hacia abajo, los dedos se desplazaban ligeros sobre los músculos contraídos en un ejercicio deliberado de persuasión.

Gregori se puso manos a la obra y desabrochó a toda prisa los vaqueros que bajó por sus piernas. Ella se los sacó y los echó a un lado sacudiendo los pies, luego se inclinó hacia delante para darle un beso en el estómago. Su melena se deslizó sobre la fuerte erección, una maraña sedosa que casi hace perder el juicio a Gregori.

—A veces tus órdenes son realmente fáciles de seguir, *ma chérie* —murmuró y cerró los ojos cuando ella empezó a desplazar hacia abajo la boca.

Él tomó sus pechos con sus palmas y acarició los pezones hasta que se convirtieron en duras puntas atrayentes. Gregori impulsó sus caderas hacia delante casi contra su voluntad; su cuerpo tenía vida propia. Ella le clavó los dedos en las nalgas y le instó a penetrarla bien a fondo, luego descendió las caricias sobre las gruesas columnas de sus muslos. Sus uñas arañaron la piel con dulzura mientras arqueaba el cuerpo para que él tuviera mejor acceso a sus pechos doloridos.

Gregori ardía en deseo por ella, tanto corporal como mental. Tenía un zumbido sordo en su cabeza, una ráfaga de placer que le inundaba y se llevaba cada vestigio de cordura. Afuera, empezó a levantarse viento. Cantaba contra las ventanas y rozaba los gruesos muros, anunciando una tormenta.

Ninguno prestó atención ni le dio importancia. La verdadera tormenta bramaba dentro de la casa mientras él embestía contra ella y encontraba con su boca cada centímetro del cuerpo de Savannah, cada pliegue y sombra, que acariciaba y excitaba. Creaba fuego. Creaba una tormenta. Gregori se movió sobre ella, con las palmas de las manos pegadas a su piel, la boca caliente sobre esta piel. Ella espantaba sus demonios, las terribles imágenes y atroces muertes. Savannah eliminaba su soledad y la reemplazaba por un placer tal que él no estaba seguro de poder sobrevivir.

El grito inarticulado de Savannah quedó amortiguado por la propia boca de Gregori mientras la penetraba y se hundía a fondo. Ella era suave terciopelo, su calor abrasador, su tirantez exquisita, y le rodeaba, le retenía en un calor fundido. Le susurró en su lengua antiguas palabras que ella no entendía, pero pronunciaba en serio cada una de ellas, palabras que nunca antes había dicho, que nunca antes había sentido. Tal vez ella nunca llegara a conocerle, aun así, él había quedado marcado para siempre. Le pertenecía sólo a ella. La adoraba, y la única manera que tenía de mostrárselo era con su cuerpo, su fuerza, su conocimiento, su experiencia.

Tomó su cuerpo con una posesión exigente que continuó sin cesar. Un rayo crepitó y danzó por el cielo. La tierra se movió debajo de ellos. Nada de eso importaba. Él se tomó su tiempo, una y otra vez, ocupándose del placer de ella por encima de todo. Y Savannah se aferró a él, pegada con él, hasta que finalmente él se permitió el clímax. No quería detenerse nunca, pues temía que si la dejaba marchar, de algún modo ella se escabulliría para siempre.

Gregori maldijo en voz baja y se dio media vuelta para obligarse a separarse de ella. Le estaba volviendo loco. Estaba desesperado. Iba a matarles a ambos con su insaciable apetito. Pero sus dedos ya se estaban enrollando en el pelo de Savannah, enroscando mechones sedosos en su puño.

Ella oyó las palabras siseantes que fluían en voz baja de la boca de Gregori, y se le paró el corazón. Él había puesto su mundo patas arriba, le había pegado fuego, y ahora estaba enfadado. Le volvió la espalda para que no pudiera verla herida.

—¿Qué he hecho mal? —preguntó en voz baja.

Gregori le tiró del pelo para obligarla a volver junto a él.

—Haces que me sienta vivo, Savannah.

—¿Ah sí? ¿Por eso estás maldiciendo? —Se volvió boca abajo y luego se apoyó en los codos.

Él se inclinó hasta ella y rozó con la boca la prominencia de su pecho:

—Estás consiguiendo liarme. Me arrebatas todo buen criterio.

Una leve sonrisa se formó en la boca de Savannah:

—Nunca había advertido, para empezar, que tuvieras algún buen criterio.

Los dientes blancos de él relumbraron, con una sonrisa depredadora, y luego los clavó en la blanda carne desnuda. Ella dio un grito, pero se acercó más a él mientras hacía girar su lengua y la acariciaba, suprimiendo el escozor.

—Siempre he tenido buen criterio —le dijo con firmeza, arañando con sus dientes el valle que formaban sus pechos.

—Eso dices. Pero, claro, eso no quiere decir que sea así. Dejas que idiotas malvados te disparen con dardos envenenados. Vas por tu cuenta a laboratorios llenos de enemigos tuyos. ¿Tengo que continuar? —Sus ojos azules se reían de él.

El trasero firme y redondo de Savannah era demasiado tentador como para resistirse. Bajó la mano abierta simulando un azote. Savannah dio un brinco, pero antes de escabullirse, Gregori inició con su palma extendida un movimiento acariciador que producía un efecto bien diferente.

—A juzgar por tu posición, *ma chérie*, diría que mi criterio parece mejor que el tuyo.

Ella se rió.

—De acuerdo, voy a dejarte ganar esta vez.

—¿Te apetece una ducha? —preguntó él solícito.

Cuando ella hizo un gesto de asentimiento, Gregori se levantó de la cama con su movimiento fluido, la levantó en brazos y la trasladó pegada a su pecho. Había algo demasiado inocente en su expresión, y Savannah le miró con cautela. Pero en un instante, él ya había cruzado el suelo de baldosas hasta la puerta del balcón, que se abrió de par en par a su antojo, y la había sacado, desnuda, bajo el chaparrón frío y relumbrante.

Ella intentó escabullirse y empujarle, pero no podía contener la risa pese al agua helada que caía en cascadas sobre ella.

—¡Gregori! Eres tan malvado. No puedo creer que hayas hecho esto.

—Bien, no tengo buen criterio. —Se reía de ella con una mueca burlona, divertida y muy masculina—. ¿No es lo que has dicho?

—¡Lo retiro! —gimió ella agarrándose y enterrando el rostro en su hombro mientras la lluvia helada acribillaba sus pechos desnudos y ponía sus pezones duros como la roca.

—Corre conmigo esta noche —susurró él contra su cuello. Una tentación. Incitación. La atrajo más a él, los vínculos con su oscuro mundo iban en aumento.

Ella alzó la cabeza, miró sus ojos plateados, y entonces estuvo perdida. La lluvia caía con fuerza sobre ella, la empapaba, pero mientras Gregori se deslizaba despacio con ella en brazos hasta el manto de agujas de pino que había bajo el balcón, no pudo apartar la vista de esos ojos hambrientos. Ella asintió y aceptó su voluntad para esa noche.

Siguiendo los deseos de la mente de Gregori, se concentró en visualizar la imagen necesaria. Y su cuerpo empezó a contraerse. Se produjo una curiosa dislocación, una sensación extraña y desorientadora, y luego un pelaje negro azulado y lustroso se onduló sobre su piel mientras su cuerpo cambiaba a toda prisa. Enseguida un pequeño lobo de ojos azules estaba bajo la lluvia y observaba cómo le tocaba suavemente con el hocico otro lobo enorme y negro, que le lamía el morro con una áspera caricia.

Savannah se volvió y trotó a través de la densa vegetación, exaltada por la libertad del cuerpo del lobo. Gregori se deslizaba a su lado, próximo y protector. El viento cantaba y los árboles murmuraban, y ella lo oía todo, lo sentía todo, incluso la noche la llamaba. Empezó a correr como se suponía que debía hacer aquel cuerpo, a grandes zancadas, a paso largo, estirando el cuello hacia delante.

Se sentía salvaje. Ya no era humana. Libre. Y corría deprisa, con bruscos virajes entre los árboles. Gregori seguía su paso, empujaba de vez en cuando el cuerpo de líneas elegantes o le rozaba un costado o un hombro con el hocico para indicarle la dirección a seguir. Savannah levantó un conejo, luego lo persiguió por mero placer antes de tomar un pequeño sendero poco utilizado a través de la maleza.

Entonces olió a otros ejemplares de la misma especie. Lobos que corrían libres. Varios machos, tres hembras. El enorme lobo que tenía a su lado enseñó los colmillos y la empujó un poco para apartarla del olor. Ella se resistió a sus esfuerzos y le esquivó, atraída por la llamada salvaje. Gregori gruñó mostrando los colmillos, se interpuso y bloqueó a Savannah, deteniéndola con eficacia. La empujó de regreso a casa.

Ella le dedicó una mirada que lo decía todo. Él había propuesto la carrera, el cambio de forma, y ahora ella le exigía que dejara de entrometerse en su diversión. Él empezó a empujarla con más fuerza. Ella iba a acabar agotada con la actividad nocturna. Gregori quería regresar ya.

Al negarse ella, le mordisqueó en el costado delgado, como recordatorio de quién mandaba allí. Ella quiso morderle pero al final obedeció, y los dos regresaron a paso largo a través del bosque.

Una vez en la entrada de la casa, relumbraron y recuperaron la forma humana, y Gregori la cogió de la mano y se la llevó hasta dentro. El cuerpo desnudo de Savannah chorreaba agua, igual que el pelo. Lanzó una mirada iracunda a Gregori.

—Tienes que ser un mandón estés donde estés, ¿verdad?

Él la envolvió con una toalla y la secó hasta que tuvo la piel sonrosada.

—Me tomo en serio tu salud y tu seguridad, Savannah. —Estaba claro que no se arrepentía.

Ella se estremeció un poco y se cubrió con la toalla; de pronto la turbaban todos los cambios que experimentaba su vida. Sólo tenía veintitrés años, ni siquiera un cuarto de siglo. Había pasado los últimos cinco años viviendo exclusivamente en el mundo humano. Ahora sentía la llamada de su propia naturaleza salvaje. Gregori despertaba algo indómito en ella, algo a lo que ella misma se había prohibido el acceso. Algo salvaje y desinhibido, de sensualidad increíble.

Alzó la vista para mirar el rostro apuesto y moreno de Gregori. Era tan masculino. Tan carnal. Tan poderoso. *Gregori. El Taciturno.* El mero hecho de mirarle la debilitaba de necesidad. Una rápida mirada de sus impresionantes ojos plateados podía provocar una oleada de calor líquido y un fuego propulsado por su interior. Se volvía blanda y elástica. Se volvía suya.

Gregori le tomó el rostro con la palma de la mano.

—Sea lo que sea lo que estés pensando, hace que me tengas miedo, Savannah —dijo en voz baja—. Déjalo.

—Me estás convirtiendo en algo que no soy —susurró ella.

—Eres carpatiana, mi pareja. Eres Savannah Dubrinsky. No te puedo arrebatar nada de eso. No quiero un títere o una mujer diferente. Te quiero como eres. —Su voz era suave y sugerente. La levantó en sus brazos y la llevó a su cama, donde la tapó bien con la colcha.

La tormenta azotaba las ventanas y silbaba contra los muros. Gregori dispuso las protecciones como preparación para su descanso. Savannah estaba agotada, se le cerraban los ojos. Luego él se metió en la cama y la cogió en sus brazos.

—Nunca cambiaría nada de ti, *ma petite*, ni siquiera tu desagradable mal genio.

Ella se acomodó contra su cuerpo como si estuviera hecho a su medida. Gregori notó el roce de sus labios contra su pecho y el último suspiro de aire que escapó de sus pulmones.

Gregori permaneció despierto un largo rato, observando cómo avanzaba el amanecer y relevaba a la noche. Con un ademán de su mano cerró y echó el cerrojo a las pesadas contraventanas. Aun así, continuó despierto abrazando a Savannah, tan próxima a él.

Sabía que era un ser peligroso, por eso siempre había temido por los seres que tenía cerca, tanto mortales como inmortales. Pero en cierto sentido, tal vez pecando de ingenuidad, había creído que una vez que estuviera unido a una pareja eterna, se domesticaría un poco, se volvería más dócil. Savannah le volvía salvaje. Le volvía más peligroso de lo que había sido jamás. Antes de Savannah, no tenía emociones.

Mataba cuando hacía falta porque era lo necesario. No tenía miedo a nada porque no amaba nada ni tenía nada que perder. Ahora podía perderlo todo. Y por lo tanto era más peligroso. Porque nadie, nada, podría amenazar a Savannah y seguir con vida.

Capítulo 10

Gregori se quedó mirando con consternación la pequeña casa de dos pisos rodeada por una verja de hierro forjado, encajonada entre dos propiedades aún más pequeñas y bastante destartaladas, en el abarrotado barrio francés de Nueva Orleans. Metió la llave en la cerradura y se volvió para mirar el rostro de Savannah. Estaba iluminado por la expectación, con sus ojos azules brillantes.

—Es obvio que he perdido todo el buen criterio —refunfuñó mientras empujaba la puerta para abrirla.

El interior estaba oscuro, pero veía todo con facilidad. La habitación cubierta de polvo, las viejas sábanas tapando los muebles y el papel pintado que se desprendía de las paredes formando pequeños tirabuzones.

—¿No es precioso? —Savannah estiró las manos y se dio una vuelta. Luego saltó a los brazos de Gregori y le abrazó con fuerza.

—¡Qué perfecto!

Él no pudo evitarlo; besó su boca incitante.

—Perfecto para prenderle fuego. Savannah, ¿en algún momento viste este sitio antes de comprarlo?

Ella se rió y le revolvió la espesa melena de pelo.

—No seas tan pesimista. ¿No te das cuenta de su potencial?

—Es un lugar peligroso en caso de incendio —refunfuñó mientras estudiaba las pesadas colgaduras y la estrecha escalera que llevaba tanto al piso superior como a algún santuario inferior.

—Ven conmigo. —Savannah ya se iba hacia la escalera a toda prisa—. Déjame que te enseñe la gran sorpresa, Gregori. Éste es el motivo de que la comprara. No es tan sólo una casa fantástica con un gran jardín.

—¿Jardín? —repitió. Pero él la siguió. ¿Cómo podía no hacerlo? Ella irradiaba dicha. Se encontró a sí mismo observándola sin más, cada movimiento que hacía, la manera en que volvía la cabeza, la manera en que danzaban sus ojos. Era tan hermosa. Si quería una casita claustrofóbica en medio del barrio francés, si eso la hacía feliz, no iba a negárselo.

Las escaleras, muy estrechas y empinadas, formaban una espiral descendente que bajaba hasta un sótano inesperado que ocupaba toda la superficie de la casa. Nueva Orleans estaba construida sobre un terreno anegado por debajo del nivel del mar. Incluso los difuntos tenían que ser sepultados sobre la tierra. Le ponía los nervios a flor de piel. No había tierra en la que excavar en caso de una emergencia. No había una escapada fácil y natural. Nueva Orleans presentaba problemas a los que el ya no quería enfrentarse en esta etapa de su vida.

Gregori inspeccionó las paredes de cemento del sótano, su sólido suelo. Recorrió la superficie de la estancia, dio vueltas a su perímetro y se movió hasta el centro, y cerró los ojos. Inspiró a fondo. Había sombras de otros en este lugar, de quienes habían venido aquí antes.

—¿Lo sientes? —preguntó Savannah en voz baja. Le puso una mano en el brazo y medio enroscó los dedos a su muñeca.

Él se quedó mirando su pequeña mano. Notaba ese contacto en todo su cuerpo. Aun así, los dedos de Savannah ni siquiera alcanzaban a rodear el grosor de su muñeca. Se percató de pronto de que ella hacía eso a menudo, le cogía la muñeca con los dedos para conectarles. Y ese pequeño gesto parecía derretir su corazón.

Gregori se obligó a centrar la atención de nuevo en el presente. O sea, que Savannah también sentía aquella presencia. Alguien que había estado allí antes que ellos. *Julian.* Julian Savage había vivido en esta casa. ¿Por qué? ¿Qué tipo de seguridad había establecido aquí? Porque seguro que Julian había guiado a Savannah a esta casa cuando se había dado cuenta de su deseo de venir a Nueva Orleans.

Gregori colocó un brazo alrededor de sus hombros.

—¿Qué sabes del anterior propietario?

—Sólo que no estaba aquí durante largos periodos de tiempo. El agente de la inmobiliaria me dijo que la casa había pertenecido a la familia del hombre durante casi doscientos años y que de hecho es uno de los hogares más antiguos del barrio.

—Pero ¿en realidad nunca le conociste? —instó Gregori.

—No —contestó ella.

—Julian Savage era el dueño anterior, aunque es difícil imaginarle viviendo aquí. Es un solitario, indómito como el viento. —Recorrió de nuevo la estancia—. Si Julian renunció a su santuario, en el que había estado durante casi dos siglos, sólo puede significar una cosa. Que ha decidido exponerse al amanecer. —Pronunció las palabras sin pasión, sin expresión pero por dentro notó ese curioso desgarro que cada vez le era más familiar. Emoción. Pena. Tantos de su especie habían desaparecido para siempre. Julian era más fuerte que la mayoría, más culto. Detestaba perderle.

Savannah le dio en el brazo.

—Eso no lo sabemos, Gregori. Tal vez sólo quería ofrecernos un regalo de bodas. No imagines lo peor.

Gregori intentó sacudirse aquella melancolía, pero se dio cuenta de que le costaba respirar en este vecindario abarrotado y cerrado.

—Tenemos las viviendas de otras personas justo encima de esta casa —dijo—. Creo que podrían dar un paso y meterse en nuestro salón.

—Aún no has visto el patio, Gregori. La casa da a un patio en la parte posterior. Es inmenso y se encuentra en bastante buen estado. —Savannah empezó a andar hacia las escaleras sin hacer caso a sus murmuraciones.

—No quiero ni pensar qué será para ti bastante mal estado —refunfuñó mientras la seguía escaleras arriba.

—Me pregunto por qué hay tanto polvo —dijo Savannah—. Mandé venir a la gente de la inmobiliaria para que lo limpiaran todo y lo dejaran listo para nuestra llegada.

—No toques nada —siseó Gregori en voz baja, y la cogió con suavidad por los hombros para que le dejara abrir la marcha.

—¿Qué pasa? —Bajó la voz por instinto y miró a su alrededor, intentando detectar algún peligro que no había podido percibir.

—Si ha venido gente a hacer la cama y a preparar la casa para tu llegada, tendrían que haber quitado el polvo también.

—Tal vez son de una incompetencia superlativa —sugirió esperanzada.

Gregori le dirigió una rápida mirada y ella pudo ver que se suavizaba el gesto severo de su boca. Savannah le provocaba ganas de sonreír a cada rato, incluso en situaciones de lo más serias.

—Estoy segura de que cualquier empresa haría horas extras para intentar tenerte feliz, *ma petite*. Lo sé porque a mí me pasa.

Ella se sonrojó al recordar lo bien que lo hacía.

—Entonces, ¿por qué tanto polvo? —preguntó distrayéndole de forma intencionada.

—Creo que Julia nos ha dejado un mensaje. Has pasado tanto tiempo entre los humanos que sólo ves a través de tus ojos.

Savannah entornó los ojos al oír la reprimenda.

—Y tú has vivido en las montañas tanto tiempo que se te ha olvidado divertirte.

Los ojos pálidos se desplazaron sobre ella y la envolvieron de calor.

—Tengo mis propias ideas acerca de la diversión, *chérie*. Estoy dispuesto a enseñártelas si quieres —se brindó con expresión traviesa.

Ella alzó la barbilla, con sus azules ojos desafiantes.

—Si piensas que me asustas con tu rutina de lobo grande y malo, no lo consigues —replicó.

Gregori notaba cómo latía el corazón de Savannah. Olía la llamada del aroma de su pareja.

—Es posible que se me ocurra algo para cambiar eso —le advirtió. Gregori volvió de nuevo la atención a la habitación. Había una buena capa de polvo en las paredes, en la chimenea, en el suelo de baldosas. Se agachó y tocó levemente las diminutas motas; luego estudió la disposición de la capa desde todos los ángulos. Sus ojos resplandecían rojos en el interior oscuro.

Savannah retrocedió unos pasos hasta que se quedó pegada contra la pared. Tenía toda su atención puesta en aquel hombre, no sólo en lo que estaba haciendo. Observaba la manera en que se movía su cuerpo, la presión de sus músculos bajo la delgada camisa de seda, la manera fluida en que parecía flotar de una zona a otra. El modo en que inclinaba la cabeza, el modo en que se pasaba una mano con impaciencia por la densa melena. Pertenecía a otro mundo. Elegante. Peligroso. Mortífero. No obstante, al volver la cabeza, con su sonrisa perfecta sonriéndole, parecía sensual en vez de cruel. Tenía los ojos fríos y letales, lo veían todo, no se perdían nada, pero cuando él volvía la mirada hacia ella, el frío acero calentaba el mercurio fundido. Ardiente. Excitante. Sexy. Casi pecaminoso.

Savannah pestañeó para volver a concentrarse en la habitación. Se había producido un cambio sutil. El polvo parecía cambiar de posición bajo las manos de Gregori, quien movía el brazo con gracilidad como si estuviera dirigiendo una orquesta, y en las paredes y en los suelos empezaron a surgir unos esquemas. Las líneas relumbraban formando letras y símbolos antiguos. Una vez que Gregori desentrañó el secreto, los jeroglíficos cobraron forma con rapidez, moldeados con las partículas de polvo.

—Es hermoso. ¿Es la antigua lengua, cierto? —dijo Savannah en voz baja y llena de asombro. Se movió en un pequeño semicírculo pues no quería alterar el aire—. ¿Cómo has sabido darle vida?

—La manera en que estaba dispuesto el polvo era demasiado estudiada. Formaba un diseño que nos estaba esperando. Es un arte del que pocos tienen conocimiento. No tenía ni idea de que Julian lo supiera. —Gregori sonaba complacido—.

Tu padre es bueno de verdad en esto, pero he visto pocos más que lo dominaran.

—¿Mi padre es bueno en todo?

Gregori alzó la vista al detectar una peculiar nota en su voz.

—Es el príncipe de nuestro pueblo. El mayor de nuestra especie. Sí, es bueno en todo lo que hace.

A diferencia de ella, pensó Savannah.

—Y le conoces de toda la vida.

Gregori volvió el poder de sus ojos plateados directamente sobre su rostro.

—Tu padre y yo hemos vivido más de un millar de años, *bébé*. ¿Por qué exigirte a ti contar con el conocimiento de los ancianos? Eres hermosa, inteligente pese a tu juventud, y aprendes deprisa.

—Tal vez nunca pueda vivir como tú quieres que viva. Tal vez haya nacido demasiado tarde. —En su voz había cierta ansia que dejaba entrever la falta de autoconfianza. Las estrellas plateadas en sus ojos intensificaban el azul de su mirada hasta convertirlo en un vívido violeta. Era fácil entrever su angustia.

Gregori se acercó a ella de inmediato y enmarcó el rostro entre sus manos.

—Tienes toda una vida por delante para aprender las cosas que tu padre y yo hemos aprendido. Nos ha llevado toda una vida. No teníamos ninguna de tus responsabilidades a tu joven edad. Podíamos vagar por el mundo, vivir con libertad. No teníamos una pareja dominante y autoritaria con quien vivir. —Acarició su delicada barbilla con sus pulgares—. No, *chérie*, no pienses nunca que no puedes estar a la altura de mis expectativas.

—Tal vez te canses de enseñarme cosas.

Gregori abarcó con su mano extendida la delgada columna de la garganta de Savannah de tal modo que su pulso quedó en el centro de la palma.

—Nunca. Eso no sucederá nunca. Y yo tengo que aprender mucho de ti. No había risa en mi vida. Tú me la has aportado. Son muchas las cosas que has traído a mi vida: sentimientos y emociones que jamás habría experimentado sin ti. —Se inclinó para rozarle la boca con sus labios—. ¿No te das cuenta de que te digo la verdad?

Savannah cerró los ojos mientras él tomaba posesión de su boca, mientras su mente se fundía con firmeza con la de ella. Había tal intimidad en el acto de compartir pensamientos y sentimientos. Gregori transmitía la intensidad de su hambre y necesidad. No albergaba dudas, ni vacilación. Sabía que estarían siempre juntos y no aceptaría nada más. Si algo cambiaba eso, él optaría por seguir a Savannah en busca del amanecer.

Gregori la soltó poco a poco, casi a su pesar. Ella permanecía muy quieta, mirándole, estudiando su rostro con sus ojos azules.

—Podemos hacerlo, Savannah —la animó en voz baja—. No te asustes ni intentes escapar a tu destino. Quédate conmigo y pelea.

Ella esbozó una pequeña sonrisa.

—Destino. Interesante que uses esa palabra. Haces que parezca una condena de cárcel. —Respiró hondo y se obligó a relajarse—. Eres malo, pero no tanto —se burló de él.

La dentadura blanca de Gregori resplandeció con la sonrisa de un depredador.

—Soy muy malo, *ma petite*. No lo olvides, si es que quieres mantenerte a salvo.

Ella se encogió de hombros con gesto despreocupado, pero su corazón dio un brinco al oírle.

—Lo de mantenerme a salvo no es un concepto que yo observe de manera rigurosa —respondió ella alzando la barbilla.

—Eso a mí me parece un arma de doble filo.

Savannah estalló en carcajadas, no podía contener su natural sentido del humor.

—Apuesto a que sí. No tengo intención de facilitarte las cosas. Llevas demasiado tiempo haciéndolo todo a tu manera. Y ahora, enséñame a resolver este enigma, es fascinante. —Hizo un ademán con un brazo para abarcar la grafía reluciente.

Gregori le cogió el brazo para mantenerlo quieto.

—Hacer visible el esquema es muy sencillo. Primero estudia el diseño, luego simplemente inviértelo. Los movimientos de la mano dispersan las moléculas en primer lugar. Agitar el aire de forma inversa devuelve los diseños a donde se encontraban originalmente.

—¿Quién te enseñó esto?

—Con los años se han perdido muchas destrezas. Los monjes budistas del Tíbet dominaron esta técnica en cierto momento para comunicarse sin que los demás lo supieran. Formamos un solo ser con la tierra, con el aire, con el espacio. Ordenar y mover no es tan difícil. —Empezó a mover las manos otra vez, y Savannah quedó fascinada con la belleza y la gracia de su ritmo—. ¿Conoces la lengua ancestral? ¿Puedes leerla? ¿Escribirla? ¿La hablas? —le preguntó.

—Sólo unas pocas palabras. Mi madre aún intentaba aprenderla de mi padre cuando yo me marché a América. Nunca tuve ocasión de hacerlo.

—Una cosa más que puedo enseñarte, *chérie*, y los dos disfrutaremos de la experiencia. —Sus ojos plateados eran elocuentes.

—Puedo recitar el cántico curativo; creo que nací sabiéndolo. Mi padre se lo inculcaba a mi madre a todas horas.

Gregori se movía con cuidado a través de la habitación.

—El cántico es viejo como el origen de los tiempos, tan viejo como nuestra raza, y muy eficaz. Lo llevamos grabado desde antes de nuestro nacimiento y ha salvado muchas vidas. Tu madre tuvo que aprenderlo deprisa, ya que necesitamos todas las voces. —Hablaba en un susurro, como si su mismísimo aliento pudiera perturbar el anciano mensaje que relucía en el aire.

A Savannah le encantaba el sonido de su voz, el terciopelo negro que se deslizaba dentro de su mente, dentro de su corazón.

—¿Qué dice? —Su voz sonaba tan baja como la de él.

—Es de Julian —contestó—. Ha hecho justicia con dos vampiros que se habían instalado hacía poco en esta ciudad, de modo que no correrás ningún peligro.

—¿Lo ves? No hay ningún peligro en absoluto. Podemos disfrutar del festival. —Sonrió radiante.

—No es todo lo que tenía que decir. —Su voz sonaba neutral.

A Savannah se le desvaneció la sonrisa de repente.

—De algún modo yo sabía que ibas a decir eso. Parece demasiado trabajo para una o dos frases. Parece que ha dejado un mapa para nosotros junto a la ventana.

—Tiene varios lugares seguros repartidos por la ciudad, incluso en el pantano, para garantizar nuestra seguridad. Abajo, en la cámara del sótano, hay un lugar secreto al que podemos escapar en caso necesario. Ha dejado un regalo para nosotros.

Savannah le observó el rostro, con los ojos fijos en los de él.

—¿Y? —le animó en voz baja.

—Hay miembros de la sociedad aquí que persiguen vampiros. El nombre de Morrison vuelve a salir. Por lo visto Julian tropezó con evidencias del grupo tiempo atrás. Se han establecido aquí en Nueva Orleans por los numerosos rumores de vampiros que persisten. Creen que debe de haber actividad aquí que justifique su interés. Julian me da varios lugares para empezar a mirar. Nombres. Negocios. Un local aquí en la ciudad donde los miembros intentan conseguir información.

Savannah soltó el aire poco a poco.

—Bien, pues bienvenido sea el festival de jazz. Queríamos que nos siguieran, pero en su lugar nos hemos metido a la guarida del lobo. Debo tener un don para atraer a este tipo de bichos raros.

—Probablemente sí —dijo Gregori con semblante serio—. Puede ser una ventaja y también una maldición. Tu madre es una humana con poderes paranormales. Tal vez te haya pasado algo de su don.

Savannah se quedó en el centro de la casa, sus largas pestañas ocultaban su expresión. Gregori regresó a su lado. Parecía pequeña y vulnerable al lado de su poderosa figura. Le recogió tras la oreja un mechón suelto de pelo negro azulado.

—Savannah —dijo en voz muy baja—, no estés tan molesta. Queríamos que nos siguieran , ¿no es cierto? No es el fin del mundo. Aún podemos disfrutar del festival de jazz mientras estamos aquí.

Savannah sacudió la cabeza.

—Pues vamos entones, Gregori. Sonaba bien en su momento, pero ahora no me gusta tanto la idea.

Gregori contempló sus rasgos resueltos durante un largo momento, examinando su pálido rostro. El gesto severo de su boca se suavizó y los ojos plateados perdieron la distante frialdad, se calentaron hasta convertirse en mercurio fundido. Hubo un cambio curioso en la zona de su corazón.

—Intentas protegerme otra vez, Savannah. —Sacudió la cabeza. No había sonrisa en su rostro, pero estaba en su corazón todo el rato. Nadie pensaba nunca en protegerle, nadie consideraba jamás el peligro en el que se encontraba él como cazador. No obstante, ahora, esta pequeña y frágil mujer con sus enormes ojos se adhería a su corazón con tal fortaleza porque deseaba sinceramente su seguridad—. No necesito protegerme de esta gente. Es preciso lidiar con ellos, y si hay que hacerlo en su terreno, que así sea. Julian me ha facilitado suficiente información como para no meterme ciegamente en este asunto.

—Ellos ya sospechan de nosotros, porque Wade Carter les dijo que iba a traerles un espécimen. Y le han pasado esa información a ese tal Morrison. Nos estarán buscando. A ti.

—Entonces no podemos hacer otra cosa que complacerles. Voy a trabajar en un antídoto para su veneno. No quiero correr el riesgo de que te lo inyecten sin haberte protegido antes.

—Nuestro sótano es el lugar perfecto para un laboratorio tipo Boris Karloff. —Su rápida sonrisa ya iluminaba sus ojos. Podía dejar a Gregori sin aliento con esa sonrisa.

Gregori alzó la mano e hizo un breve movimiento para dispersar las partículas de polvo. Se levantó una brisa, lenta, natural, pero fue creciendo hasta formar un remolino que recorrió todo el edificio Para cuando el viento amainó, ya no quedaba nada del mensaje reluciente que Julian les había dejado, la habitación estaba limpia y el papel pintado que se desprendía de las paredes volvió a quedar liso.

—Ven conmigo, Savannah. Veamos qué más nos ha dejado Julian. —Le tendió la mano.

Entrelazó sus dedos con los de Gregori y le siguió por las escaleras de caracol que descendían a la planta inferior. No quería imaginarse por qué Julian iba a renunciar a una casa que había mantenido durante doscientos años. No era posible que fuera a renunciar a su vida. Y ¿si su propio hermano gemelo no podía disuadirle? Tragó saliva con dificultad al recordar lo cerca que había estado ella de perder a Gregori. ¿Dónde estaba la pareja de Julian? ¿Existía? Había tan pocas mujeres para sus hombres...

—Quiero que te quedes aquí junto a las escaleras mientras yo estudio la habitación. —Fue una orden. La pronunció envuelta en su voz sugerente, pero de todos modos era una orden.

—Si Julian nos ha dejado un regalo, Gregori, no hay necesidad de preocuparse de que haya algún tipo de trampa —comentó un poco molesta.

Él alzó la cabeza y la atravesó con sus ojos plateados.

—En general te fías demasiado, *bébé*. Deberías haber aprendido hace mucho a emplear tu juicio y no confiar en los demás. De esta manera ha sobrevivido nuestra raza.

—Tenemos que confiar unos en otros, Gregori —protestó ella.

—A menudo nos vemos forzados a perseguir a nuestros propios hermanos. Por eso la mayoría de varones prefieren no compartir sangre con los varones sin pareja, ni siquiera para salvar sus vidas. Luego es más fácil detectar esa sangre, en el caso de que se vuelvan vampiros. Recuerda también que los vampiros son conocidos como los mejores impostores del mundo. No, *chérie*, nosotros no confiamos en otro varón sin pareja.

—Qué manera de vivir tan horrible ha tenido que ser la tuya —comentó ella en voz baja.

—Qué manera de existir —corrigió—. Estar aislado, rehuido por tu propia raza, eso no es vida, pese a que a veces te necesitan por separado. Yo he ofrecido mi sangre cuando ha hecho falta, pero pocos estaban dispuestos a intercambiarla conmigo.

Como siempre, ella no detectó autocompasión, ni emoción de ningún tipo. Gregori aceptaba este tipo de vida. Por mucho que ella insistiera, nunca confiaría en nadie. Se apretó el labio inferior con los dientes. ¿La incluía eso a ella? ¿Era una parte de Gregori que siempre se mantendría alejada de ella? Era tan joven e inexperta. Deseó ser una mujer anciana llena de poder para ayudarle como se merecía.

Gregori se deslizó por la estancia subterránea sin tocar el suelo en ningún momento. Examinó cada centímetro de las paredes. Había dos accesos, uno que llevaba a una pequeña cámara separada, oculta en el grosor de los muros y, la otra, un túnel construido con cemento y tuberías para evitar que entrara agua.

—Lo más probable es que este túnel lleve al exterior.

—Un refugio —apuntó ella—. ¿El patio?

Gregori negó con la cabeza.

—Lo dudo, Savannah. Julian querría seguramente alejarse de la casa y de la gente. —De entrada le parecía inconcebible que Julian quisiera estar en esta ciudad. El Julian Savage que él conocía era tan solitario como él. Prefería las alturas, las montañas. La soledad.

—Ya, ¿ahora me dirás que es una trampa? —preguntó ella con cierto sarcasmo.

—Casi preferiría que lo fuera —dijo en un intento de mantener la cara seria—. Creo que no podría superar que tuvieras razón en este caso. —Cuando ella alzó las cejas y las movió esperando una explicación, él la complació—. No, no es una trampa. —Entonces pasó la mano por la lisa pared más próxima al patio.

La puerta allí oculta se deslizó y se abrió sin ruido para revelar una cámara lo bastante grande como para que dos personas yacieran en ella. El interior contaba con unas antiguas inscripciones talladas con gran belleza. Estaba claro que Julian Savage era un artista; sus grabados eran agradables a la vista y además relajantes. Savannah sabía poco de aquella lengua, pero distinguía que lo que se había tallado era algún tipo de salvaguarda, con símbolos curativos entrelazados. El efecto conjunto era de paz, como de un santuario.

Gregori observaba con calma, con el rostro impasible pero afecto en su mirada. La verdadera sorpresa se hallaba debajo de la sábana blanca. Gregori alzó una mano y la sábana se enrolló a un lado.

A Savannah se le cortó la respiración al observar llena de asombro la suntuosidad de aquel tesoro. Tierra, fértil y oscura. La tierra de su patria. La cámara estaba llena, había seis o siete pies de profundidad. Gregori hundió los dedos en la tierra y el frescor le inundó, le dio una bienvenida. Savannah también hundió las manos a fondo en la tierra. Hacía cinco largos años que no sentía la riqueza de aquel suelo, que no notaba sus propiedades curativas. Ambos sintieron sus susurros de bienestar y paz.

—¿Cómo lo ha conseguido? —Savannah le sonrió a Gregori, complacida con que su casa contara con tantos secretos.

Gregori le rodeó los hombros con el brazo.

—Una gran paciencia. —Una débil sonrisa suavizó su boca—. ¿Recuerdas los ataúdes que se enviaron desde Europa cuando la fiebre amarilla y la muerte sacudieron Nueva Orleans? Durante años se ha rumoreado que contenían vampiros, pero obviamente lo que muchos contenían era simplemente tierra de nuestra patria. Muy hábil por parte de Julian organizarlo.

—Me pregunto con qué frecuencia estuvo aquí instalado —reflexionó en voz baja, dejando que la tierra se deslizara entre sus dedos. Lo que en realidad se preguntaba era en que proporción de la historia de Nueva Orleans estaba él implicado. Hacía mucho que los humanos creían que los legendarios vampiros de su imaginación proliferaban en Nueva Orleans. ¿Habrían avivado estos rumores las actividades de Julian durante los dos últimos siglos?— ¿Piensas que la sociedad de cazadores de vampiros ha instalado aquí su cuartel general para atraparle? —preguntó.

—Esa sociedad ya me tiene harto. Tengo que mandar aviso a Mijail de que no habíamos acabado con ellos como pensábamos. Parecen haber vuelto con más fuerza que nunca. Cada treinta años más o menos vuelven a salir para darnos problemas.

—Julian debe de haberles descubierto hace bien poco o te habría hablado de ellos cuando te informaba de mí. —Había algo cortante en su voz. Seguía molesta con Gregori por haber puesto alguien para vigilarla. Aún más, estaba molesta consigo misma por no percibir a nadie de su especie.

—Julian no me informaba a mí exactamente —dijo Gregori con sequedad—. No es el tipo de hombre que responda ante alguien. Julian es como el viento, como los lobos. Es libre del todo. Va a su aire. Te vigilaba, pero no me enviaba informes. Ése no es su estilo.

—Este Julian suena interesante —murmuró Savannah.

Al instante, Gregori notó que sus músculos entraban en tensión. Esa ira negra, indescriptible, que le volvía tan peligroso, bullía en sus entrañas. Siempre viviría con el temor de haber robado a Savannah y de que algún carpatiano guardara la llave secreta de su corazón. No se libraría del temor de haber condenado a muerte a otro carpatiano o, peor, a convertirse en un no muerto, por haber arrebatado él a Savannah. Puesto que había manipulado el resultado de su unión, tal vez existiera otro cuya química combinara a la perfección con la de ella. Sus ojos plateados eran extremadamente fríos y letales, con pequeñas llamaradas rojas en lo más profundo.

—No tienes por qué encontrar interesante a Savage. Nunca renunciaré a ti, Savannah.

—No seas idiota, Gregori —dijo con impaciencia—. Como si alguna vez quisiera otra bestia recién salida de la cueva ahora que ya te tengo casi amaestrado. —Estiró una mano—. Vamos, tienes que ver el patio.

La gran mano de Gregori engulló la de ella. Parecía que Savannah siempre sabía qué decir o hacer para aliviar el terrible peso que aplastaba su pecho. Aunque a menudo tenía ganas de zarandearla, de someterla a besos, también deseaba que siempre tuviera esa misma frescura que exhibía en este momento. No había duda de que estaba poniendo su mundo patas arriba.

La siguió al piso superior, incapaz de hacer otra cosa. Una gruesa puerta doble se abría dando al jardín. Savannah tenía razón. Era impresionante. El jardín era más grande que la propia casa. Crecían plantas por todas partes, un colage salvaje de encaje verde y brillantes capullos. El suelo estaba cubierto de baldosas españolas en un patio que formaba un mosaico salpicado de bancos y sillas entre las plantas y árboles, a la sombra del sol. También había unos largos divanes dispuestos al descubierto, bajo las estrellas y la luna.

Los murciélagos giraban y descendían para darse un banquete de insectos en el aire. La fragancia de las flores transformaba la polución opresiva de las estrechas calles, pero nada podía ahogar el ruido. La música que llegaba de todas las direcciones se entrechocaba con el chacoloteo de los cascos de los caballos sobre los adoquines, las atronadoras bocinas de los coches y las ruidosas voces que estallaban en carcajadas y muestras de júbilo.

Gregori analizó los sonidos, escuchó fragmentos de conversación y se familiarizó con el ritmo del vecindario. Tardaría varios días en sentirse cómodo en este entorno. Le hubiera gustado tener ocasión de explorarlo por su cuenta con antelación para garantizar la seguridad de Savannah.

—Tenemos que ir a dar un paseo —dijo de súbito—. Quiero ver todas las entradas y salidas, conocer las caras y voces del lugar.

Savannah abrió de par en par la verja de hierro y salió a la calle. Una joven pareja de pie en el porche de la puerta contigua se quedó mirando con curiosidad. Ella les dedicó una sonrisa y saludó feliz. La mujer alzó un brazo como respuesta.

No seas tan simpática, Savannah. Eres una celebridad. Ya vamos a atraer suficiente atención sólo con eso.

Son nuestros vecinos. Intenta no matarles de un susto, ¿quieres? Savannah le cogió por el brazo y le sonrió con una mueca burlona.

—Pareces tan feroz como un miembro de la mafia. No es de extrañar que estén mirando estos vecinos. La gente suele ser curiosa. ¿No lo serías tú si alguien se instalara de vecino?

—No tolero a los vecinos. Cuando algún humano considera construir en las proximidades de una de mis casas, el vecindario se llena de repente de lobos. Siempre funciona. —Sonaba amenazador.

Savannah se rió de él.

—Qué niño eres, Gregori. Te asustas por un poco de compañía.

—Tú me aterrorizas, mujer. Por ti me encuentro haciendo cosas que sé que son del todo demenciales. Instalarse en una casa construida en una ciudad abarrotada y por debajo del nivel del mar. Vecinos viviendo encima. Carniceros humanos sueltos a nuestro alrededor.

—Como que me voy a creer que todo eso te asusta —dijo con aire petulante, pues sabía que su única preocupación era su seguridad, no la de él. Doblaron una esquina y se encaminaron hacia la famosa Bourbon Street.

—Intenta llamar menos la atención —le indicó Gregori.

Un perro ladró y se lanzó tirando de su correa y enseñando los dientes. Gregori le siseó y mostró sus colmillos. El perro detuvo su agresión al instante, aulló lleno de alarma y se retiró con un gemido.

—¿Qué estás haciendo? —quiso saber Savannah indignada.

—Familiarizarme con el lugar —dijo él distraído, pues sin duda su mente estaba en otros asuntos y sus sentidos sondeaban el lugar que les rodeaba.

—Aquí todo el mundo parece estar loco, Savannah. Vas a amoldarte a la perfección. —Le revolvió el pelo con cariño.

Ella se paró en seco y su sonrisa se desvaneció mientras buscaba con su mano el brazo de Gregori. Él alzó la cabeza lleno de alerta e inspeccionó de inmediato la zona en busca de enemigos.

—¿Qué sucede?

Savannah se dio media vuelta y dobló la esquina, caminando despacio por la calle. *Savannah, contéstame. ¿Qué has percibido que a mí se me escapa?* Gregori la cogió del brazo y la detuvo físicamente. Le agarró la muñeca con los dedos y al instante su cuerpo estuvo cerca de ella, protector. *Contéstame o te obligaré a regresar a casa.*

Chit. Intento concentrarme. En realidad nunca antes he hecho esto. Estaba distraída incluso en su mente.

Gregori se fundió con ella para poder sentir los pensamientos de Savannah, saber qué sentía en ese momento. Era una especie de coacción, no de las usadas habitualmente por su raza, sino algo parecido a una atracción hacia un lugar. ¿O poder? Intentó detectarlo. Ningún poder. Maldad. Algo muy maligno.

Una vez más le agarró la muñeca con la mano y la obligó a detenerse. Había varias viviendas en esta calle, pero más adelante el bloque de residencias daba paso a una zona de tiendas comerciales. Una de ellas era una tienda de vudú. Se concentró ahí, escuchando con atención la conversación entre un turista y el dependiente que trabajaba en el interior. Sugería cierto poder, magia, pero desde luego no había mácula de maldad.

Dos edificios más abajo de la tienda de vudú. La voz de Savannah rozó su mente.

No se encuentra en la lista de Julian. Respondió Gregori, pero la creía. Lo notó a través de ella. Era obvio que Raven Dubrinsky le había pasado el talento paranormal a su hija.

Se cogieron de la mano y pasearon con aire despreocupado por la calle, disfrutando en apariencia del aire nocturno, mezclándose con los turistas y quienes vivían aquí. La mayoría de juerguistas se concentraban en el corazón del barrio, a lo largo de Bourbon Street, más abajo, y hacían cola para ir a Preservation Hall. Savannah y Gregori avanzaron por el estrecho paso y se detuvieron para dejar pasar a un carro tirado por un caballo. Los ocupantes del vehículo se reían y escuchaban la voz cantarina del guía, que describía los puntos de interés añadiendo algunas leyendas locales.

Dos jóvenes que bebían cerveza en los escalones de una librería cerrada al otro lado de la calle fijaron su mirada en Savannah. Incluso desde esa distancia, Gregori percibió la fijación instantánea, la obsesión que producía con tanta facilidad en los hombres. Era la manera en que se movía, el pelo ondeando y sus enormes ojos, su aura, inocente y sexy a la vez. No había esperanza de que no la reconocieran. Personificaba la magia y la fantasía.

Gregori soltó un pesado suspiro, notaba la tensión en sus entrañas. Iba a volverle loco y tal vez algún borracho inocente acabara muerto. Los dos hombres se habían levantado y susurraban entre ellos con excitación, dándose valor para abordarla. Les podía oír mentalizándose el uno al otro. Fijó la mirada plateada en ellos y se concentró por un momento. Suprimió sus pensamientos e implantó en ellos una necesidad imperiosa de irse de la zona de inmediato.

—Hazme un favor, *chérie*. Intenta parecer feucha y poco interesante.

Savannah se rió un poco pese a la creciente sensación de horror.

—Supéralo ya —sugirió ella.

—Eres más que irrespetuosa, mujer. No recuerdo una sola vez en mi existencia en la que alguien me hablara como tú.

Ella se frotó la mejilla contra su hombro como una pequeña caricia. A Gregori la respiración pareció cortársele en la garganta.

—Por eso lo hago. Necesitas que alguien te dé algún problemilla. —Su tono burlón le envolvió, le penetró, las pequeñas hebras que les unían se multiplicaban por momentos.

—No me importaría algún problemilla, pero tú eres un gran problema.

Se encontraban enfrente del edificio que Savannah había señalado como fuente de las emanaciones turbadoras. Estaba cerrado y sus ventanas oscuras. Gregori podía notar movimiento en su interior; percibía la presencia de varios hombres dentro de sus paredes.

Savannah se aferró a él, con lágrimas saltándole a los ojos.

—Algo terrible está sucediendo ahí, Gregori. Hay... —Se interrumpió mientras él la sujetaba con fuerza por los brazos.

Gregori la sacudió un poco.

—Aguanta, *ma petite*. Sé con exactitud lo que está sucediendo. No es de los nuestros.

—Lo sé, no soy del todo incompetente.

Había una mezcla de rabia y lágrimas en su voz.

—Es humana, pero creen que es un vampiro, Gregori. No es más que una niña. No puedes permitir que le hagan daño, percibo su dolor.

—Es mayor que tú, *bébé*, y va paseándose por ahí con una capa negra y los colmillos alargados mediante cirujía estética. Se ha puesto en manos de estos locos por su propia estupidez. —Gregori parecía molesto.

—No se merece que la torturen porque le guste jugar a hacer de vampiro. Déjale salir de ahí. —Los ojos azules le miraban llameantes—. Los dos sabemos que vas a salvarla, o sea, que deja de quejarte y pongámonos manos a la obra.

—No voy a permitir algo así, Savannah —dijo en voz baja. Su voz era una hermosa mezcla de hierro envuelta en un guante de terciopelo—. No pongas a prueba mi paciencia, *ma petite*. Ten seguro que no hay posibilidades de que salgas victoriosa de una batalla entre nosotros.

—Calla —soltó ella con rudeza, exasperada por sus modales dominantes—. Sé que no vas a dejar a la chica ahí. Percibo su terror, Gregori, y me está poniendo mala.

—Sabía que me ibas a traer problemas en el momento en que te vi por primera vez —dijo él en voz baja—. No pienso poner en peligro tu seguridad por una mujer que se disfraza de vampiro. Ella ha decidido fingir que es así. Mi intención es ayudarla, pero no dejándote a ti sola en la calle.

Ella soltó el aliento entre los dientes.

—Estoy en plena forma, Gregori. Puedo volverme invisible si decido caminar sin que me vean entre los seres humanos. No hay ninguna necesidad de que me quede escondida en casa porque tú temas por mí. —Alzó la barbilla mirándole con actitud beligerante—. Soy la hija del príncipe. Yo también soy capaz de hacer algunas cosas como otros de nuestra especie.

Gregori extendió su mano sobre la garganta de Savannah.

—Haría casi cualquier cosa por ti, pero la manera en que debo realizar esta tarea es desagradable. —Se encontró dando explicaciones, como ella requería, pese a que todos sus agresivos instintos masculinos le decían que impusiera su voluntad sobre ella sin más. No soportaba que creyera que él menospreciaba sus habilidades—. No quiero que presencies la depravación de estas mentes humanas, ni deseo que presencies las ráfagas de muerte que formarán un torbellino entre ellos. Las dos cosas no pueden ser. Quieres que salve a esta mujer. Lo haré. Pero no en tu presencia. Vete a casa y espérame allí.

Savannah sacudió la cabeza.

—¿Cuándo te vas a meter en ese grueso cráneo que soy tu verdadera pareja? Yo, Savannah Dubrinsky, hija del príncipe. Hemos compartido nuestras mentes desde antes incluso de mi nacimiento. No puedes ocultarme lo que eres, quién eres. Ni siquiera en medio de la sangre y la muerte, ni con la bestia trabajando, siempre veré tu verdadera personalidad.

—Haz lo que te ordenó. Y no lo olvides, si por cualquier motivo decides desobedecer mis órdenes, que estarás poniendo en peligro la vida de la mujer. Siempre me ocuparé primero de tu seguridad. Eso quiere decir que si me distraes con tu desafío, me ocuparé de inmediato de que obedezcas.

—Eres el carpatiano más cabezota de la Tierra —replicó ella exasperada, pero le cogió la cabeza entre las manos y le atrajo hacia abajo para alcanzar su boca con sus labios—. Ponte a salvo, compañero. Ésa es mi orden para ti. Y asegúrate de no desobedecerme.

Ella se dio media vuelta y se alejó con su paso deslizante, regresando por donde habían venido, sin ni siquiera volverse a mirar por encima del hombro. Balanceaba las caderas con un leve movimiento, muy erótico. Se levantó una brisa que jugueteó con su larga melena. Gregori la observó, incapaz de apartar la mirada.

Capítulo 11

Gregori volvió por fin la cabeza, muy despacio y con gesto salvaje, y caminó con determinación hacia la estrecha callejuela situada al lado del edificio. La hierba amarronada y seca, consumida por el esfuerzo de crecer bien, fue aplastada bajo sus pies, pero ni un sonido traicionó su presencia, ni siquiera una agitación en el aire. Una vez oculto de cualquier mirada, inspeccionó la zona para determinar la ubicación exacta de todos cuantos se encontraban en el edificio y de cualquier otro humano en los alrededores.

Al instante se disolvió, pasó de un estado sólido en un momento a otro invisible en el siguiente. Inspeccionó el edificio: todas las ventanas y puertas estaban bien cerradas. La mujer que se encontraba adentro gritaba, y había tormento y terror en su voz. El sonido le rozó la mente, pero lo bloqueó para seguir inspeccionando tres puntos de entrada a la casa. Se decidió por el que se hallaba bajo el edificio, a través de unas maderas podridas resquebrajadas y a punto de desmoronarse.

Por un breve instante, su imagen relumbró en la oscuridad mientras se comprimía, menguaba de tamaño, más y más, hasta ser sólo un pequeño ratón acurrucado entre la hierba seca. Se apoyó en sus patas traseras por un momento, sacudiendo los bigotes en el aire. Luego se apresuró a través del polvo y la hierba, y entró correteando por una pequeña rendija debajo de las escaleras. La abertura era estrecha, pero la pequeña criatura era capaz de estrujarse para entrar en cualquier espacio entre las paredes.

El material aislante era viejo y delgado, casi había desaparecido en su mayor parte, y el ratón se escurrió con rapidez a través del muro hasta encontrar un pequeño agujero de nudo que le permitía entrar en una habitación a oscuras. El olor a sangre y miedo le aceleró el corazón, pero el depredador en lo profundo de su diminuto cuerpo soltó un resoplido y mostró unos colmillos con intención siniestra y mortal. El ratón vaciló antes de cruzar el linóleo amarillento; sus orejas se retorcían a un lado y otro mientras mantenía los bigotes bien altos, olisqueando para detectar cualquier peligro.

No había nadie en la primera habitación, que parecía encontrarse en una zona de almacenaje no utilizada. Olía a humedad y a moho. La forma de Gregori creció y se materializó, pero luego titiló y se convirtió de nuevo en nada. Alcanzaba a oír con claridad la conversación de la otra habitación. Había tres hombres discutiendo, y estaba claro que uno de ellos estaba enojado por lo que estaban haciendo.

—Esta chica no es más vampira que yo, Rodney —soltó—. Lo que pasa es que te gusta hacer estas cosas repulsivas. No es más que una cría a la que le gusta salir con sus amigos fingiendo que tiene colmillos.

—No lo sabemos seguro —protestó Rodney—. Y puesto que tenemos que matarla de todos modos, por qué no nos pasamos un buen rato a su costa.

—Olvídalo. —Había asco en la voz del primer hombre—. No voy a permitir de ninguna manera que mates a esta chica. Pensaba que éramos científicos. Aunque de verdad fuera una vampira, no deberíamos tratarla así. La voy a sacar de aquí y me la llevaré al hospital.

—Morrison te matará —ladró Rodney, furioso de repente—. No te la llevarás a ningún lado. Nos arrestarán a todos, y también a ti... no olvides eso. Formas parte de esto, Gary, tienes gran responsabilidad en esto.

—No, de esto no. Y si la cuestión es elegir entre matar a una chica inocente o ir a la cárcel, me voy a la cárcel.

Gregori notaba la violencia a punto de estallar, no por parte de Rodney sino por el tercer hombre en la habitación, el que estaba callado. Vigilaba a Gary por la espalda mientras Rodney acaparaba la atención de éste. La chica intentaba advertir con desesperación a Gary —su única esperanza— de que estaba en peligro.

Gregori notaba el poder en esa estancia. Manipulación. Coacción. Aquí operaba alguien más aparte de la sociedad de homicidas humanos. Se deslizó sin ser visto por la estancia, dispersando el aire frío a su paso. El tercer hombre sostenía un puñal, ya manchado de sangre, que disimulaba a lo largo de su muñeca derecha mientras se aproximaba a Gary por detrás. Gregori insertó su cuerpo invisible entre los dos hombres. Cuando el cuchillo se alzó apuntado al riñón de Gary, Gregori agarró al atacante por la muñeca con un asimiento inquebrantable y se la apretó aplastando sus huesos, dejándolos hechos papilla.

El atacante chilló y su cuchillo cayó ruidosamente al suelo. Gary se giró en redondo para mirar de frente al tercer hombre. Rodney se lanzó a por el cuchillo. La chica estaba tan histérica, que Gregori notaba los latidos atronadores de su corazón; oía cómo palpitaba con ritmo excesivamente rápido. Le prestó atención un momento para protegerla de más pensamientos. Ella se sumió en un estado inconsciente, sin más, con los ojos abiertos y vidriosos.

Rodney cogió el cuchillo y se incorporó dando traspiés.

—Parece que tendremos que matarte a ti también, ja, ¿no, Gary?

Gregori dio un suspiro. ¿Por qué siempre tenían que decir esas obviedades?

Gary retrocedía e intentaba no perder de vista al tercer hombre, quien se había caído de rodillas agarrándose el brazo destrozado, con el rostro blanco como una sábana. Aún gritaba, con un chillido agudo y monótono.

Gary se sacó la chaqueta blanca del laboratorio y se envolvió con ella el brazo, que alzó en actitud defensiva.

—No voy a permitir que le hagas más daño a la chica, Rodney. Hablo en serio. Esto se suponía que era un estudio legal. Diseccionar a alguien que está vivo, humano o vampiro, es tortura y nada más. No me presto a ir haciendo daño a la gente.

—¿Qué pensabas que hacías entonces con el veneno que desarrollaste? —soltó Rodney esgrimiendo el puñal.

—Yo no he desarrollado un veneno. Desarrollé un tranquilizador muy potente, concebido para sedar a casi a cualquier criatura por poderosa que sea. Morrison os obligó a alterar la fórmula original. Me he personado aquí para discutir con él precisamente esta cuestión. Esto es asesinato, Rodney, lo mires como lo mires, es asesinato.

Gregori se deslizó hasta Rodney por detrás. La mente del hombre apestaba a la influencia de un vampiro. Se consideraba protegido de los vampiros por la hipnosis a la que se sometían todos los miembros de la sociedad pero, de algún modo, un vampiro se había infiltrado en su bando y estaba contaminando la sociedad todavía más con su propia depravación. Era el tipo de cosas que los vampiros habían hecho por diversión durante siglos. Ocultando su verdadera naturaleza, entablaban amistad con seres humanos y poco a poco provocaban su decadencia moral. A menudo empleaban para su propio placer a las mujeres de los humanos de los que se hacían amigos y luego las mataban. En ocasiones utilizaban a los humanos para que se mataran unos a otros. Estaba claro que aquí estaba operando un maestro vampiro, alguno que se había escapado de la red de los cazadores carpatianos durante cierto tiempo, probablemente siglos.

Gregori tocó la mente de Gary. Encontró sinceridad en este caso, integridad. Nunca había estado en contacto con el vampiro y estaba dispuesto a morir por salvar a la chica atada con correas a la mesa de acero inoxidable. Había interrumpido a los otros dos hombres en plena faena; sus actos le repugnaban. Pero Gregori sabía que Gary no tenía posibilidades frente a la coacción asesina inducida por el vampiro en el otro hombre. Rodney ganaría la batalla. Por un momento, Gregori titubeó. Si intervenía, permitiría vivir a Gary, pero tendría que destruir a Rodney. Si dejaba que las cosas siguieran su curso, Rodney podría indicarle el camino hasta a la guarida del vampiro.

Sé que ni siquiera lo piensas en serio, el susurro de indignación de Savannah sonó suave como el terciopelo en su mente.

Gregori soltó una pesada exhalación. *Mujer, déjame en paz. Tengo que hacer lo mejor para nuestro pueblo.* Pero sabía que no iba a ser así. Sabía que no podía dejar morir a Gary. Había algo en el valor e integridad de este hombre que le gustaba, pero, maldición, Savannah no tenía que saber que tenía puntos débiles. No los había tenido nunca hasta que ella había aparecido.

La risa de Savannah le rozó de nuevo la columna, como si le acariciara con los dedos.

Gregori interpuso entre los dos hombres su sólido corpachón, que titiló y tremoló por un momento antes de materializarse. Se produjo un silencio al instante, incluso el tercer hombre consiguió dejar de chillar, y todos ellos se quedaron paralizados en su sitio. Gregori les sonrió complacido, haciendo ostentación de sus relucientes colmillos blancos.

—Buenas noches, caballeros. He oído que buscabais a alguien de mi especie. Creo que te convendría, Rodney, bajar el puñal. —La sugerencia la dijo arrastrando las palabras aterciopeladas.

Gary retrocedió para apartarse del recién llegado y se movió por instinto hacia la mesa de acero inoxidable. Había levantado las manos en señal de rendición.

—Mira, no sé quién eres ni qué eres, pero esta chica no ha hecho nada. No le hagas daño. Haz lo que tengas que hacernos, pero pide una ambulancia para ella.

Gregori mantuvo la mirada concentrada en Rodney. Su aspecto era salvaje; se apreciaba la siniestra coacción del asesino en él. Gregori lo veía con claridad, y ahora Gary también se percataba. Rodney necesitaba matar. Era tan necesario para él como respirar.

—Cuidado —advirtió Gary mientras empezaba a comprender que el vampiro, por peligroso que fuera, se había interpuesto entre Rodney y él para salvarle. Lanzó una ojeada al tercer hombre. Estaba claro que el vampiro le había salvado también de Todd Davis. Armándose de valor, les rodeó para situarse en posición más favorable para ayudar a la criatura.

—No hagas eso —siseó Gregori en voz baja. Hizo un ademán con la mano, y Gary fue incapaz de moverse, se quedó atrapado en una prisión invisible—. Vuelve la cabeza hacia el otro lado.

En la habitación se produjo un brillante fogonazo, como una nube de rayos en forma de hongo. El sonido resquebrajó las paredes en dos lados de la estructura y retumbó en las orejas de Gary de tal modo que por un momento se quedó sordo y ciego. La propia casa sufrió una sacudida que hizo vibrar las ventanas como si se tratara de una explosión. Cuando se despejó el humo, Rodney y Davis yacían en el suelo sin vida.

Gary se quedó mirando los dos cuerpos ennegrecidos lleno de horror, luego estiró una mano vacilante para tocar la barricada invisible que de algún modo le había protegido. Para su asombro, había desaparecido. Acudió de inmediato al lado de la chica. Aún respiraba, pero el pulso era débil y superficial. Intentó en vano soltar las argollas que la sujetaban a la mesa.

—Estás dejando huellas —le informó Gregori en voz baja. Se quedó mirando las anchas bandas de metal por un momento y a continuación soltó sus muñecas y tobillos—. Ahora márchate, aléjate de este lugar. Me reuniré contigo al final de la manzana. —Los ojos plateados miraron a Gary directamente a los ojos—. Mejor que me esperes allí. Te encontraré cuando lo desee.

—Ella necesita ayuda. —El ser humano estaba decidido a no ceder posiciones.

—Mientras pierdes el tiempo aquí, ahí fuera se está reuniendo toda una muchedumbre. Puedo protegerte de sus miradas si sales ahora. Más tarde, habrá demasiada gente. No va a pasarle nada a la chica. Haz lo que te digo. —Gregori ya estaba concentrando su atención en encontrar las huellas comprometidas del otro hombre, en suprimir todo recuerdo de él en la muchacha y en asegurarse de que los que se congregaban afuera no recordaran al hombre bajo y delgado, con un traje gris, que salió por la parte de atrás.

Gary Jansen se abrió camino entre la gente que ahora se apresuraba hacia la casa. Nadie le dedicó una sola mirada; incluso se chocaron con él, por lo visto sin darse cuenta. En la distancia se oyó el gemido de las sirenas. Bomberos. Policía. Ambulancia. Gary estaba conmocionado, tenía la mente casi aturdida. Fuera quien fuera la criatura que había entrado y le había salvado la vida tenía más poder del que él imaginaba que un ser podía tener. Su cerebro rebobinó cada uno de sus movimientos y palabras. No podía creer que hubiera tenido la oportunidad de salir de la casa de forma tan sencilla. La criatura ni siquiera había bebido su sangre. De hecho, no sabía si la criatura bebía sangre. Llegó a la esquina y de súbito notó una terrible debilidad. Sus rodillas parecían de goma, las piernas gelatina, y tuvo que sentarse apresuradamente en el bordillo.

Una mano le rodeó por la nuca y le inclinó la cabeza hacia delante.

—Limítate a respirar. —Era una orden pronunciada con la misma voz cautivadora del almacén.

Gary tomó grandes bocanadas de aire, luchando contra el mareo. Con torpeza, intentó recurrir al sentido del humor.

—Lo siento, pero no me encuentro con alguien como tú cada día. —Cuando la mano se retiró poco a poco de su cuello, Gary se enderezó para mirar la figura alta y poderosa que se elevaba ante él. Nunca había visto un individuo de aspecto tan peligroso. Se tragó su miedo para poder hablar.

—¿Vas a matarme? —Las palabras surgieron involuntariamente.

Deja de adoptar ese aspecto de lobo grande y malo, sugirió Savannah. *Vas a provocarle un ataque cardiaco a este pobre hombre.*

Gregori suspiró exasperado.

—Si fuera a matarte, ya estarías muerto. ¿Qué motivo podría tener para quitarte la vida?

Gary se encogió de hombros.

—Ninguno, espero. —Se incorporó con cuidado y soltó una lenta exhalación. De cerca el hombre aún parecía más peligroso. Como un hambriento felino salvaje.

—Esta noche ya me he alimentado —dijo Gregori con sequedad.

—Me estás leyendo los pensamientos, ¿no es así? —Gary intentó no dejar ver su excitación. Siempre había querido conocer un vampiro de verdad. Siempre. Desde la primera película de vampiros que había visto, le habían fascinado y enganchado. Estaba asustado, no cabía la menor duda, pero ésta era la ocasión de su vida—. Te he visto. ¿Quiere decir eso que tendrás que matarme? Has dejado ir a la chica porque ella no te había visto en ningún momento.

Gregori hizo un ademán con la cabeza en dirección a la calle y entonces los dos se pusieron a andar, dejando atrás el caótico escenario.

—Aunque lo contarás, nadie te creería. En cualquier caso, podría suprimir tus recuerdos de nuestro encuentro sin esfuerzo. La chica no te recordará a ti tampoco.

—A mí mismo me cuesta creer todo esto. Pues tienes razón, sí, aunque se lo contara a mis padres, harían que me encerraran. Esto es asombroso, asombroso del todo. —Se dio una vuelta completa, cerrando los puños en señal de victoria—. Tío, esto es genial.

Tráelo a casa, Gregori, sugirió Savannah.

Por nada del mundo, Savannah. Éste también está majareta. No me hacen falta dos volviéndome loco. ¿Por qué alguien medianamente cuerdo querría conocernos?

—Me uní a la sociedad para ver si tenían alguna evidencia de la existencia de... —vaciló Gary— vampiros. Eres un vampiro, ¿a que sí?

—Piensa lo que quieras —dijo Gregori sin comprometerse.

—Decían que habían conseguido la sangre de un vampiro, ¿sabes? Al principio pensé que sería un cuento, pero era muy inusual, material de veras interesante. Nunca he visto algo parecido. Soy bioquímico, y para mí era una gran oportunidad. La sangre me convirtió en un creyente. —Se comía las palabras en su esfuerzo de explicarse—. Todo el mundo pensaba que yo estaba loco, incluso los miembros de la sociedad, pero a mí me parecía que podía ser algo genial establecer contacto con un vampiro de verdad. Por desgracia, ellos sólo quieren capturarlos para hacerlos rodajitas.

Gregori sacudió la cabeza ante la ingenuidad de los seres humanos.

—¿No se te ocurrió pensar que un vampiro podría ser una criatura muy peligrosa? ¿Que dejar a un vampiro al descubierto pudiera costarte la vida? ¿Quizá incluso la muerte de tu familia? ¿Todos los seres a quienes quieres o que te preocupan?

—¿Por qué? ¿Por qué un vampiro iba a tener que hacer eso? —preguntó Gary insistente. Estaba claro que Gary era un hombre que pensaba lo mejor de todo el mundo.

¿Ves por qué evito a los humanos, ma chérie? *Son criaturas tontas y exasperantes.*

Te cae bien. No puedes escondérmelo, aunque intentes ocultártelo a ti mismo. Invítale a casa.

Ni por todo el oro del mundo.

Quiero conocerle.

Savannah. Ella no tenía buenas intenciones, Gregori estaba convencido. Se pasó la mano por la nuca y se dio un buen masaje. *Lo que tendría que hacer es pegarle un buen susto para que deje estas tonterías de una vez.*

—O sea ¿que tú sí? —preguntó Gary.

—¿Que sí qué? —Gregori estaba distraído. ¿Por qué había hablado con este insensato para empezar? Porque Savannah le estaba volviendo loco. Savannah le había llevado a hacer esta tontería. Había leído la mente de Gary y le había encontrado una persona interesante y simpática.

No me eches a mí la culpa. Ella sonaba inocente.

—¿Eres un asesino a sangre fría? ¿Matarías a mi familia y amigos? —insistió él.

—Sí a la primera pregunta —respondió Gregori con sinceridad—. Y un vampiro verdadero es un gran impostor. ¿No has leído las leyendas de vampiros que someten a seres humanos a su poder? Un verdadero vampiro te destruiría a ti y a todos tus seres queridos. Es lo único que le divierte. Nunca desees encontrarte enfrentado a un vampiro. Respecto a lo de matarte a ti y a tu familia, si me amenazaras, no dudaría en hacerlo.

Gary dejó de andar y alzó la vista al hombre que caminaba a su lado. Gregori avanzaba por el tiempo y el espacio sin producir sonido alguno. Sus peculiares ojos plateados hipnotizaban, eran unos ojos inquietos que no pestañeaban.

Todo en él alertaba peligro, no obstante, Gary se sentía atraído por él. Podría escuchar por siempre el sonido de esa voz.

—Me tomas el pelo, ¿verdad? Pero ¿estás diciendo que no eres un vampiro?

—Soy un cazador de no muertos, un destructor. Sin embargo, hay un verdadero vampiro entre los miembros de la sociedad de la que formas parte. Les destruirá a todos. —La voz sonaba suave y desapasionada, sin expresión.

Gary se pasó la mano por el pelo.

—Me cuentas todo esto porque planeas suprimir todos mis recuerdos de ti, ¿no es así?

Los ojos plateados descansaron en el rostro de Gary con pesar.

—No puedo hacer otra cosa. No debería haberme mostrado a ti. Pero tienes mucho valor, y el único deseo que podía concederte era permitirte conocer algo de lo que buscabas.

Qué tierno eres, Gregori, dijo Savannah con voz arrulladora, pero fuerte en su mente.

No soy tierno, objetó él con vigor.

—No se qué he hecho para merecer esto —dijo Gary—, pero estoy agradecido de verdad.

—Intentaste salvar a la chica y también a mí. No creía posible que uno de vosotros, de tu «sociedad», acudiera alguna vez en ayuda de uno de nuestra especie. —Gregori era sincero porque sentía que aquel ser humano lo merecía.

—Pues en mí sí puedes confiar. No estoy dispuesto a revelar tu secreto. ¿Hay más humanos que conozcan la verdad?

—Corren un peligro constante. No te deseo eso a ti.

Eres el más tierno de los hombres, insertó Savannah con suavidad, rozándole con la voz, con sus palabras reverberantes.

Gregori frunció el ceño. ¿Reverberantes? Eso significaba proximidad. Se volvió en redondo maldiciendo en francés, una disertación elocuente que dejó a Gary encogido. Sin embargo, Savannah se limitó a coger a Gregori por el brazo, sonriente con estrellas danzando en sus ojos. Ella era así. Le distraía y luego le sacudía violentamente con su sonrisa. Con sus ojos azules violáceos y esos malditos centros estrellados. Ni siquiera tenía la decencia de aparentar arrepentimiento.

No te enfades, Gregori. Me sentía sola en la casa sin nadie más. ¿Te has enfadado mucho de verdad? ¿O sólo un poco? Su voz era un suave susurro de sirena, confeccionado con sábanas de seda y luz de velas. Sus largas pestañas, densas y pesadas, oscilaban con un efecto mágico que atrapó su mirada y la mantuvo cautiva.

Es imposible que te sientas sola si no dejas ni un momento de rondar por mi cabeza

—Tú eres Savannah Dubrinsky. —Gary pronunció su nombre con veneración—. Dios mío, debería haberlo adivinado.

Gregori cambio de actitud por completo, al instante se volvió amenazador y peligroso. Su rostro parecía tallado en piedra, con la boca dura y levemente cruel. A Gary se le puso literalmente el vello de la nuca de punta. Tragó saliva y se apartó un poco de la mujer de forma instintiva. No es que culpara aquel hombre o criatura, o lo que fuera, pero su reacción era más propia de una bestia indomable que de un hombre civilizado. Y él no iba a jugársela.

Savannah se rió un poco. Se inclinó hacia el hombre pese al brazo restrictivo de Gregori.

—Puede leer tu pensamiento —le recordó a Gary en voz baja, pero su aliento le rodeó el cuello con calor seductor.

El hombre se apartó como si se hubiera quemado y el rostro se le puso como la grana, al tiempo que miraba a Gregori con expresión culpable.

Los rasgos sombríos de Gregori se relajaron. El gesto severo de su boca se suavizó.

—No te preocupes, Gary, es incorregible. Hasta yo tengo problemas con ella. No puedo culparte de algo que ni yo mismo soy capaz de controlar. —Cogió a Savannah por su delgada cintura y la acurrucó bajo su hombro.

¿Estás enfadado? La sonrisa se desvanecía de sus ojos y de su boca.

Gregori la sujetó contra él cuando ella se tambaleó un poco. *Podemos discutir eso en casa, chérie. Ya estás aquí, y por qué no vas a darle el gusto al chico, está ilusionado de verdad. Dale ese gusto, pero no demasiado.*

Ella se relajó pegada a su cuerpo. Tan rápido. Tan fácil. Como si fuera su sitio, como si fuera su otra mitad. Estaba empezando a creer que era posible.

La seductora sonrisa de Savannah atravesó con un rayo a Gary.

—¿Te apetece ir al Café du Monde? —preguntó—. Aún está abierto. Podemos sentarnos y hablar un rato.

Gary dirigió una rápida mirada al rostro impasible de Gregori. ¿Quién le negaría algo? Parecía algo misterioso y mágico, parecía salida de otro mundo. Gregori tenía el aspecto cruel y despiadado de siempre, con sus rasgos de granito, peligrosos y sombríos, y la mirada plateada fría, pero destellante de amenazas. Pero su postura era protectora, el gesto con que la rodeaba por la cintura era tierno. Gary apartó la mirada con una sonrisa. Por lo visto, los vampiros también tenían problemas con las mujeres.

—¿Te apetece venir con nosotros al Café du Monde? —preguntó Gregori en tono tranquilo, mientras cambiaba de rumbo para encaminarse por la calle Saint Ann en dirección a Decatur y a la plaza Jackson.

Mientras pasaban junto a la famosa catedral de St. Louis, Gary se aclaró la garganta.

—Siempre he querido saber si es verdad que los vampiros no pueden entrar en lugares sagrados. ¿Puede una persona protegerse llevando una cruz o es una vulgar patraña?

—El vampiro no puede entrar en lugares sagrados. Su alma está perdida para siempre. Así lo ha elegido al tomar la decisión de convertirse en vampiro —respondió Gregori en voz baja—. No cometas el error de sentir lástima por el vampiro. Es verdaderamente maligno.

—Estás echando por tierra todas mis teorías —dijo Gary con tristeza.

—¿Cuáles son tus teorías? —preguntó Savannah con su mirada azul fija en su rostro. Le hizo sentirse como si fuera el único hombre en el mundo, como si lo que fuera a decir tuviera una importancia enorme para ella.

Gregori se agitó inquieto. Fulminó a Gary con sus ojos fríos y despiadados, dejando un mal sabor de boca en el humano. Gary quiso explicar a aquella criatura que no podía evitarlo, que Savannah era demasiado sexy, pero tuvo el claro presentimiento de que admitir aquello no le reportaría ningún beneficio. En vez de eso, mantuvo la mirada bien apartada de la belleza evocadora de Savannah y centró sus pensamientos en lo excitante de encontrarse con unas criaturas de la noche tan míticas. El sueño de toda su vida.

—Ibas a explicarnos tus teorías —le animó Gregori con amabilidad.

Cruzaron la calle junto a una multitud de turistas errantes. Gregori era demasiado consciente de que la mayoría de ellos se quedaban mirando a su pareja. La gente volvió la cabeza cuando ella permaneció de pie en el extremo del patio del café, donde las mesas estaban dispuestas muy juntas. Uno de los camareros les hizo una indicación en dirección a una mesa vacía, luego reconoció a Savannah, quedándose boquiabierto por un breve momento, y a continuación se apresuró a tomarles nota.

Gregori se sentó de espaldas a una gruesa columna, oculto parcialmente entre las sombras, con ojos inquietos y todos los sentidos alerta. No podía permitirse bajar la guardia. En algún lugar en esta ciudad, había un poderoso vampiro con una legión de títeres humanos que cumplían todos sus deseos.

Savannah firmó varios autógrafos y charló brevemente con cada una de estas personas que se acercaba a su mesa. La mano de Gregori estaba en su nuca moviendo los dedos con ternura, relajantes, sobre su piel desnuda. Se sintió muy orgulloso de ella. Pero para cuando llegaron el café y las baguettes, incluso Gary tenía ganas de librarse de los admiradores que se arremolinaban cada vez más numerosos.

Gregori llamó al camarero y se inclinó para hablarle con voz hipnótica.

—Savannah está encantada de firmar autógrafos a vuestra clientela, pero necesita un poco de tiempo para ella misma, para disfrutar de vuestro extraordinario café en este instante. —La sugerencia era una orden clara, los ojos plateados atraparon los del camarero sin darle oportunidad de hacer otra cosa que aceptar.

Savannah agradeció con una sonrisa a los camareros que le proporcionaron una leve protección de los turistas que se agolpaban a su alrededor.

—¿Es así en a cada sitio al que vas? —preguntó Gary.

—Bastante. —Savannah se encogió de hombros con calma—. En realidad no me importa. Peter siempre... —Se interrumpió de súbito y se llevó a los labios la taza humeante.

Gregori notó la pena que la embargaba, una piedra aplastante que oprimía su corazón. Le pasó la mano por el brazo para enlazar sus dedos. Al instante inundó de afecto y consuelo su mente, la llenó de la sensación de sus brazos rodeando su cuerpo, estrechándola en un abrazo.

—Peter Sander siempre se ocupaba de los detalles en torno a las actuaciones de Savannah. Y era muy competente a la hora de protegerla. Le asesinaron después de su último espectáculo en San Francisco. —Ofreció aquella información a Gary con suma calma.

—Lo lamento —dijo Gary al instante, de corazón. El pesar de Savannah era evidente en sus grandes ojos azules. Relucían de dolor.

Gregori se llevó la mano de Savannah hasta el calor de su boca y calentó con su aliento el pulso que latía en su muñeca. *Hace una noche especialmente bella,* mon petit amour. *Tu héroe salvó a la chica, y ahora camina entre los humanos y conversa con un necio. Eso por sí solo debería devolver la sonrisa a tu rostro. No llores por lo que ya no puede cambiarse. Nos aseguraremos de que este ser humano que está con nosotros no sufra ningún daño.*

¿Así que eres mi héroe? Había lágrimas en su voz, en su mente, como un prisma iridescente. Le necesitaba, su consuelo, su apoyo bajo el peso terrible de la culpabilidad, del amor y de la pérdida.

Siempre, para toda la eternidad, respondió al instante sin vacilar, con ojos cálidos como el mercurio. Inclinó su cabeza hacia arriba para que encontrara el brillo de sus ojos plateados. *Siempre*, mon amour. Su mirada derretida atrapó los ojos azules y los mantuvo cautivos. *Tu corazón se aligera. La carga de tu pena se hace también mía.* Aguantó la mirada unos momentos más para asegurarse de que Savannah se libraba de aquella pesadez aplastante.

Ella pestañeó y se separó un poco de Gregori, preguntándose en qué había estado pensando. ¿De que hablaban?

—Gary. —Gregori pronunció su nombre despacio arrastrando las sílabas y se recostó en su silla totalmente relajado. Parecía un tigre despatarrado, peligroso e indomable—. Háblanos de ti.

—Trabajo mucho. No estoy casado. En realidad no soy una persona muy sociable. Básicamente soy un pringado.

Gregori cambió de posición con un sutil movimiento de músculos que sugería un gran poder.

—No estoy familiarizado con ese término.

—Ja, bien, cómo ibas a estarlo —respondió Gary—. Viene a significar que tengo mucho cerebro y cero músculo. No me va el rollo atleta. Me van los ordenadores y el ajedrez, cosas que requieran intelecto. Las mujeres me encuentran flaco, debilucho y aburrido. Para nada lo mismo que a ti. —No había amargura en su voz, sólo una aceptación tranquila de sí mismo, de su vida.

Los blancos dientes de Gregori resplandecieron.

—Sólo hay una mujer que me importe, Gary, y ella encuentra difícil vivir conmigo. No puedo imaginarme por qué, ¿y tú?

—¿Tal vez porque eres celoso, posesivo, porque te preocupas de cada detalle de su vida? —Gary se tomó la pregunta de forma literal, y ofreció sus comentarios sin juzgar—.

Probablemente también seas dominante, eso es fácil de ver. Sí. Tal vez resulte duro.

Savannah estalló en carcajadas, con un sonido musical que rivalizaba con los músicos callejeros. La gente que la oyó volvió la cabeza y contuvo la respiración, confiando en escuchar un poco más.

—Muy astuto, Gary. Muy, muy astuto. Apuesto a que tu coeficiente intelectual es enorme.

Gregori volvió a agitarse, su movimiento fue una oleada de poder, de peligro. De repente se inclinó hacia Gary.

—¿Te crees inteligente? Provocar a un animal salvaje no es de listos.

Gary unió sus risas a las de Savannah.

—¡Me estás leyendo el pensamiento! Lo sabía. Sabía que no me tomabas el pelo. Cómo mola esto. ¿Cómo lo hacéis? ¿Creéis que los humanos pueden hacerlo? —Por un momento se había sentido intimidado, pero la risa en los ojos de Savannah alivió toda tensión.

Savannah y Gregori intercambiaron una sonrisa. Fue Gregori quien respondió.

—Sé con certeza que hay unos pocos humanos que poseen ese talento.

—Ojalá yo lo tuviera. ¿Qué más podéis hacer?

—Pensaba que estábamos hablando de ti —dijo Gregori en tono amable; en cierto sentido no deseaba dejar al humano con aquella percepción de sí mismo que no le hacía justicia—. No había conocido un ser humano con tanto valor y sagacidad como el que has exhibido esta noche, y llevo viviendo mucho tiempo. No te valores tan poco. Tal vez te refugias en el trabajo para evitar el sufrimiento de alguna relación fallida.

Las largas pestañas de Savannah cayeron sobre sus mejillas para disimular su expresión. Y esto lo decía un hombre que se percibía a sí mismo como un monstruo y que afirmaba no sentir nada por nadie o por nada.

Gary dio un trago al célebre café de la casa y dio un rápido mordisco a las baguettes por las que el Café du Monde era tan famoso. Le parecieron deliciosas. Advirtió que la pareja que tenía enfrente daba la impresión de estar comiendo, pero no estaba seguro de que lo hicieran. ¿Qué eran? ¿Por qué se sentía tan a gusto con ellos? Le encantaba su compañía. Le daba energía. Le serenaba. Interesante observación, teniendo en cuenta que el hombre que tenía enfrente más bien parecía un animal peligroso, arrinconado, mortal ante cualquier provocación. Había sido testigo de su poder.

Y ¿si lo que decía aquel hombre era verdad? Y ¿si los vampiros eran grandes impostores? Y ¿si el hombre que estaba sentado como si tal cosa frente a él le estaba engañando? Gary estudió aquel rostro inexpresivo. Era imposible determinar su edad. Tenía una belleza austera, con un atisbo de crueldad, aun así era increíblemente apuesto. Se pasó la mano por el rostro. ¿Cómo podía saberlo uno?

—Ése es el problema con los vampiros, Gary —le aconsejó Gregori en voz baja—. No hay manera de que un humano pueda diferenciar cuál es el cazador y cuál es el vampiro.

Gary advirtió el uso del cuál en vez del quién. ¿Qué era él?

—Entrar en nuestro mundo es muy peligroso —añadió Savannah con amabilidad. Se acercó para poner una mano en el brazo de Gary, un gesto comprensivo natural en ella, pero un gruñido grave y fiero surgido de la garganta de Gregori la detuvo. Dejó la mano en su regazo.

Gregori pasó la punta del dedo sobre sus nudillos como una especie de disculpa por su imposibilidad de controlar sus modales posesivos.

Gary respiró hondo.

—Tal vez sea cierto, pero tal vez yo ya esté implicado. En teoría yo no debería estar en el almacén esta noche, pero aparecí por allá. No estaba convencido con mi fórmula, de modo que llevé a cabo alguna investigación adicional. Hice un análisis de la composición química y me enfadé tanto, que acudí a una de las pocas direcciones de la sociedad que tenía. Cuando encontré allí a la pobre chica, me puse hecho una furia y llamé al jefe —Morrison— a su número particular. No estaba disponible, pero dejé el mensaje de que iba a clausurar la sociedad, que iba a hablar a la prensa y denunciarles a la policía. Creo que Rodney no tenía tanto interés en matarte a ti como en matarme a mí. Tengo la sensación de que alguien le ordenó mi muerte.

—Estaba coaccionado por un vampiro. Nada le habría detenido —admitió Gregori.

—De modo que ya soy un objetivo, ¿no es así? —indicó Gary con aire triunfal.

Gregori volvió a suspirar.

—No se te ocurra estar contento de algo así. Hay límites en cuanto a nuestra protección. Y has puesto en peligro a Savannah. —*Sólo por eso podría arrancarte el corazón.* Las palabras parecían vibrar en el aire, audibles aunque no pronunciadas.

Gary se mostró sorprendido.

—Lo siento. No pensé en eso. Supongo que será también un objetivo si la han visto conmigo. —Era obvio que lo lamentaba—. Siento terriblemente no haber tenido siquiera en cuenta algo así.

—Baja la voz —le recordó Gregori en tono amable—. Necesitamos saber más sobre los implicados en esta sociedad. ¿Tienes una lista de nombres?

—Sí, de los que trabajaban en el laboratorio. Me refiero al laboratorio legal. No a los pervertidos que has visto esta noche. —Gary se pasó una mano por el pelo lleno de agitación—. Quiero llamar al hospital y asegurarme de que la chica se encuentra bien. Ya sabes, aún me cuesta creer que quisieran hacerla rodajas estando aún con vida.

—Te lo he dicho —reiteró Gregori—, la única fuente de diversión del vampiro son las penalidades de quienes le rodean. Corromperá a posta a todos los que considere menos probables de sucumbir a sus poderes. Para él es un juego. Tú eres un buen hombre, Gary, pero no eres rival para un vampiro. Podría hacer que mataras a tu propia madre. Cualquier aberración, eso te obligará a hacer.

—No quiero que borres mis recuerdos —suplicó Gary—. He esperado toda la vida este momento. Sé que dices que no puedo distinguir entre un vampiro y un cazador, pero creo que te equivocas. Por ejemplo, contigo no me muero de miedo. Pareces peligroso, tu comportamiento es peligroso, ni siquiera lo disimulas. Eres un hombre terrorífico, pero me pareces un amigo. Te confiaría la vida. Apuesto a que algo maligno tendría un aspecto agradable, pero a mí me parecería infame.

Gregori reposó sus relucientes ojos plateados en su rostro, con un rayito de afecto en ellos, un atisbo de humor.

—Ya estás confiándome tu vida.

Savannah se apoyó en Gregori.

—Estoy tan orgullosa de ti. Estás asimilando todo esto del humor. —Miró a Gary, sentado al otro lado de la mesa, con risa en sus enormes ojos azules—. Tiene cierto problema con el concepto del humor.

Gary se encontró riéndose con ella.

—Puedo creerlo.

—Cuidado, chaval. No hay necesidad de ser irrespetuoso. No cometas el error de pensar que puedes salirte con la tuya igual que lo hace ella. —Gregori tiró del largo pelo de ébano de Savannah. Le llegaba hasta la cintura, una cascada de seda negra azulada que se movía con vida propia, que tentaba e invitaba a los hombres a tocarla.

—Entonces, ¿que vais a hacer conmigo? —se aventuró finalmente Gary a preguntar.

Savannah contuvo su necesidad de tocarle con simpatía. Era efusiva por naturaleza, afectuosa por naturaleza. Cuando alguien estaba turbado, necesitaba mejorar las cosas. Gregori cohibía su reacción natural a consolar.

No puedo cambiar mi manera de ser, ma petite, le susurró con suavidad en la mente, alargando las sílabas, como un apaciguador terciopelo negro. La envolvió con su voz y la tocó con ternura. *Lo único que puedo prometerte es mantenerte a salvo e intentar hacerte lo más feliz posible para compensar mis carencias.*

No he dicho que tuvieras carencias, respondió ella con ternura, su voz era una caricia de suaves dedos descendiendo por su nuca hasta los músculos de su espalda.

La necesidad se apoderó de Gregori, traviesa y profunda. Un fuego se propagó por su piel. Deslizó despacio su mirada plateada sobre ella, posesivamente, tocando su cuerpo con lenguas de fuego. Tocando y acariciando. Su necesidad imperiosa explotó en él como un volcán. En su cabeza se inició un rugido apagado. Deseó de súbito que Gary se hubiera marchado. Que no existiera el café. Que todo el mundo hubiera desaparecido. Ya no estaba seguro de poder esperar a encontrarse en casa a solas con Savannah. De repente la orilla del río parecía muy tentadora.

Capítulo 12

Gary alzó la mano para pedir la cuenta. Había un profundo pesar en sus ojos. Regresaba a su vida normal. No es que fuera una mala vida, pero tenía buena sintonía con esta gente. Toda su vida había estado aislado. Nunca había conectado con los demás. Él era el que siempre iba por el camino diferente.

—Pues ya estoy listo. Adelante. Sólo tenéis que prometerme que me haréis alguna visita de vez en cuando.

Gregori movía la mano por el cuello de Savannah, pero de pronto se paró. Inspiró hondo. *¿Savannah?*

Yo también lo noto.

Gregori se inclinó sobre la mesa para mirar a Gary a los ojos. *Vas a hacer lo que te diga Savannah sin rechistar, sin pensar. Obediencia instantánea.*

—Gary, quiero que ahora te vayas con Savannah. Nos persiguen. Ella os protegerá a ambos de las miradas de la gente, y yo llevaré a los depredadores en otra dirección. Savannah, nos introduciremos juntos en las sombras. ¿Te las arreglarás para que no os vean a ninguno de los dos sin mi ayuda? Necesitaré conservar una imagen de ambos caminando conmigo durante cierta distancia y también me gustaría crear una tormenta inesperada. Las nubes os serán de cierta ayuda.

—No hay problema —respondió ella sin vacilar. Nada en su rostro traicionaba su repentina aprensión. Era el modo de vida de Gregori, no el suyo. Él era el maestro.

Gregori dejó dinero en la mesa y sonrió al camarero a los ojos. *Nos ayudarás a salir de este lugar sin ningún incidente.* Sus ojos plateados mantuvieron cautivo al camarero durante un breve momento. Cuando liberó al hombre de la sumisión hipnótica, el camarero hizo un ademán a sus compañeros y formaron un semicírculo espacioso entre la mesa y el resto de ocupantes del patio.

Gregori añadió una generosa propina e hizo un gesto de asentimiento a Savannah y a Gary para ponerse en marcha. Savannah se movió con gracilidad, cruzando directamente la calle oscurecida para encaminarse hacia las sombras de la plaza. Era muy consciente de que Gregori la seguía de cerca con su cuerpo protector. Por un momento, pensó que le rozaba el hombro con la mano, la sensación fue tan real, pero cuando volvió la cabeza, él iba más rezagado.

Vete, ma petite, *llévate a Gary a casa. No permitas que los vecinos os vean a ninguno de los dos. Y coloca las protecciones con sumo cuidado.*

Y ¿qué hay de ti?

No hay protección que yo no pueda deshacer. Vete ya. Esta vez, no hubo confusión. Él estaba a metro y medio de distancia, alejándose ya de ella, pero notó su boca quemándole los labios posesivamente, demorándose tan sólo un momento, siguiendo la curva del labio con su lengua. Savannah no conseguía creer que tuviera ese efecto sobre ella, que le deseara tanto, que ardiera en deseos por él, teniendo en cuenta que él se adentraba en la noche a solas para pelear con sus enemigos.

La noche siempre ha sido mía, Savannah. No pierdas el tiempo preocupándote de mí. La voz suave y cautivadora emanaba seguridad. Gregori se alejaba caminando por el extremo de la plaza y, a su lado, Gary y Savannah parecían moverse al mismo paso despreocupado. Sin prisas. Como turistas visitando lugares de interés.

Las nubes empezaron a bullir en el cielo, moviéndose rápidas y oscuras, levantando una inesperada y fina neblina, un vaho que se elevó en el calor de la noche. Savannah se concentró en su tarea. Era relativamente fácil volverse invisible cuando quería evitar a alguien, pero nunca había intentado proteger a otra persona de miradas indiscretas. Apartando con firmeza su mente del tema de la seguridad de Gregori, de la certidumbre de que él tendría que matar una vez más, cogió a Gary por el hombro y le volvió hacia la línea de tiendas que llevaban hasta la plaza.

—Pégate a las tiendas y no dejes de andar, pase lo que pase, aunque parezca que alguien vaya a chocarse contigo.

Gary no hizo ninguna pregunta, pero ella notó su corazón palpitante en medio del aire nocturno. Desde el río se levantó una bruma, un denso caldo vaporoso que se desplazó con el viento hasta la plaza y avanzó deprisa cubriendo las calles. La gente se reía en voz alta para ocultar su repentino nerviosismo. Junto con el manto de bruma se propagaba el desasosiego, una sensación de peligro. En la bruma se movían cosas, cosas malignas, criaturas de la noche.

Gregori mantuvo la ilusión de que Savannah y Gary paseaban junto a él por la orilla del río. Parecían moverse como una unidad, deambulando y charlando entre ellos con tranquilidad. Gregori quería poner distancia entre los inocentes humanos y la ilusión que estaba creando. Notaba que le seguían. Eran zombis, títeres macabros enviados a cumplir los deseos de su señor. Se le escapó un lento siseo al notar que el demonio en su interior levantaba la cabeza y desenfundaba las garras, luchando por liberarse.

Estiró el cuerpo, sus músculos se tensaron, acogiendo con satisfacción el poder familiar que surgía de él. Se rió en voz baja, una queda burla lanzada como desafío. Tocó con su mente la de Savannah para asegurarse de que ya casi estaban en casa. Estaba haciéndolo muy bien, ella y el humano pasaban inadvertidos a todos cuantos llenaban las calles. Savannah no era más que una chiquilla, una novata, con poca formación en sus costumbres. Estaba orgullosa de ella, de cómo zigzagueaba entre la muchedumbre de turistas que salían del Preservation Hall. Era una tarea difícil y ella la estaba realizando como una profesional.

Permitió que las dos ilusiones que había creado titilaran sobre el agua, se desvanecieran poco a poco y luego se disolvieran entre la neblina. Sólo él podía continuar a través de la extensión de agua que le separaba del embarcadero de Algiers. Quería estar seguro de que los no muertos veían su desafío. Los subalternos del vampiro se movían bajo una siniestra coacción asesina. Una sonrisa lenta y sin humor intensificó el gesto cruel de su boca. El vampiro, que perseguía a Savannah, no tenía ni idea de que iba a lidiar con Gregori, el Taciturno, aquí mismo, en Nueva Orleans.

Julian Savage era un gran cazador, tal vez el segundo mejor después de él. Si Julian había mantenido aquí su residencia y no había destruido al maestro vampiro, sólo quería decir que el no muerto abandonaba la ciudad cada vez que Julian regresaba a Nueva Orleans. Era obvio que el maestro vampiro sacrificaba a otros de su especie sin escrúpulos. Los vampiros a menudo se agrupaban para unir fuerzas contra el cazador, pero no les unían vínculos de lealtad.

Gregori esperó entre los árboles a lo largo de la orilla del río. Oyó los gruñidos apagados de los dos atacantes, como si fueran necrófagos, que se habían abierto camino tras él a través del agua. Tenían un bote propulsado por un motor que silbaba y chisporroteaba ruidosamente, pero no intentaban ocultar su presencia. Era típico de estos sádicos, la dedicación a toda prueba a cumplir las órdenes del vampiro. No tenían otro propósito, ni otra vida. Eran títeres macabros y serviles, en otro tiempo seres humanos que ahora necesitaban la sangre mancillada del vampiro para seguir existiendo, que dormían en alcantarillas y tumbas poco profundas para huir del sol mortífero. Los vampiros mataban normalmente a las víctimas de las que bebían la sangre, pero, a veces, cuando necesitaban criados para realizar tareas a la luz del día, compartían con éstos la sangre mancillada sin matarlos, dejando a sus víctimas unidos a ellos, robándoles su mente y alma.

Pero estos títeres eran de todos modos muy peligrosos. Su fuerza era enorme, eran astutos y al carpatiano ordinario le costaba matarlos. Para los humanos era casi imposible. Dio un respingo al imaginarse a Savannah atrapada por estas dos abominaciones. Ella era una aprendiz, incapaz de matar a estas criaturas. Quizá debiera haberlos matado a distancia —Gregori había aprendido hacía mucho tiempo todas las artes asesinas de su mundo y de los humanos—, pero quería asegurarse de que nadie más quedaba atrapado en la batalla. Y quería que el vampiro que les había enviado comprendiera que recogía el guante. *Gregori. El Taciturno.*

La embarcación se había enredado en algunas raíces de árboles que surgían hacia arriba desde las aguas oscuras y turbias. Gregori no intentaba ocultarse de los zombis. Esperó relajado con la bruma enroscándose a sus piernas. La ligera neblina soplaba sobre su rostro y se propagaba como una fina manta a través de la noche.

Los dos títeres salieron de la barca con torpeza, salpicando agua en todas direcciones. Gregori inspiró a fondo, notó la súbita agitación en el aire. El vampiro pensaba que la trampa ya se había accionado. Los carpatianos eran capaces de detectarse unos a otros cuando se encontraban a cierta distancia. El vampiro debía de haber detectado el momento en que Savannah había entrado en su territorio, pero no se había enterado de la presencia de Gregori. Gregori era capaz de andar entre su propia gente sin ser visto si así lo deseaba. Ocultarse se había vuelto algo tan natural para él como respirar. Estaba claro que el vampiro, que había huido corriendo de Julian, pensaba que se ocupaba de un carpatiano inferior. Un novato.

Los dos subalternos subían con torpeza por el muro de contención. En dos ocasiones el hombre pelirrojo se cayó al agua, salpicando agua mientras intentaba recuperar el equilibrio. Los dos zombis se separaron, para continuar acercándose desde ambos lados.

Entérate bien, maligno, Gregori envió la fuerte llamada mental. Notó una repentina fluctuación en el aire mientras el vampiro tomaba conciencia de que la pesada bruma, la neblina poco habitual y las nubes amenazadoras no eran un fenómeno natural. El vampiro se detuvo, preocupado. Los elementos estaban recreados a la perfección, eran pocos los que podían crear una obra de arte así. *Me has lanzado tu desafío, y yo he aceptado. Ven aquí.* La voz de Gregori sonaba grave y cautivadora. Hermosa. No había otra igual. Y nadie podía resistirse cuando él decidía esgrimir todo su poder mortal.

El vampiro se resistió a aquella coacción, a la orden hipnótica, pero su figura surgió relumbrante entre la bruma por encima del agua. Su rostro era una máscara retorcida, perversa, con ojos encendidos de rojo y encías encogidas que revelaban dientes afilados y punzantes. Unas garras curvaban sus manos, como cuchillas destructivas. Bufó su veneno, asustado y furioso por que alguien como él tuviera que salir a la luz en contra de su voluntad. No había ningún sitio donde esconderse de esa voz. Le susurraba, y se vio obligado a emerger por completo y a materializarse, incapaz de mantener el espejismo.

Durante siglos había sido una araña vanidosa que tejía una tela maligna, tratando de pasar desapercibido y huyendo cuando era necesario.

—Gregori, no puedo creer que alguien como tú decida dar caza a un oponente tan insignificante como yo —dijo adulador con una tonta sonrisa, como si fueran viejos amigos.

—¿Te haces llamar Morrison últimamente? —Los ojos claros de Gregori se desplazaron al zombi que tenía a la izquierda y que se aproximaba poco a poco, cada uno de sus movimientos supervisado con atención por el vampiro—. Cuando eras joven, te llamabas Rafael. Desapareciste hace unos cuatrocientos años.

Los dientes punzantes, amarronados por los siglos de consumo de sangre humana cargada de adrenalina, centellearon en un parodia grotesca de sonrisa.

—Estuve bajo tierra durante casi un siglo. Cuando me levanté, el mundo había cambiado mucho. Tú eras el asesino autorizado del príncipe, te alimentabas de nuestra especie. Dejé nuestra patria, expulsado por tu fiebre, por tu propia sed de sangre. Ahora éste es mi santuario, mi hogar. No he pedido nada más. ¿Por qué te presentas aquí sin invitación y te atreves a acosarme?

Gregori comenzó a concentrarse en el propio aire, para construir la carga que necesitaba, acumulándola en una bola de energía crepitante y ardiente que no era visible entre el caldero de nubes.

—Esta ciudad no es tuya, Rafael, a mí no puedes imponerme a dónde ir y a dónde no. Has mandado a tus sirvientes tras la pista de Savannah. Sabías que era mi pareja, aun así la has perseguido de forma premeditada. No se me ocurre otro motivo para tu comportamiento que el que desearas poner fin a siglos de depravación y que buscabas la justicia siniestra de nuestro pueblo.

El primer subalterno macabro arremetió contra él chillando ruidosamente, con movimientos pesados. Gregori se desvaneció, así de sencillo, y una afilada uña rajó el cuello manchado, cortando la yugular. El demonio aulló y empezó a describir círculos, y la rociada de gotas rojas relució oscura en la noche. El ruido continuó, agudo y estridente, reverberando por el agua, sorprendiendo a toda la fauna y ahuyentando a las aves. Las serpientes, turbadas por aquel alboroto, caían con un plaf sobre el agua. Más alejados, en el pantano, los lagartos se deslizaban por la orilla para introducirse en silencio en las turbias profundidades. Los gritos continuaron mientras el títere del vampiro giraba de un lado a otro, buscando a su pretendida víctima.

Gregori observaba de modo desapasionado desde donde se hallaba unos pocos metros de la patética criatura.

—Acaba con él, Rafael. Tú lo creaste, concédele la dignidad de la muerte.

El vampiro se regalaba la vista con el chorro de sangre; su saliva goteaba por la barbilla a causa de la expectación.

Como si tal cosa, estiró la mano y recogió en su palma un poco de la efusión de sangre y la lamió con ansiedad. La criatura gateó hasta él, rogando y suplicando, implorando al vampiro que le perdonara la vida. Rafael le apartó de una patada. El cuerpo, revolviéndose aún de forma desesperada, fue a caer en aguas más profundas y empezó a hundirse.

Con un juramento, Gregori alzó la mano y dirigió la bola de fuego al centro del cuerpo del hombre. Un zombi podía alzarse una y otra vez y, si no se eliminaba convenientemente, su creador podría volver a utilizarlo. Seguiría aterrorizando a quienes vivían a lo largo del río si Gregori no lo incineraba y lo volvía inútil para el vampiro.

Rafael retrocedió de un salto, horrorizado ante la visión de la bola naranja que atravesó directamente su obra de arte y al instante hizo explotar el cuerpo en una conflagración ardiente. Siseó ondulando la cabeza como el reptil que era.

Gregori le contempló con frialdad.

—Estaba equivocado. Tú no eres el maestro aquí. Eres uno de sus subalternos prescindibles, un esclavo inferior que se rinde adulador a sus pies y trata de ganarse su favor. No puedes ser Morrison.

Los ojos del vampiro centellearon con un rojo intenso y subió los labios para gruñir.

—¿Estás pensando en ridiculizarme? ¿De verdad crees que el tal Morrison es más poderoso que yo? Yo creé a Morrison. Él es mi criado.

Gregori se rió en voz baja.

—No intentes hacerte pasar por uno de los ancianos, Rafael. Por lo que recuerdo, ni siquiera de estudiante te esforzabas por aprender las salvaguardas necesarias para mantenerte ileso. —Inclinó la cabeza a un lado——. Esto fue idea tuya, no de Morrison, ¿correcto? Me provocaste enviando a ese ridículo Roberto tras Savannah, que ni siquiera merece llamarse vampiro, y mandaste a Wade Carter tras su rastro. Al que llaman Morrison es demasiado listo para eso. No querría saber nada de desafiarme.

Los ojos del vampiro centellearon llenos de ardiente furia. Su siseo era venenoso, su cabeza undulaba ahora más rápido, con un ritmo fascinante de los que utilizaba para hipnotizar a una víctima.

—Morrison es un necio. No es el maestro aquí. —Era difícil entender las palabras del vampiro entre sus gruñidos y siseos. La saliva, mancillada de su sangre corrupta, salía escupida de su boca y goteaba por la barbilla sobre la parte delantera de su gastada camisa de seda blanca, en otro tiempo elegante.

Gregori sacudió despacio la cabeza.

—Lo que tú querías era que yo diera caza a Morrison. Estabas usando a Savannah para sacarme a la luz y librarte de tu amo.

El segundo títere atacó desde detrás tras arrastrarse hasta Gregori de un modo sigiloso, atizándole con una enorme rama de árbol en la cabeza. En el ultimísimo segundo, Gregori se giró en redondo y destrozó la gruesa rama con el brazo, provocando una lluvia de astillas y briznas que llegaron hasta la orilla del río cubierta por el barro. Continuó con sus movimientos tranquilos, como un poderoso bailarín de ballet, fluido y fuerte, mientras rasgaba con sus garras la garganta al descubierto de su atacante, casi decapitando al servidor del vampiro con su fuerza despreocupada.

El vampiro estalló en un aullido de ira que se propagó como un trueno por la espesa bruma. La neblina era densa, las espirales de niebla se pegaban cada vez más a las piernas y cinturas y ascendían describiendo una amplia voluta que se enroscaba en torno al tórax. Parecía casi un ser vivo que respiraba, agazapado como una bestia, acumulando fuerza a medida que se movía.

Gregori sonrió complacido al vampiro, con la precaución de separarse del cuerpo que ahora se malograba indefenso en el barro.

—Pareces un pavo real, Rafael, exhibiendo tus plumas y paseándote ufano. Tienes que haber desarrollado durante siglos tal odio a Morrison. —Su voz era hermosa, se infiltraba en el cuerpo del vampiro y convertía en agua la fuerza acumulada gracias a las muertes de otros muchos. Esa voz susurraba con poder. Poder real. Invencible. Despiadada. Incesante—. Morrison es quien te permitió sobrevivir a los cazadores, mandándote fuera de la ciudad. Ha sido la manera en que él ha sobrevivido a los cazadores: marcharse cuando llegaban a la zona ocupada por él.

—Huir —dijo con desprecio Rafael—. Él sale huyendo incluso cuando tenemos una posición de fuerza. Esta ciudad debería ser nuestra. Juntos deberíamos repeler y destruir a cualquier cazador que se atreviera a venir aquí. Pero sale corriendo como un gallina, eso es lo que es. Desprecio su debilidad.

Gregori indicó con un gesto al monstruo que se retorcía y un rayo cayó con violencia al suelo desde la nube, perforando el mismísimo corazón del títere y dejando atrás sólo cenizas ennegrecidas e inútiles.

—Te crees tan poderoso —se burló Rafael—. Yo sí que he matado gente, tú no eres nada. Nada comparado con alguien como yo.

Los ojos plateados de Gregori, pálidos y fríos, relucieron en medio de la negra noche. Unas llamaradas rojas parpadearon a través de la plata. Él parecía crecer en poder y estatura.

—Yo soy el viento que anuncia la muerte, el instrumento de justicia enviado por nuestro príncipe para ejecutar la sentencia pronunciada por él por tus crímenes contra mortales e inmortales por igual. —Su voz era pureza, belleza, los tonos le resultaban dolorosos al vampiro, como púas atravesando su cabeza. Y aun así, no le quedaba otra opción: se acercó a su pesar, necesitaba oír otra vez ese sonido de tal pureza y belleza.

Cuando el vampiro dio un paso involuntario hacia delante, algo se aferró a sus pantorrillas y muslos y luego trepó para enroscarse a su pecho, apretando en todo momento. La presión era firme e incesante. Lleno de horror, el vampiro bajó la vista para ver las volutas de niebla que se movían, vivas, como una enorme y gruesa pitón deslizante que formaba un anillo cada vez más comprimido que aprisionaba su cuerpo.

—¡Pelea conmigo! —gritó Rafael rociando de sangre y saliva el barro y el agua—. Te da miedo luchar conmigo.

—Yo soy la justicia —dijo Gregori en voz baja, con una voz implacable, cargada de determinación—. No hay pelea posible, ni lucha, ya que sólo puede darse un único resultado. Sea un combate mental o físico, o sencillamente un duelo de nuestro ingenio, sólo puede darse un final. Yo soy la justicia. Eso es todo.

Sólo una ráfaga de viento, sin que el vampiro viera moverse en ningún momento al Taciturno. La velocidad fue tan increíble, que Rafael no pudo seguir el borrón de movimiento. Pero el vampiro notó el impacto. Duro. La convulsión sacudió todo su cuerpo. El vampiro permaneció allí, atrapado en el extraño abrazo de la bruma, mirando hacia abajo la mano extendida del cazador. Allí en su palma estaba su propio corazón que aún latía. El vampiro arrojó hacia atrás la cabeza y aulló lleno de rabia y horror. El negro vacío que constituía su alma perdida tiempo atrás había desaparecido, se elevaba por el aire nocturno con su apestoso hedor, como si fuera humo. Rafael chasqueaba los dientes, como si intentara morder al impasible cazador.

Gregori no cedió terreno, mantenía la mente cuidadosamente en blanco. Ésta era su vida. La razón de su existencia. Era la justicia siniestra necesaria para la supervivencia de su pueblo, para que su especie pudiera continuar existiendo en secreto. Permaneció allí en la noche, completa y absolutamente solo.

Gregori, yo estoy siempre contigo. Nunca estás solo. Búscame en tu corazón, en tu mente, en tu mismísima alma.

Observa ahora a tu héroe. Mira qué soy en realidad. Asesino sin pensar. Sin esfuerzo. Sin remordimiento. Sin piedad. Soy el monstruo que tú me llamaste, y no tengo rival. Algún día pagaré el precio final.

La suave risa de Savannah susurró sobre su piel. Era una brisa suave, purificadora, que circuló a través de su mente. *Y ¿quién es más fuerte que mi pareja? Nadie puede matarte.*

¿Piensas que el precio final es la muerte? No, Savannah. Algún día sabrás qué soy, y me mirarás llena de horror y repulsión. Cuando llegue ese día, dejaré de existir. Gregori observó al vampiro que empezaba a caer. Entonces se movió para concluir la desagradable tarea y cerciorarse de que el nosferatu no volvía a levantarse. Del cielo cayó una lluvia de

chispas ardientes, del tamaño de bolas de golf, que alcanzaron al vampiro y lo cubrieron de llamas. En la orilla cubierta de barro, a cierta distancia del cuerpo ardiendo, Gregori incineró el corazón de aquel ser maligno.

Ya está hecho, pareja. Ahora ven a casa, junto a mí. La voz de Savannah era grave e imperiosa, suave, seductora. No parecía preocuparle en absoluto la insistencia de Gregori en que viera que era un asesino. Que siempre sería un asesino. *Aquí está tu sitio. No estás solo, nunca estarás solo. ¿No notas cómo acudo a ti? Siénteme, Gregori. Siente cómo me acerco a ti, con necesidad.*

Él lo sentía, sí, en su mente y en su corazón. La voz de Savannah llegaba hasta algún lugar secreto y profundo que él mantenía cerrado, incluso a sí mismo. Savannah era todo lo hermoso que existía en el mundo y, que Dios les ayudara, él era incapaz de renunciar a ella.

Te necesito, Gregori. El susurro regresó. Esta vez sonaba más urgente. Le inundó con su deseo, con el calor creciente y el repentino temor a que él la dejara. *¿Gregori? Contéstame. No me dejes. No podría soportarlo.*

No hay posibilidad de que suceda algo así, ma petite. *Voy para casa.* Era el único santuario que había tenido jamás: Savannah. Ella le susurraba, sensual y queda; era un sueño que había vislumbrado desde hacía tanto tiempo que ahora ella formaba parte de su alma. Savannah le susurraba su aceptación total e incondicional. Gregori se lanzó al cielo y su cuerpo se disolvió en la bruma hasta formar parte de la niebla que se desplazaba y que él había fabricado.

No obstante, aún perduraba en él una especie de furia que le consumía y sublevaba. Había creado una situación imposible con Savannah con su desafío a la naturaleza. Sabía que esto no podía continuar. En ese estado, él era más que inestable. Ella tenía que conocer la verdad. ¿En qué había estado pensando? ¿Qué podría ocultárselo a ella y al resto de carpatianos durante siglos? Savannah se volvía más fuerte día a día. Ella necesitaba la proximidad de una mente unida a él, y Gregori tendría que permitírselo.

Gregori había estado convencido de que podría ocultar a Savannah una parte de sí mismo, por motivos egoístas, pero ahora su felicidad era de una importancia primordial para él. Ella tenía que saber la verdad, que él no era su verdadera pareja de vida. Él limpiaría la sociedad de carniceros humanos, perseguiría al señor de los vampiros y luego decidiría exponerse al amanecer. No tenía otra opción. Savannah se merecía una existencia completa.

Mientras inspeccionaba de manera automática las proximidades de la casa, Gregori percibió la presencia de Gary en uno de los dormitorios del piso superior. El hombre había sido sometido a la sugestión hipnótica de Savannah para dormir. Gregori distinguió que ella se había asegurado de que durmiera toda la noche, pero él reforzó la orden con otra suya. Sus protecciones eran mortales y si Gary se despertaba antes que ellos y salía a buscarles por curiosidad, encontraría la muerte. Se estiró a través de capas de sueño y penetró en la mente del hombre. *Continuarás así hasta que te despierte. Si algo va mal y te despiertas temprano, no procurarás buscarnos. Morirías en el intento. Yo sería incapaz de salvarte.* Aunque no era estrictamente cierto —podría ser capaz de proteger al ser humano—, quería transmitir el peligro al subconsciente de Gary. Cualquiera sentiría curiosidad por saber en qué lugar dormía, y Gary más que nadie.

La densa bruma blanca casi ocultaba la casita. Hizo una pausa para examinar las protecciones de Savannah, deshaciendo con sumo cuidado cada una de ellas hasta que las hubo desactivado todas y fue seguro entrar en la casa. La bruma se coló en el interior y se aglutinó en la entrada hasta que una vez más Gregori recuperó su forma real. Hacía calor en la casa; la vivienda resultaba acogedora, luminosa y, en cierto sentido, atrayente. Las sábanas habían desaparecido de encima de los muebles y el fuego bajo ardía en el hogar protegido por una pantalla. Las brasas danzaban a poca altura y arrojaban sombras sobre el muro más alejado.

Gregori se movió de inmediato hacia la escalera de caracol. Podía sentirla; sabía el punto exacto, de modo infalible, donde ella esperaba. No le hacía falta realizar una inspección para dar con Savannah; su cuerpo siempre la encontraba, su mente siempre conocía su ubicación. Descendió poco a poco por las escaleras, pues temía encontrarse cara a cara con ella.

El sótano estaba completamente transformado. Había velas por todas partes, que parpadeaban a todos los niveles, iluminando el interior oscurecido de la habitación. Las sombras se entrelazaban con formas íntimas desde cada rincón de la habitación. Una variedad de hierbas machacadas, algunas prendidas, llenaban el aire de aromas a bosques y flores. En el centro de la estancia se hallaba una enorme y anticuada bañera, amplia y profunda, con soportes en forma de garras. El agua humeaba con un vaho que se elevaba desde la superficie a modo de invitación.

Savannah acudió a él al instante, con el rostro iluminado por alguna emoción que él no se atrevía a calificar. Llevaba puesta una camisa de seda de caballero y nada más. Los botones estaban desabrochados, de modo que la parte delantera se abría y revelaba sus pechos altos y plenos y el estrecho torso. Con el siguiente paso, aparecieron durante un momento intrigante su diminuta cintura, su estómago plano y también el triángulo de tupidos rizos de ébano, antes de que los largos faldones de la camisa volvieran a ponerse en su sitio. Su larga melena cayó suelta formando una cascada y la rodeó como una seda viviente que parecía respirar. A cada paso que daba, él entreveía fragmentos de piel de satén.

Un rugido apagado se inició de inmediato en su cabeza. El calor estalló por su sangre, y su cuerpo se contrajo con apremio alarmante. Cada una de sus intenciones más nobles pareció saltar en llamas. Ella le sonrió mientras le echaba los delgados brazos al cuello.

—Qué contenta estoy de que estés en casa —susurró quedamente mientras buscaba con la boca el pulso en su garganta. Gregori notaba el calor de su cuerpo y sus blandos pechos aplastados contra él.

Gregori cerró los ojos, intentó recuperar su voluntad de hierro, y cogió a Savannah por las muñecas en un asimiento inquebrantable. Le bajó los brazos y la mantuvo apartada de su cuerpo enloquecido.

—No, Savannah, no puedo seguir más tiempo con este engaño. No puedo.

Por un momento las largas pestañas velaron los ojos azules violáceos y ocultaron los secretos encerrados en sus profundidades.

—No puedes engañarme, Gregori. Es imposible. Tú, precisamente, deberías saberlo mejor que cualquier otro carpatiano. —Retorció las muñecas con un pequeño movimiento femenino que le permitió liberarse al instante.

Gregori examinó la piel de Savannah en busca de magulladuras, temeroso de que, en su desesperación, hubiera aplicado demasiada fuerza física. Savannah ni le hizo caso y llevó las manos a los botones de la camisa de Gregori.

—Si deseas comentar este tema conmigo, de acuerdo, pero mantener el calor del agua de esta bañera requiere una energía que utilizaría de algún otro modo. —La leve diversión en su voz era tan efectiva como las puntas de los dedos que rozaban la piel desnuda del pecho de Gregori. Ella le quitó la camisa de los amplios hombros y permitió que la prenda cayera flotando hasta el suelo.

—Savannah. —Su nombre era un gemido que pedía compasión—. Tienes que escucharme esta vez. Nunca encontraré las fuerzas para repetir esta confesión.

—Mmm... —musitó ella, claramente distraída. Trabajaba con sus dedos en los botones de los pantalones.

—Por supuesto que voy a escuchar, pero te quiero en el baño. Hazlo por mí, Gregori, después de todas las molestias que me he tomado por ti.

Gregori cerró los ojos para resistir las llamaradas que lamían su piel. Su cuerpo le recriminaba con violencia, dominado por la feroz excitación. Las manos de ella susurraban sobre sus caderas mientras le bajaba poco a poco los pantalones por las piernas, mientras sus dedos recorrían con ligereza los músculos de sus muslos. Gregori se los sacó, demasiado consciente de que era imposible ocultar las exigencias de su cuerpo reclamando a Savannah.

Ella sonrió con aquella sonrisa secreta, indignante, y le cogió de la mano para llevarle hasta la bañera. Gregori entró y se hundió en las aguas humeantes. La sensación de calor sobre su piel aumentó su sensibilidad al placer. Savannah permanecía tras él y le soltó la correa de cuero que le sujetaba el pelo en la nuca. El roce ligero y perezoso de sus manos en el cabello propulsó oleadas de fuego que danzaron sobre toda su piel.

Savannah vertió agua caliente sobre su cabeza y empapó por completo el pelo. Se frotó champú entre las palmas e inició un lento masaje relajante en su cuero cabelludo. Con los dedos ocupados en el pelo, se inclinó sobre él, y la suavidad de sus pechos susurró contra su espalda.

—Y bien, pareja mía, ¿cuál es el terrible secreto que te desgarra por dentro?

Era más fácil decirlo sin tenerla delante, con el bienestar de sus manos sobre el cuero cabelludo.

—No eres mi verdadera pareja de vida. Manipulé el resultado con el conocimiento que había adquirido a lo largo de los siglos.

—Ya sé que esto es lo que crees, Gregori —reconoció en voz baja—. Pero también sé que te equivocas. —Había pureza y franqueza en su voz.

A Gregori le ardía y le escocía la garganta.

—Ni siquiera puedes ver lo que soy, Savannah. A mi verdadera pareja de vida jamás podría ocultarle lo que soy. He intentado mostrártelo, pero no puedes ver la realidad. Tienes una ilusión en tu mente y nada puede reemplazarla.

Ella continuó a fondo con el masaje, sin titubear ni un momento en su tarea.

—Y se supone que eres nuestro anciano más ilustrado. Amor mío, el que tiene una ilusión de sí mismo eres tú. Y, si me permites añadirlo, una ilusión de mí. Sí, soy joven, en comparación contigo soy una niña, pero antes que nada soy carpatiana. Y soy tu verdadera compañera de vida. —Apartó las manos y él notó al instante su falta. El agua caliente ocupó su lugar, para aclarar el champú—. Recuerdo un terrible dolor antes de nacer, tanto en mi madre como en mí. Tú acudiste a mí cuando yo ya había decidido librarme de aquel dolor y me rodeaste con tu bienestar.

—Savannah —volvió a gemir su nombre cubriéndose el rostro con las manos—. Usé mi voluntad para unirte a mí para siempre.

—Me donaste sangre para salvarme la vida, sanaste mis heridas y me hablaste de las maravillas de la noche y de nuestro mundo. Justo cuando empezaba a gatear, te acercaste a mí en forma de lobo. Compartíamos nuestras mentes constantemente, cada noche. Según crecía, nos buscábamos el uno al otro y compartíamos todo lo que éramos.

—Me aceptas sólo porque hice esas cosas.

—Ésa es la ilusión, Gregori. Yo he estado en tu mente. He visto lo que eres, tal vez mejor que tú mismo. Me llevó un poco de tiempo juntar las piezas, porque me asustaba mucho nuestro vínculo, lo fuerte que era. Me asustaba dejar de ser quién era y lo que era, ante una personalidad más fuerte. —Comenzó a enjabonarle la espalda. Describía pequeños círculos perezosos con la espuma—. Al principio no me cuadraba. Los recuerdos anteriores a mi nacimiento y los recuerdos de mi precioso lobo, el compañero que me hacía sentirme tan completa. No reparaba en la facilidad y naturalidad con la que fundíamos nuestras mentes. No pensaba en por qué nunca había necesitado o había deseado a otra persona. No se me ocurrió pensarlo hasta que comprendí la manera completa en que me fundía contigo, entrando y saliendo de tu mente. Ninguno de los dos lo advertimos. Tú ni siquiera te diste cuenta. Te pasó inadvertido durante esos años de mi infancia que, en los ratos que pasabas conmigo, tu semblante era de paz. Pero yo lo sentía. Lo veía en tu mente. Está ahí ahora, puedes examinar tus recuerdos. Por eso fue tan duro marcharme de Europa y salir huyendo como la niña que era. Ves colores, Gregori. No los has visto durante siglos. Yo también me percato de lo brillantes y vívidos que son para ti. Sólo tu verdadera pareja puede proporcionarte algo así. Tu tonto sentimiento de culpabilidad te impide ver la realidad.

El agua caliente caía por la espalda de Gregori. Savannah pasó por delante de él para arrodillarse a un lado de la bañera. Mientras se inclinaba hacia delante, su cabello sedoso enmarcaba la perfección de su rostro. La camisa se separó mostrando atisbos tentadores de sus curvas. La tentación rosada de un pezón dificultó que Gregori pudiera controlar la dirección de su mirada. Ella le enjabonó el pecho.

—Estoy contigo en la cacería, contigo en el asesinato, en tu mente, compartiendo tus pensamientos. Nadie más puede hacer lo que yo hago porque soy la única pareja que tienes. Soy una sombra en tu mente, tan familiar para ti, que no sabes que estoy ahí.

Le echó agua por el pecho y luego volvió a frotar el jabón entre las palmas. Inclinó la cabeza a un lado y contempló con cariño el rostro de gesto severo de Gregori.

—Te quedas totalmente en blanco cuando estás de caza. Lo sé, no porque me lo digas, sino porque estoy ahí contigo en tu mente. ¿Qué otra cosa puedes sentir? ¿Tristeza? ¿Remordimiento? Llevas casi un millar de años cazando. Te has visto obligado a dar caza a amigos y familiares. Has estado aislado y solo durante años, sin tu compañera. Era imposible sentir algo en ese mundo estéril. Sólo tu código y tu sentido del honor, y tu lealtad a mi padre, te han hecho continuar adelante.

Savannah buscó por debajo de la superficie del agua con sus manos, encontró la gruesa y dura erección e inició un lento e íntimo masaje. Sus dedos obraban milagros, enviaban oleadas de placer por todo su ser.

—No me gustaría que pensaras en nada mientras cazas, en mí especialmente. Quiero pensar que eso te distraería demasiado. —Su sonrisa era francamente sexy, sus manos se movían con una destreza adquirida hacía bien poco—. Es preferible que no sientas nada en esos momentos, Gregori. Te haría ir más despacio, te haría cometer errores. ¿De veras piensas que puedes cambiar un millar de años de formación? Te programaste hace siglos.

El cuerpo de Gregori se revelaba, la bestia interior se revolvía de necesidad. Abrió mucho los ojos plateados para mirarla. Con excitación. Hambriento. Salvaje. Indómito. Ella le sonrió y se sentó sobre las rodillas, y aquella sonrisa secreta suya se volvió cada vez más erótica. Savannah se puso en pie y dejó que la camisa se deslizara desde sus hombros hasta el suelo.

—Estoy contigo en tu mente, y ni siquiera lo sabes, porque soy tu otra mitad, y ése es mi lugar. ¿Quién aparte de una pareja verdadera podría haberte traído de regreso de la oscuridad cuando su mancha se extendía por tu alma? No habrías respondido a nadie más, excepto a mí. ¿Quién más podría ir contigo de caza, cuando todos tus sentidos están tan alertas, sin que seas consciente de ello?

La respiración de Gregori era audible en la quietud de la habitación. Ella retrocedió, su cuerpo era una invitación sensual, el pelo negro azulado acariciaba su piel cremosa. Gregori se puso en pie sin prestar atención al agua que lo mojaba todo. La deseaba, y ella le pertenecía. Mientras salía de la bañera, ella retrocedió poco a poco. Tenía los ojos medio cerrados, el deseo llenaba su mente y su cuerpo llamaba al de Gregori. No dejó de moverse, apartándose con una mano la cascada de cabello que sensibilizaba sus pezones hasta convertirlos en duras puntas.

—Ven aquí —masculló él. Notaba su cuerpo tan cargado de necesidad que temía explotar en fragmentos si daba un solo paso.

Savannah negó despacio con la cabeza, humedeciéndose el labio inferior de modo intencionado:

—Sólo quiero a mi verdadera pareja. Me muero de deseo esta noche. Mi cuerpo está hambriento. —Bajó la mano poco a poco, tentadora, sobre la piel de satén, y él siguió el gracioso movimiento con los ojos mientras su cuerpo le increpaba furioso.

Gregori cubrió la distancia entre ellos con un brusco movimiento hacia delante, la cogió en brazos y el impulso les tiró contra la pared. La mantuvo ahí prisionera, pegó su boca a la de ella y le obligó a responder, se alimentó y devoró, mientras declaraba aquel cuerpo suyo con las manos.

—Nadie te pondrá las manos encima y seguirá con vida —ladró mientras dejaba con su boca un reguero de fuego que iba desde la garganta de Savannah hasta su pecho. Le devoraba la necesidad y arañaba con los dientes la cremosa plenitud de sus senos—. Nadie más que yo, Savannah.

—¿Por qué, Gregori? ¿Por qué nadie más puede tocar mi cuerpo de esta manera? —susurró con la boca sobre la piel de él, lamiendo el pulso de Gregori con la lengua—. Explícame por qué mi cuerpo es sólo tuyo y tu cuerpo es sólo mío.

Gregori tomó su trasero con sus manos y la atrajo con fuerza hacia él.

—Tú sabes por qué, Savannah.

—Dilo, Gregori. Dilo si lo crees. No consentiré mentiras entre nosotros. Tienes que decirlo de corazón igual que yo. Tienes que sentirlo también en tu mente. Tu cuerpo tiene que arder en deseo por mí. Pero, sobre todo, en lo más profundo de tu alma, tienes que saber que soy tu otra mitad.

Él la levantó, la apoyó en lo alto de su lecho en la cámara oculta y le separó los muslos con las manos.

—Sé que ardo en deseos por ti. Incluso dormido, en el sueño de nuestro pueblo, donde no puede haber pensamiento, ardo en deseo por ti. —Inclinó la cabeza para saborearla y bañó con su pelo húmedo la parte interior de los muslos de Savannah mientras atraía aún más hacia él su cuerpo.

Ella chilló con el primer contacto de su boca; la oleada de deseo ardiente la convirtió en una llamarada líquida y viva. Le cogió el pelo entre los puños y mantuvo a Gregori agarrado contra ella.

—Dilo, Gregori —soltó entre sus dientes apretados—. Necesito oírte decirlo.

Lo estoy diciendo, pareja. ¿Es que no me oyes? No alzó la cabeza pues quería sentir el cuerpo de Savannah suplicando por el suyo, necesitaba sentirla apretándose contra él cada vez con más fuerza, intentando aliviar la presión creciente. Ella sabía a miel y especias silvestres. Creaba adicción. Su respuesta creaba adicción, la manera en que gemía y se retorcía y respondía a su ataque. Su cuerpo se tensaba lleno de vida, de fuego, y él la llevó hasta la máxima altura, hasta que Savannah chilló pidiendo clemencia. Sólo entonces él la levantó en sus brazos.

—Rodéame la cintura con las piernas —le pidió mientras la bajaba contra su ardiente cuerpo hasta dejarla suspendida sobre su larga, dura e inflamada erección.

Sentir a Savannah, húmeda, fogosa y tan dispuesta, disparó los martillos neumáticos en su cabeza y su cuerpo se contrajo de necesidad. Continuó sosteniéndola de todos modos, preparado en su entrada ardiente y atrayente, tan vulnerable a la invasión de Gregori.

—Pon la boca en mi cuello, Savannah —le ordenó—. Bebe mi sangre mientras yo te penetro.

—Deprisa —suplicó ella, con la voz un poco entrecortada. Le obedeció casi ciegamente, acariciando con su lengua el pulso que latía atronador. Le apartó el pelo mojado y, al tiempo que él embestía hacia arriba, penetrando su tersa vulva de terciopelo, ella perforó su piel con los dientes, para que él fluyera dentro de ella, en cuerpo, alma y mente.

Gregori soltó un ronco grito, casi en estado de éxtasis, poseyendo a su pareja como debía hacer, sin reservas, sin restricciones, sin barreras entre ellos. La mente de Savannah estaba llena de imágenes salvajes, y la de él contenía material similar que la enardecía aún más a ella. No tenía que compartimentalizar sus pensamientos ni preocuparse por que ella encontrara algo que la alejara de él. Se permitió sentir el intenso placer, sin más: llamaradas, un arco de electricidad, relámpagos candentes, la fricción que no dejaba de aumentar.

Savannah siempre había estado en su alma; esta vez se la llevó allí pues necesitaba la libertad de su total aceptación, su rendición incondicional, su fe completa y confianza en él. Savannah le lamió el cuello y cerró los diminutos pinchazos, luego se apartó de él arqueando el cuerpo y ofreciendo a su boca sus pechos perfectos.

—Ahora tú. Aliméntate. Introdúceme en tu cuerpo igual que he hecho yo.

Ella parecía pequeña y ligera en sus brazos, tan poca cosa en comparación con el tamaño de su cuerpo. Aun así, cuando la penetró, con un ritmo frenético de caderas, enterrándose en lo más profundo, impulsándose todo lo cerca del alma de Savannah que pudo, ella acomodó su cuerpo al de él. Primero Gregori tomó su boca y saboreó el poder de su propia sangre en los labios de Savannah, luego arañó con los dientes la garganta y, continuó hacia abajo, hasta encontrar el valle entre sus pechos.

Ahora era Savannah la que cabalgaba, y su cuerpo encontró el ritmo que se adaptaba perfectamente al de él, urgente y frenético, mientras le agarraba por la cabeza para obligarle a pegar la boca a sus senos. *Te necesito.* La súplica que reverberaba en la mente de Gregori era tan anhelante que no esperó. Notó cómo se afilaban y se alargaban sus incisivos al tiempo que se hundían en su pecho.

Ella soltó un grito y todo su cuerpo se contrajo en torno a él; se tensó con tal intensidad, con tal tormenta de fuego y placer que pensó que explotaría en miles de fragmentos. Clavó las uñas en los hombros de Gregori para afianzarse mientras las caderas de él no dejaban de penetrarla, salvajes, indómitas y desinhibidas. Entonces los dos explotaron juntos, y Gregori alzó la cabeza para gritar con voz ronca, incapaz de contener el salvaje placer que ardía en su interior.

Savannah se agarró a él, pegando la cabeza a su hombro. Gregori esperó un instante para tener la certeza de que seguía en la Tierra. Algo se movía entre ellos, y vio el delgado goteo de sangre que descendía por el estómago de ella hasta caer en su propio cuerpo. Inclinó la cabeza y cerró con la lengua los pinchazos en su seno.

—Te amo, Gregori —susurró ella quedamente contra su garganta—. Te amo de veras. A ti, al verdadero Gregori. ¿Lo entiendes?

Él hizo un ademán con la mano para apagar las velas y sumió la estancia en completa oscuridad. Con el cuerpo de Savannah pegado al suyo, se hundió en el abrazo de la tierra que esperaba, la riqueza de su patria. Al instante la paz se hizo en sus corazones ruidosos, en el frenesí de sus mentes.

—Eres mía, para toda la eternidad, Savannah, hasta que nos hastiemos de esta existencia y decidamos pasar juntos los dos a la siguiente. —A su pesar, separó su cuerpo del de ella e inclinó la cabeza para eliminar el delgado reguero de rojo que manchaba su piel. Gregori la acomodó a su lado de tal manera que su cabeza descansó al lado del pecho de Savannah.

Ella deslizó los brazos sobre el pelo mojado y le acunó contra ella, mientras sentía la llamada del sueño de su pueblo. Él movió su ligero cuerpo para poder cubrir posesivamente sus muslos con una pierna y poder seguir con sus manos la forma de su cuerpo, como a él le gustaba, y saber que estaba grabado allí en la tierra a su lado.

La puerta de la cámara se deslizó sin ruido hasta cerrarse y sellarles en su interior con una orden mental. Las protecciones eran muchas y todas ellas mortales. Cualquiera que turbara su sueño se exponía a un peligro mortal. Gregori le acarició el largo pelo, satisfecho. En paz.

—Con lo pequeña que eres, *ma petite*, y el placer que das a un hombre. —El calor de su aliento jugueteó por un instante sobre su pezón, y a continuación la lengua siguió con una lenta caricia, sin prisas—. He hecho el amor contigo cada vez que te he cogido en mis brazos. No puede existir otra persona para ninguno de nosotros dos, Savannah.

Ella se agitó sumida en una satisfacción somnolienta, y aquel mínimo movimiento pegó su pecho a la boca de él. Savannah le acarició el pelo con cariño.

—Yo no estoy preocupada por eso, pareja mía. Sé que no hay nadie más.

Gregori describió otro círculo perezoso, satisfecho, alrededor de la cremosa piel.

—Alguien que ha pasado siglos en la más absoluta oscuridad necesita tiempo para creer que no perderá la luz. Duérmete, Savannah, segura en mis brazos. Deja que la tierra nos cure a ambos y nos dé paz, tal y como Julian sabía que sucedería.

Ella permaneció un momento en silencio, pero la boca de Gregori seguía alimentándose de su pecho y provocaba pequeñas sacudidas, ráfagas de calor líquido.

—Lo haré si te portas bien. —Había una leve risa en la voz de Savannah, una aceptación de cualquier cosa que él quisiera.

Él quería que se durmiera y en silencio le dio un leve empujón mental, para ayudarla a sentirse más cansada. Pero aún no podía renunciar del todo al cuerpo de Savannah. Pasó unos minutos más acariciando con delicadeza y ternura su pecho. Ella le agarraba mientras se perdía en un sueño brumoso y erótico.

—Duerme ahora —ordenó en voz baja y les entregó a ambos a la tierra curativa con el sol ya a punto de salir.

Capítulo 13

Gary intentó no prestar atención a lo pálida que estaba Savannah mientras le servía una taza de café. Su piel de satén casi era traslúcida. Él estaba atontado tras el sueño inducido por trance; le había costado despertarse incluso después de una larga ducha. No tenía ni idea de donde había salido la ropa limpia, pero ahí estaba, tendida sobre el extremo de la cama cuando él se despertó.

Savannah era hermosa, se movía por la casa como agua corriente, como música en el aire. Iba vestida con vaqueros gastados y una pálida camisa turquesa que se pegaba a sus curvas y resaltaba su estrecho torso y la pequeña cintura. Llevaba el pelo largo recogido hacia atrás con una gruesa trenza que colgaba por debajo de su trasero. Gary intentó controlar que no se le fuera la mirada. Aún no había visto el pelo a Gregori esa tarde, pero no quería correr riesgo alguno. Tenía el presentimiento de que si había algo que podía cambiar esa expresión remota, eso sería que otro hombre se comiera a Savannah con los ojos.

—En cuanto regrese Gregori, podremos salir para que puedas cenar —dijo Savannah en tono amable mientras él cogía la humeante taza de café.

Ya estaba oscureciendo. Gary no tenía ni idea de qué había sucedido después de llegar a casa la noche anterior. Se aclaró la garganta con nerviosismo.

—¿Qué sucedió exactamente anoche? Lo único que recuerdo es volver a casa contigo y luego despertarme apenas hace una hora. Tengo que suponer que he pasado el día durmiendo. —Había una cautela en su voz, en su mente, que antes no había estado ahí. Era una experiencia singular percatarse de que alguien le había arrebatado el control.

—No he querido despertarte hasta que estuviéramos seguros de que no había peligro. Anoche, Gregori tuvo un encuentro con dos sirvientes del no muerto y un vampiro inferior. Les derrotó, por supuesto, y les destruyó para que no pudieran volver a levantarse. Lo más seguro para ti era que te quedaras aquí. No te reteníamos como a un prisionero, simplemente queríamos mantenerte a salvo. —En su voz apareció una nota de diversión—. No creo que Gregori en realidad sepa qué hacer contigo.

A Gary le dio un vuelco el corazón. Se aclaró la garganta.

—Confío en que lo digas muy en serio.

Los ojos de Savannah se reían de él.

—¿De veras piensas que va a hacerte daño? Puede leer tus pensamientos. Si fueras su enemigo, ya te habría matado en el almacén. —Se apoyó con aire malicioso en la mesa—. Por supuesto, es de lo más impredecible, de modo que nunca se sabe qué puede hacer o dónde anda... —Se interrumpió, riéndose, mientras su brazo salía disparado en el aire como si algo la hubiera agarrado por la muñeca y tirara de ella hacia atrás. Algo invisible arrastraba a Savannah desde la cocina, y ella se estaba riendo con traviesos ojos azules.

Gregori tiraba de su muñeca para llevársela hasta el santuario del patio cubierto de maleza y plantas frondosas. Las flores caían desde las altas pérgolas y colgaban sobre sus hombros cuando se materializó por completo en medio de la noche.

—Estás matando de miedo a ese joven, y adrede —le acusó él.

Ella alzó el rostro con las estrellas del cielo nocturno reflejadas en el centro de sus ojos.

—Bien, la verdad, ¿cómo podría alguien atreverse a llevarte la contraria? —Mientras acariciaba con la palma de su mano la línea severa de su mentón, tocó con la punta del dedo su boca perfecta.

—Deja de pensar que tienes que protegerme, Savannah. Me basta con tenerte. No necesito a nadie más. —Inclinó la cabeza para encontrar su boca. Antes, al despertarse, él le había hecho el amor dos veces con su apetito insaciable y, aun así, su cuerpo volvía a cobrar vida sólo de pensar en que ella salía en su defensa.

En el momento en que se apoderó de su boca, Savannah sintió que la tierra se movía de aquella forma peculiar, desplazándose bajo sus pies, y el blanco rayo de fuego se precipitaba por su riego sanguíneo para hacer fondo con ardor en su abdomen. Su cuerpo se volvió líquido, sin huesos, y se fundió al instante con él. Gregori la estrechó en sus brazos.

—Bebe, *ma petite*. Aliméntate de mí.

Ella obedeció y le quemó con los labios la garganta, luego le acarició el pulso con la lengua. Era sensual. Erótico. El cuerpo de Gregori se tensó con necesidad alarmante. Su pulso brincaba bajo las caricias exploradoras. Sujetó el cuerpo delgado de Savannah y la agarró aún con más fuerza, reteniéndola entre la protección de sus brazos.

Ella se tomó su tiempo, jugueteando, tentándole y excitándole aún más. Se deleitó con la sensación del cuerpo de Gregori presionando con fuerza y agresividad y sus caderas pegándose a ella. Mientras ella le perforaba con los dientes,

Gregori profirió un sonido, un grito ronco no articulado, al tiempo que el relámpago blanco siseaba y brincaba a través de su cuerpo como un latigazo de dolor y éxtasis, hasta que fue imposible distinguir dónde acababa una sensación y empezaba la otra.

Luego notó otra vez la turbación en el aire, el susurro de un movimiento, y supo que no estaban solos. La abrazó con gesto protector, la ocultó con su cuerpo de las miradas curiosas y dirigió sus penetrantes ojos plateados al hombre que salía paseándose al patio. Gary no les había descubierto todavía; su mirada estaba maravillada ante la inesperada belleza del rincón. Gregori retrocedió aún más entre las sombras y dejó que una capa de invisibilidad les envolviera. Encontró con la mano la nuca de Savannah, que apretó para pegar de nuevo la boca de ella a su piel.

Ella se alimentaba y excitaba cada vez más a Gregori. No podía imaginársela bebiendo la sangre de otro hombre si a él este acto tan simple le ponía tan a cien. Poco a poco, a su pesar, Savannah le pasó la lengua sobre los diminutos pinchazos y alzó la cabeza. Tenía los ojos adormilados, como si hubieran hecho el amor, y sus labios eran una tentación. Un pequeño punto rojo persistía en la comisura de su boca, y Gregori descendió al instante para saborearlo con su lengua.

Movió la boca para poder explorar la de Savannah, al principio impaciente, luego con un beso lento y cuidadoso que la abrasó con su ternura. Savannah le miró sonriente, con el corazón en los ojos.

—No estamos solos, *mon amour* —le susurró Gregori al oído.

Ella se rió con pesar y echó la cabeza hacia atrás provocando una oscilación de su larga trenza.

—¿No fuiste tú quién le invitó a quedarse?

—Creía que habías sido tú —le corrigió él apretando los dientes. Savannah era como una fiebre en su sangre. Una locura que no confiaba en curar. No quería curarse. Se inclinó para encontrar el pecho de Savannah a través del fino material de su camisa.

Notaba el aire nocturno suave y fresco en su piel. Los murciélagos descendían veloces y daban vueltas por encima de ellos. El perfume de los capullos en flor les rodeaba mientras sus cuerpos permanecían entrelazados. Savannah se rió de él, y el sonido dichoso reverberó en el corazón de Gregori.

—Ten cuidado, no queremos que pierdas tu imagen de gran coco malo. —Enlazó los dedos tras la nuca de Gregori.

—Te estás comportando como una pequeña instigadora —le acusó.

Ella le mordisqueó el lóbulo de la oreja y jugueteó con la punta de su lengua. El aroma a café se acercaba flotando. Las suelas de las deportivas de Gary producían un suave silbido sobre las baldosas del patio. Sus ropas rozaban las hojas de los enormes helechos mientras se aproximaba a las sombras donde estaban escondidos.

Gregori tuvo que contener un gemido. Savannah le cogió la cabeza para rodearle el cuello con los brazos y entonces encontró su boca. Se tomó su tiempo, divertida, y un sabor de satén ardiente quemó el cuerpo de Gregori y amenazó con consumirle, con dejarle sin control. *Juegas con fuego,* ma cherie.

Mmm, y además es tan delicioso, murmuró quedamente, perdiéndose en el puro placer de la boca dominadora de él.

Gary se encontraba justo al otro lado de la pérgola; la pantalla de madreselva y enredaderas de campanillas que les separaba era espesa. Gregori tomó el control de la situación y alzó la cabeza de mala gana, con una promesa siniestra en sus ojos relucientes y un suave gemido escapándose de su garganta.

Gary creía que se encontraba a solas por completo. Miró por el patio con cuidado, agarrando con fuerza la taza de café. Oyó la suave risa de Savannah. Sexy. Tentadora. Sacudió la cabeza. Esa mujer era una amenaza. Si fuera suya, no lo soportaría. Sólo un hombre muy fuerte y capaz de pasar sin amistades masculinas podía tener una sirena como él. Era más que hermosa, era un desastre a punto de suceder.

¿Estás leyendo los pensamientos del humano, ma petite femme? La voz de satisfacción de Gregori susurró en su mente. *Incluso alguien como él se da cuenta de que eres salvaje como el viento.* La soltó muy a su pesar. *Entra en la casa.*

Ella abrió mucho los ojos con un gesto burlón de sorpresa. *¿Quieres decir que te preocupa que piense que estábamos haciendo el amor? Lo habríamos hecho si él no hubiera aparecido andando por aquí y nos hubiera interrumpido.*

Ponme a prueba un poco más, chérie, *y es posible que haga algo que no te guste.*

Ella se rió en voz alta, sin el menor miedo, mientras cruzaba el patio pavoneándose. Cuando pasó al lado de Gary, se inclinó y le lanzó su cálido aliento al oído.

¡Savannah! Gregori rugió su nombre, con una clara amenaza.

Me voy, me voy, dijo ella, sin el menor arrepentimiento.

Gregori esperó a que estuviera dentro de los confines de las paredes antes de salir de las sombras. El corazón de Gary era un ruidoso trueno en los oídos de Gregori. Le sonrió con ese destello de sonrisa depredadora.

—Pese a todo el rato que hemos pasado juntos, creo que aún no nos hemos presentado como es debido. Soy Gregori, pareja de vida de Savannah.

—Gary, Gary Jansen. Tu... mmm, esposa, Savannah, me dijo que podía darme una vuelta por aquí.

—Savannah es mi esposa —confirmó Gregori, con aire severo pese al hecho de que su voz era suave como el terciopelo.

—Bien —dijo Gary, tan nervioso que empezaba a sudar.

—Volvamos a entrar en la casa y decidiremos qué hacer. —Gregori pasaba ya junto a él deslizándose de esa forma tan silenciosa que le caracterizaba.

Gary fue tras él. Savannah se encontraba junto a la chimenea. Su piel volvía a tener un brillo saludable. Algo ardía en las profundidades de sus ojos violeta cuando descansó su mirada en el rostro impasible de Gregori. Gary vio cómo parpadeaban esos ojos plateados mientras recorrían el rostro de Savannah. Ya no estaban fríos ni sombríos, habían adoptado una calidez de mercurio fundido que los llenaba de ternura, extremadamente protectores. Cuando Gregori ponía esa mirada, era imposible tenerle miedo.

—He considerado varias alternativas a nuestro problema, Gary —dijo Gregori en voz baja—. Te las expondré y tú elegirás la opción que te resulte más cómoda.

Gary se relajó a ojos vista.

—Vale, eso suena bien.

—Van a perseguirte los vampiros y también los humanos implicados en la sociedad —le dijo Gregori—. Por lo tanto tienes que evitar cualquier lugar que frecuentes habitualmente. Eso incluye tu familia, tu hogar y tu trabajo. Ésos son los lugares en los que ellos te esperarán.

—Tengo que trabajar, Gregori. Digamos que mi cuenta bancaria no es muy abultada.

—Puedes trabajar para mí. Tengo muchos negocios y me sería útil alguien en quien pueda confiar. Podemos organizarnos para que te traslades a cualquiera de las ciudades aquí en Estados Unidos en las que tengo empresas o, tal vez sea una alternativa más segura, alguna de mis compañías en Europa. La oferta es válida tanto si decides conservar tus recuerdos sobre nosotros como si pides que sean eliminados.

Savannah se apoyó en la pared, impresionada por la propuesta de Gregori. Le tocó la mente, con la ligereza de una pluma. Al instante, la atención de Gregori se desplazó a ella. *Cállate, Savannah*. Era una orden clara. Aunque tenía el rostro tan impasible como siempre, ella podía notar la llama imperiosa en la mente de Gregori, y por una vez se quedó callada y le observó con atención.

—No quiero que me borres los recuerdos —dijo Gary—. Ya te lo he dicho. Aparte, creo que tengo derecho a ayudarte con este barullo en vez de que me traslades a algún país extranjero como si fuera un niño.

—No conoces los peligros a los que te expones, Gary. Pero tal vez sea algo positivo. Si insistes en conservar los recuerdos, me veo obligado a proteger a Savannah y a nuestra gente, y no tengo otra opción que beber de tu sangre para tenerte controlado siempre que sea preciso.

Gary palideció de forma visible. Poco a poco bajó la taza de café con mano temblorosa.

—No lo entiendo.

—Cuando estoy cerca, te leo los pensamientos, pero tengo que estar cerca. Si bebiera tu sangre, sabría dónde te encuentras en todo momento, podría hacerte un seguimiento con facilidad hasta cualquier lugar de la Tierra, y conocería tus pensamientos. Si alguna vez nos traicionaras, lo sabría. —Gregori se inclinó hacia delante, capturando con sus brillantes ojos plateados los de Gary—. Entiende esto, Gary. Si tuviera que hacerlo, iría tras de ti. Y te encontraría. Y te mataría. —Había plena convicción en su voz, en la profundidad de sus ojos.

Gary no podía apartar la vista, sentía que aquella mirada penetrante veía directamente a través de su alma.

—Es algo en lo que tienes que pensar —continuó Gregori casi con dulzura—. Tiene que ser decisión tuya y de nadie más. Decidas lo que decidas, lo respetaremos, y haremos todo lo posible para protegerte. Te doy mi palabra.

—También me dijiste que el vampiro es el mayor impostor que existe. ¿Cómo sé que dices la verdad?

—No puedes saberlo. Sólo puedes intuir lo que es correcto y lo que no. Por eso es preciso que te tomes tu tiempo antes de decidir. Una vez que tomes la decisión, todos tendremos que vivir con ello.

—¿Y duele? —preguntó Gary curioso, buscando ya datos con su cerebro de científico.

Savannah detectó una leve sonrisa en la mente de Gregori, y percibió la repentina admiración por el humano de pequeña constitución, quien se puso en pie y empezó a recorrer la habitación de un lado a otro.

—No tienes por qué sentir nada —dijo Gregori con calma y voz estrictamente neutral. No quería influir de modo alguno en aquel humano.

—Supongo que sería demasiado pedir que dejaras que fuera Savannah quien me mordiera el cuello. —Gary hizo un intento de recurrir al humor. Se estaba rascando el cuello, cada película de Drácula que había visto en su vida pasaba en ese instante por su mente.

Un grave gruñido retumbó en la garganta de Gregori como respuesta. Savannah estalló en risas. Percibía la agitación creciente en Gary. El joven se pasó una mano por el pelo.

—¿Tengo que contestarte ahora?

—Antes de que dejemos la casa —contestó Gregori quedamente.

—Vaya, eso sí que me da cantidad de tiempo para pensar —refunfuñó—. O sea, que si me eliminas los recuerdos, yo regresaría a mi vida normal, sin un solo indicio de que he estado en peligro. Es una manera más o menos conveniente de libraros de mí, ¿no os parece? —El sarcasmo hizo aparición en su voz.

Los ojos plateados le perforaron. Gregori se agitó y sus músculos entraron en tensión, amenazadores. El depredador sacó las garras. Savannah le puso una mano en el antebrazo para detenerle. La tensión se despejó al instante de la habitación. Pero aquellos ojos de depredador continuaron sin pestañear sobre el rostro de Gary.

—Si te quisiera muerto, Jansen, créeme, ya habrías fallecido. Matar es fácil para alguien que ha vivido tanto como yo.

—No es que sea mi intención ofenderte, Gregori —dijo Gary—. Esto no me resulta fácil. Nunca antes me había sucedido algo parecido. Al menos pienso que no. No nos habíamos conocido antes, ¿verdad que no?

—No —respondió Savannah con expresión seria—. Te lo habríamos dicho. Estamos intentando ser todo lo sinceros que podemos, de verdad. Es un ofrecimiento tremendo, Gary. Pensaba que algo así ni siquiera podría considerarse. No tienes ni idea del honor que...

—Silencio, Savannah. Él debe decidir sin persuasión alguna. La decisión le corresponde sólo a él —le regañó Gregori.

No entiende el honor que le haces, argumentó ella. *Si lo supiera, no estaría tan nervioso.*

S'il vous plaît, *Savannah. Que decida él.*

Gary alzó una mano.

—No hagáis eso, sé que estáis hablando entre vosotros. Ya estoy bastante nervioso. De acuerdo, de acuerdo. Hazlo. Acabemos pronto. Muérdeme en el cuello. Pero quiero advertirte, nunca antes he hecho esto. No creo que sea bueno para ti. —Intentó esbozar una lánguida sonrisa.

—Decide con certeza. No debes tener dudas, tienes que estar convencido de que confías en mí. Es posible que haya ocasiones en las que tenga que cobrarme alguna vida humana. No puedes cambiar de bando en medio de una pelea —advirtió Gregori.

Gary se humedeció los labios.

—¿Puedo hacer algunas preguntas al respecto?

—Naturalmente —respondió Gregori sin comprometerse.

—¿Hay otros humanos que hayan conocido a vuestra especie y hayan sobrevivido?

—Por supuesto. Una familia ha vivido con uno de los nuestros durante varios siglos, varias generaciones de madres a hijas, padres a hijos. Una de las personas más próximas al padre de Savannah era un sacerdote humano. Fueron buenos amigos durante casi cincuenta años. Una pareja está criando con ellos a un niño humano.

—O sea, que yo no seré el único que sepa de vosotros. Porque es una gran responsabilidad estar enterado de esto. Si no sois vampiros, ¿qué sois?

—Somos carpatianos, una raza de gente tan antigua como el inicio de los tiempos. Tenemos poderes especiales, algunos de los cuales ya has visto, y necesitamos sangre para sobrevivir, pero no matamos ni esclavizamos a aquellos de quienes nos alimentamos. Nos movemos de noche y debemos evitar el sol. —La voz de Gregori sonaba otra vez inexpresiva.

—¿Qué diferencia hay entre un vampiro y un carpatiano? —preguntó Gary interesado, excitado por una extraña euforia.

—Todos los vampiros fueron carpatianos en algún momento. El vampiro es un macho de nuestra raza que ha preferido la locura del falso poder por encima de las normas de nuestra gente. Cuando un carpatiano existe demasiado tiempo sin una pareja, pierde toda emoción. Los colores desaparecen de su visión. Prevalece su oscuridad interior, y hace presas entre humanos y carpatianos por igual, no sólo para tomar sangre sino por la excitación de matar. Elige este camino maligno en vez de enfrentarse al amanecer y a la autodestrucción. Por este motivo tenemos cazadores. Los cazadores libran al mundo del vampiro y se aseguran de que la existencia de nuestra raza continúe siendo un secreto para quienes no puedan entender, aquellos que nos percibirían a todos como vampiros y buscarían nuestra destrucción.

Savannah soltó la muñeca de Gregori. Tomó la taza de café de la mano de Gary y la volvió a llenar:

—Es un poco como una película de serie B, ¿a que sí?

Gary se encontró sonriendo a Savannah. Había algo en su sonrisa traviesa que hacía que todos cuantos estuvieran cerca de ella se sintieran felices. Era contagiosa.

—Entonces, ¿qué sucederá si yo dejo que bebas mi sangre y más tarde te vuelves vampiro?

—Eso es imposible para mí ahora —contestó Gregori amable; su hermosa voz manifestó aquella sencilla verdad—. Savannah es mi sostén en la luz.

Gary se quedó allí plantado durante unos momentos, dio un trago al café y se volvió hacia Gregori.

—Hagámoslo. —Él también creía que Savannah era la luz.

Gregori invadió la mente del hombre con un contacto lento y delicado que él no pudo detectar. Estaba decidido. Convencido, e iba a ayudarles si podía. *Acudirás a mí, sin miedo, sin sufrir, sin ningún efecto perjudicial posterior.* Inundó de un alivio tranquilizador al ser humano. Gary avanzó hacia él con los ojos levemente vidriosos de alguien que experimenta un trance. Gregori inclinó la cabeza hacia la vena prominente en el cuello de Gary y bebió. Tuvo cuidado de no tomar demasiada sangre, tuvo cuidado de transmitirle el agente coagulante que garantizaba una rápida curación. Antes de liberar a Gary de la sugestión hipnótica, Gregori regresó a las sombras.

Gary sacudió una vez la cabeza, y otra. Se tambaleó un poco y buscó a tientas la mesa. En ningún momento vio moverse a Gregori, sin embargo aquel hombre tan alto estaba a su lado, ayudándole a recuperar el equilibrio y bajándole con cuidado a la silla para que se sentara.

—En unos pocos minutos te buscaremos algo sustancioso para comer. Llegamos anoche y no hemos tenido tiempo de llenar el frigorífico. —Gregori dirigió una rápida mirada a Savannah. *Tráele un vaso de agua para compensar la pérdida de fluidos,* cherie.

Savannah tendió el vaso a Gregori con ojos llenos de ansiedad. Gary se tocó el cuello. Se sentía un poco mareado y notaba una especie de quemadura en el lado del cuello, pero cuando se tocó el pulso, separó la mano sin ninguna mancha de sangre. Lanzó una ojeada a Gregori.

—Ya lo has hecho, ¿no es cierto?

—Bébetelo todo. —Gregori le llevó el vaso a los labios—. No vi motivos para prolongar el suspense. Tu mente ya estaba convencida.

—Bienvenido a mi mundo, Gary. —Savannah le deslumbró con su traviesa sonrisa—. Ahora él te considera de su familia y te encuentras bajo su protección, de modo que va a ser tremendamente mandón.

Gary gimió.

—No tuve eso en cuenta. Maldición. Tienes razón. No puede evitarlo, es su naturaleza.

—No empecéis vosotros dos. Yo tampoco tuve en cuenta lo que podría ser tener a los dos volviéndome loco. —Gregori parecía molesto, pero Gary empezaba a comprenderle un poco. Nunca cambiaba de expresión en realidad, y sus ojos no delataban nada, pero Gary casi podía notar su risa silenciosa.

—Así que tienes sentido del humor —le acusó Gary.

—Bien, no me culpes a mí de eso. La culpa es de Savannah. Siempre insiste en ello —replicó Gregori fastidiado—. Salgamos y busquemos algo decente para comer.

—¿Así que va a volverme loco la sangre, la chuleta cruda y ese tipo de cosas? —preguntó Gary con rostro serio.

—Bien, de hecho... —empezó Savannah.

—No tengo la rabia —Gregori la silenció con una mirada—, no soy contagioso.

—En todos los libros pone que si tú bebes mi sangre y yo acabo bebiendo la tuya, entonces seré como tú. —Gary sonaba un poco decepcionado.

—A algunos les crecen alas de murciélago —soltó Savannah mordisqueándose el labio inferior—. De ahí salió Batman. Y capas, todas esas capas ondulantes. Una epidemia habitual. Es por nuestra sangre, un tipo de reacción alérgica. No te preocupes, ya estarías mostrando síntomas si fueras uno de los que presentan problemas.

—¿Siempre es así? —le preguntó Gary a Gregori.

—A veces se pone peor —contestó Gregori con sinceridad.

Aunque el restaurante estaba a reventar, y en el exterior la cola era larga, Gregori les consiguió una mesa al instante con un suave susurro al oído de la encargada. Gary se dejó caer agradecido en la silla y de inmediato se bebió los tres vasos de agua que les sirvieron. Nunca en su vida había tenido tanta sed.

—¿Por dónde empezamos con este lío? —preguntó.

—La sociedad a la que perteneces... ¿a ti quién te metió? —preguntó Gregori.

A su alrededor se oía un torbellino de conversaciones, algunas en voz baja e íntima, otras ruidosas y detestables, otras a carcajadas, pasando un buen rato. Gregori y Savannah lo oían todo. No tardaría mucho en que alguien se percatara de la presencia de la famosa maga en medio de ellos, pero Gregori les había conseguido un mesa semiapartada y había instalado a Savannah en el rincón más oscuro.

—En el trabajo todo el mundo estaba enterado de mi obsesión por los vampiros. Era una broma que corría por el laboratorio. Hace unos pocos años, se acercó a mí un hombre que respondía al nombre de Dennis Crocket. Era amigo de alguien que trabajaba en el laboratorio. Me invitó a una reunión. Me pareció un tipo bastante detestable, pero pensé que al menos había más gente interesada en el mismo tema. —Gary miró a su alrededor en busca de un camarero, pues necesitaba más líquido. El servicio iba de aquí para allá en todas direcciones menos en la suya. Soltó un leve suspiro—. Como mínimo pensé que podría dar con algunos datos interesantes. Tengo una buena colección. De cualquier modo, me fui para allá.

Gregori lanzó una rápida mirada al ayudante de camarero que holgazaneaba detrás de una gran planta en una maceta, y el chaval agarró la jarra de agua al instante y se apresuró a llenar de nuevo los tres vasos.

—¿Dónde se celebró la reunión?

—Los Ángeles. Allí trabajo.

—¿Qué impresión te causaron los demás asistentes a la reunión? ¿Eran fanáticos? ¿Pervertidos como los que estaban en el almacén? —Gregori preguntaba en voz baja; su voz era tan suave que Gary tuvo que inclinarse hacia delante para captar las palabras.

Negó con la cabeza.

—No, en absoluto. Algunas personas estaban allí sólo por diversión. En realidad no creían, ya me entiendes, pero tal vez confiaban en creer. Les ofrecía la ocasión de hacer algo en común con otras personas interesadas en las leyendas de vampiros. Al principio, las charlas fueron siempre desenfadadas: ¿Cómo molaría, no? ¿Qué tipo de poderes tendrían? ¿Serían simpáticos? Luego, después de varias sesiones, aparecieron un par de hombres de otra sección.

Savannah tenía la barbilla apoyada en la palma de la mano. Miraba sin pestañear a Gary, con la precaución de mantenerse en las sombras para protegerse de miradas curiosas. Estaba utilizando una sencilla técnica de difuminación que le ayudaba a camuflarse. En realidad no le hacía invisible a las miradas humanas, pero creaba una extraña deformación en el aire que la rodeaba dejándola borrosa ante aquellos que la miraban.

—¿Dónde se ubicaba esta sección?

Gary arrugó la frente mientras pensaba.

—La cuestión, sabéis, es que tienen varias secciones. En Europa están sobre todo en la zona de Transilvania: Rumania, sitios así. Esto tipos eran sureños, tal vez de Florida. Creo que eran de Florida. En cualquier caso, eran mucho más científicos en todos los aspectos. Querían que cada uno de nosotros les facilitara información práctica sobre cualquiera que pudiera ser un vampiro. Gente que supiéramos que estaba siempre pálida, que sólo salía de noche. Personas que parecían extremadamente inteligentes, que resultaban fascinantes, que mantenían sus vidas y actividades siempre en secreto.

—¿Se mencionó algún nombre? —preguntó Gregori.

—Unos pocos, pero ninguno parecía auténtico. Ninguno de nosotros conocía ni de lejos alguien que se pareciera a lo que ellos describían. Nosotros hacíamos broma y mencionábamos a amigos hasta que nos percatamos de que ellos iban en serio.

Llegó el camarero y Gary inspeccionó a toda prisa la carta mientras Savannah y Gregori pedían. Gary encontró que tenía un hambre atroz. Cuando estaba a punto de pedir casi todo lo que veía, se le ocurrió pensar que lo más probable era que a Savannah y Gregori no les importara compartir su comida. Alzó la vista y descubrió a Savannah sonriéndole con esa sonrisa pícara, arrobada, que le hacía sentirse parte de la unidad familiar. Como si su sitio estuviera junto a ellos. Ya no era el paria del que se burlaban todos a su alrededor.

Ella iba a tenderle la mano, pero vaciló y luego la dejó caer sobre el regazo.

—Aprendes rápido —le elogió Savannah.

Gary notó el torrente de aceptación procedente de ambos. Era curioso distinguir que los dos participaban. Gregori se estiró y cogió la mano de Savannah para darle un beso en el centro exacto de la palma. *Je regrette, mon amour, pero parece que no puedo superar ciertos defectos.*

No hay por qué disculparse, pareja. Los dos estamos aprendiendo a vivir en el mundo del otro. No creo que sea necesario tocar a los demás para ser feliz.

Gregori se llevó su mano al calor de su boca una segunda vez, y la plata fundida de sus ojos la acarició de un modo más íntimo.

Gary se aclaró la garganta.

—Bueno, ya vale de esa historia.

Una breve sonrisa suavizó los extremos de la boca de Gregori.

—¿Qué más tenían que decir esos hombres?

—Pensaba que podías leerme la mente —se atrevió a decir Gary.

Gregori hizo un gesto de asentimiento.

—Así es, pero si me pusiera a examinar tus recuerdos, los vería todos. Por cortesía, por respeto a ti, no lo hago. Todos nosotros tenemos cosas que preferiríamos guardarnos para nosotros, momentos dolorosos y embarazosos que no hace falta compartir.

—¿Incluso entre vosotros dos? —A Gary empezaban a caerle bien de verdad los carpatianos. También comprendía que lo que compartía esta pareja, fuera lo que fuera, era único, exclusivo.

—Es diferente con las parejas —respondió Savannah—. Somos dos mitades del mismo todo. Lo que siente uno, lo siente el otro. Sólo puede haber una verdad entre nosotros.

—Los hombres de Florida. —Gregori les recondujo a la conversación que mantenían. Mantener la neblina temblorosa entre Savannah y el resto de clientes del restaurante era un desgaste de energía para ella, pero cada vez que él quería relevarla, ella se resistía. Se daba cuenta de que su orgullo estaba en juego. Por algún tonto motivo, ella quería demostrarle que era una carpatiana capaz. Consentiría estas tonterías poco tiempo. El bienestar de Savannah era lo primero. Ella le lanzó una mirada asesina y apartó la mano justo cuando el camarero llegaba con la cena.

Gary esperó a que se marchara antes de continuar en voz baja.

—Dos de estos hombres nos dijeron que buscáramos a cierto tipo de persona. Alguien cuya familia contara con ancestros en la Europa del Este que se remontaran a siglos y siglos, a menudo con una finca que había pertenecido a la misma familia durante periodos igual de largos de tiempo. Ese tipo de cosas. Soltaron un par de nombres y ocupaciones. Una era una cantante con muchísimos seguidores, que aparece en público sólo de noche y que jamás firma un contrato con un estudio. Dicen que su voz es cautivadora, inquietante, y que si la oyes cantar, nunca olvidas la experiencia. Parecían muy interesados en ella.

—Esta mujer podría correr peligro. ¿Quién es?

Gregori sacudió la cabeza al oír la pregunta de Savannah. A ninguna mujer carpatiana se le permitiría ir por ahí sin protección de los varones de su raza. Tenía que ser una humana, cuyas costumbres excéntricas llamaban la atención de la sociedad.

—Emplea dos variaciones del mismo nombre. Desari o Dara. Creo que Dara es el apodo que se supone que significa algo en clave siniestra o algún disparate por el estilo. Lo más probable es que necesitara un nombre artístico y que su verdadero nombre sea Suzy.

—En concreto ¿qué querían hacer los miembros de la sociedad en lo referente a ella? —preguntó Savannah, aún asustada por la mujer desconocida.

Al instante, Gregori le envió una oleada reconfortante. *Mandaremos aviso a todos los de nuestra especie de que ella se encuentra en peligro. La defenderán cada vez que se encuentre cerca.*

Somos tan pocos en este país. La mayor parte del tiempo se encontrará sin protección. Savannah se pasó una mano por la frente, cansada de pronto. Llevaba poco tiempo metida en el sórdido asunto de los vampiros y los cazadores humanos de «vampiros» y ya estaba harta de su perversión aparentemente inagotable.

Tal vez éste sea el motivo para mantener a Julian con nosotros. Le pediré que viaje con esta artista hasta que haya pasado el peligro que la amenaza. No te preocupes por la humana. Julian nunca permitiría que le hicieran daño si la tiene bajo su protección. Gregori examinó el agotamiento en la mente de Savannah. *Voy a ocuparme yo ahora del escudo protector,* ma petite, *y tú no vas a discutir con tu pareja.* Gregori no dio ocasión de que ella saliera con una de sus reacciones testarudas. Le impuso su voluntad con decisión para bloquear cualquier intento de retomar el control. Savannah estaba cansada.

Le sonrió con ternura y cariño, y aceptación. Gregori apoyó el brazo en el respaldo de su asiento con gesto protector.

Ajeno a la interacción entre los dos carpatianos, Gary continuaba con la conversación:

—Querían que la vigiláramos, que hiciéramos averiguaciones, que descubriéramos cosas sobre su pasado. Y ella no era la única. Había un hombre por el que parecían bastante interesados. Un italiano, me parece. Julian Selvaggio o algo parecido.

Selvaggio es Savage en italiano. Aidan y Julian se apellidaban Selvaggio al nacer. También significa persona insociable, susurró la voz de Gregori en su mente.

Savannah notó que su corazón latía dolorosamente contra sus costillas. Julian. Por supuesto, se trataba de Julian Savage. Alzó la vista para mirar a Gregori. La sociedad había puesto a sus miembros en contra de Julian. No le conocía personalmente, pero de pronto todo parecía muy próximo a su hogar.

Le mandaremos un aviso, ma petite. ¿Quién mejor que él para defender a la mujer de quienes desean también su muerte? Julian es un cazador muy peligroso. Uno de los mejores que tenemos. Después de tu padre, tal vez sea el carpatiano vivo más poderoso.

Supongo que no te tenemos en cuenta a ti, apuntó Savannah con lealtad y sinceridad.

Gregori volvió su atención a Gary.

—De modo que los miembros de la sociedad de Florida eran diferentes al resto de vosotros. Iban en serio, y os dieron nombres específicos para conseguir información sobre estos personajes. ¿Algún nombre más?

Gary hizo un gesto de asentimiento.

—Tengo un ordenador portátil en la habitación de mi hotel con una lista de nombres de las personas y actividades que les parecen sospechosas.

Gregori se permitió una pequeña sonrisa. Sus dientes relucieron blancos, como los de un depredador al acecho.

—Creo que la agenda para esta noche incluye una visita a la habitación del hotel.

Savannah se echó la trenza sobre el hombro y se permitió mirar por la sala. Se oían risas casi en cada mesa. La mayoría de los ocupantes eran turistas, y disfrutó escuchando los diversos acentos y conversaciones. Un grupo de clientes autóctonos se encontraba a cuatro mesas de ellos. Encontró que su mezcla de francés y cajún era fascinante. Tres de ellos habían crecido juntos y estaban contándole al cuarto, el más joven, algunos de los relatos más descabellados de su juventud.

Se encontró prestando atención mientras el joven se reía en voz baja.

—Desde antes de la época de mi abuelo corren historias sobre el Viejo, el caimán del pantano. No es más que una leyenda, un antiguo cuento para mantener alejados a los niños del pantano, y nada más. Mi madre solía contarme la misma historia.

Al instante los hombres iniciaron una discusión. El mayor, el que tenía el acento más marcado, se pasó al francés, no el francés de acento elegante que hablaba Gregori sino el dialecto local. Tanto daba, lo que estaba claro era que el hombre hablaba por los codos. Pero Savannah encontraba en la voz del viejo una cadencia relajante, un ritmo único de Nueva Orleans.

Mientras escuchaba, el viejo caimán fue aumentando de talla. Era enorme, como el cocodrilo sonriente del Nilo. Se había comido cientos de perros de caza, permanecía al acecho a un lado del sendero y se los tragaba cuando pasaban corriendo. Se llevaba niños pequeños de las orillas delante de la casa de sus padres. Todo un barco de adolescentes de fiesta se había desvanecido en su territorio. La leyenda crecía cada vez que alguien la contaba.

Al principio, Savannah sonreía y disfrutaba de la fascinante y antigua leyenda, pero un lento horror empezó a apoderarse de ella. Echó una ojeada a Gregori. Estaba hablando tan tranquilo con Gary, sacando información con sus hábiles preguntas pese a la impresión que transmitía era de estar manteniendo una agradable conversación. Sabía que estaba inspeccionando la zona de modo rutinario, siguiendo otras conversaciones, pero de todos modos parecía relajado, inconsciente de la creciente negrura.

Savannah se frotó las sienes palpitantes y se aplicó un masaje en el cuello tenso. En su frente aparecieron unas pequeñas gotas de sudor. Intentó concentrarse en la divertida historia, las crecientes hazañas del caimán, pero a cada momento que pasaba, lo único que podía sentir era el negro desasosiego que aumentaba como una terrible enfermedad y que conseguía abrirse paso dentro de su mente para aferrarse a ella.

Gregori volvió la cabeza y perforó su rostro con sus ojos plateados, preocupado al instante. *Ma petite, ¿qué sucede?* Su mente ya acudía a darle apoyo, se fundía del todo para percibir aquella sensación creciente de oscuridad, que aumentaba a tal velocidad dentro de ella.

¿Es posible que un ser maligno esté presente?, preguntó. Tenía el estómago revuelto.

Gregori estudió la habitación. Siempre existía la posibilidad de que uno de los no muertos hubiera aprendido a ocul-

tarse de los carpatianos. Él podía hacerlo. Sería muy ególa-
tra pensar que alguien más no pudiera aprender el truco. El
maestro vampiro era muy viejo. Había sobrevivido a los cazadores porque era astuto y no ponía ningún reparo a salir
huyendo de la zona y cedérsela al cazador hasta que llegara el
momento en que fuera seguro regresar. De todos modos, Gregori dudaba que fuera intencionadamente al mismo restaurante que un cazador para regodearse, sobre todo si el cazador en cuestión era Gregori. *El Taciturno*. Sólo alguien que
estuviera cansado de su existencia le desafiaría de forma directa.

Gary miraba a uno y a otro.

—¿Qué pasa?

—Mantén la calma. Savannah es muy sensible al mal.
Puede sentirlo, y yo puedo percibirlo a través de ella, pero yo
personalmente no puedo detectarlo dentro de la sala.

—¿Nos encontramos en peligro? —Para Gary la idea era
más excitante que espeluznante. Esperaba la acción con ilusión.
Estilo Rambo.

Savannah y Gregori intercambiaron una repentina mirada.

—Gary. —Savannah no pudo contenerse—. Has visto
demasiadas películas.

—Sí, bien, no sabéis lo que es esto para mí. Toda mi
vida, mis compañeros de clase y amigos se burlaban de mí.
Los matones me empujaban contra la pared y me tiraban al
cubo de la basura. Todo porque siempre hacía los deberes y
sacaba sobresalientes en los exámenes. Esto es algo muy excitante para mí.

—Y para mí también —mintió Savannah. No quería
nada de todo aquello ni para ella ni para Gary ni para Grego-

ri. Les quería a todos sanos y salvos. Cualquier cosa horrible que les esperara agazapada más allá de su alcance, apestaba al hedor repugnante del mal. Penetraba en la mente de Savannah y la dejaba mareada, con náuseas—. Tengo que salir de aquí, Gregori.

Te encontrarás bien, mon amour. *Vamos a salir de aquí de inmediato. Parece ser que tu madre te pasó su don.* —Se permitió inspeccionar una vez más la sala. No encontró otra cosa aparte de la risa de los turistas y la cháchara de los residentes de la ciudad. Gregori llamó al camarero, pagó la cuenta y cogió a Savannah del brazo mientras se abrían camino entre las mesas.

Capítulo 14

Caminar por el barrio francés con la brisa nocturna ayudó a Savannah a limpiarse la cabeza de la presencia maligna. Lo que fuera, o quien fuera, no les siguió una vez que salieron del restaurante. En cuestión de pocos minutos, se sintió mejor. Gregori la mantenía bajo la protección de su brazo. Ella permanecía callada, pero la mente de él estaba fundida de pleno con la suya, observando cómo se disipaba a gran velocidad la oscuridad.

Gregori les guió sin mediar palabra hacia el hotel donde se hospedaba Gary. Quería la lista de nombres, quería ser capaz de ver lo lejos que se habían extendido las paparruchadas de la sociedad. Gary creía que la mayoría de sus miembros eran personas como él, que tenían la esperanza de que los vampiros existieran de verdad y que fueran los personajes románticos descritos en recientes películas y libros.

Pero Gregori había visto lo que la depravada mente humana podía hacer. Había visto el trabajo de la sociedad una y otra vez. Mujeres masacradas y asesinadas, inocentes, niños. Enlazó sus dedos con los de Savannah, pues encontraba cierta dosis de paz y consuelo en su proximidad, y el viento dispersó por la noche los recuerdos sombríos y desagradables.

Savannah le rodeó los dedos con firmeza.

—¿Sabes lo que era?

—No, pero era real, *chérie*. Estaba en tu cabeza. No lo imaginaste. —Siguieron caminando callados, reconfortados por el silencio.

A una manzana del hotel, Gary se aclaró la garganta:

—Pensaba que habías dicho que regresar a mi habitación podría resultar peligroso.

—La vida es peligrosa, Gary —respondió quedamente—. Eres Rambo, ¿no te acuerdas?

La risa de Savannah resonó en el aire compitiendo con el cuarteto de jazz que tocaba en la esquina. Las cabezas se volvieron para escucharla, luego para observarla, acaparando toda la atención del público congregado en un amplio semicírculo en torno a los músicos. Se movía en el mundo humano completamente a gusto, como una parte del mismo. Gregori solía andar sin ser visto, y así lo prefería. Ella le arrastraba a su mundo, y a él le costaba creer que estuviera caminando por una calle concurrida junto a un mortal mientras la mitad de la manzana les miraba sin disimulo.

—No sabía que supieras quién era Rambo —dijo Savannah intentando que no se le escapara una risita. No podía imaginarse a Gregori en un cine viendo una película como aquélla.

—¿Has visto una peli de Rambo? —Gary sonaba incrédulo.

Gregori profirió un sonido entre el desprecio y la burla.

—He leído los recuerdos de Gary al respecto. Interesante. Una tontería, pero interesante. —Echó un vistazo a Gary—. ¿Es ése tu héroe?

La sonrisa de Gary era tan traviesa como la de Savannah.

—Hasta que te conocí, Gregori.

Gregori refunfuñó, con un grave gruñido de amenaza. Sus dos acompañantes se echaron a reír sin el menor respeto, en absoluto intimidados.

—Apuesto a que es un admirador secreto de Rambo —susurró Savannah en tono confidencial.

Gary hizo un gesto de asentimiento.

—Lo más probable es que entre a escondidas en el cine cada vez que reponen una de sus películas.

Ahora Savannah se reía descaradamente; las suaves notas danzaban en el aire contagiosas, infecciosas, como una llamada a todos aquellos que la oían para que se unieran a ella.

Gregori sacudió la cabeza fingiendo no hacer caso a aquellos dos y sus picardías. Pero no podía evitarlo; notaba que su corazón se alegraba incluso mientras inspeccionaba el hotel desde el patio, sabiendo que pronto tendrían otro enfrentamiento con los siniestros miembros coaccionados de la sociedad. Les hizo detenerse de súbito, llevándoles hacia las sombras del edificio.

—Hay alguien esperando en tu habitación, Gary.

—Ni siquiera sabes cuál es mi habitación —protestó Gary—. Hay mucha gente hospedada en este hotel. No cometamos ningún error.

—Yo no cometo errores —respondió en voz baja Gregori, pero su voz aterciopelada era clara—. ¿Así que no te importa subir solo?

Eso ha sido innecesario, pareja, le reprochó Savannah. *Y no es digno de ti. Este humano te cae bien, y te fastidia que pueda correr algún peligro.*

Tal vez lo que me fastidia más es lo bien que te llevas con él, sugirió con su tono sedoso. Le cogió la trenza, se la enroscó en la mano y le dio un tirón.

Quieres que piense eso, pero estoy en tu cabeza examinando tu creciente afecto por este hombre.

Gregori no quería admitir que ella tenía razón. Savannah le estaba adentrando tanto en su mundo que le hacía sentir cosas incómodas para él. Mijail había mantenido una amistad con un ser humano. Gregori sabía que su príncipe sentía un gran afecto por aquel hombre, aunque él nunca lo había entendido. Lo respetaba, tal vez, pero no lo entendía. Savannah había sentido un cariño sincero por Peter. Gregori no quería dar demasiadas vueltas a esa cuestión, pero también en este caso, le costaba comprenderlo. Aun así, ahora, con Gary... Gregori admiraba a su pesar a aquel mortal y no quería que le pasara nada.

—Dime qué quieres que haga —dijo Gary casi con ilusión. Estaba harto de que le atosigaran bravucones.

—Entrarás en tu habitación y recogerás para nosotros toda la información que puedas antes de que ellos intenten matarte —respondió Gregori.

—Intenten. Confío en que sea la palabra pertinente en este caso —dijo Gary con nerviosismo—. Que sólo intenten matarme.

—No tienes que preocuparte por tu integridad —le informó Gregori con voz llena de confianza—. Pero es necesario que la policía no venga por aquí a buscarnos. Lo cual quiere decir: nada de cadáveres en tu habitación.

—Exacto, qué asco. Ya tengo vampiros y chiflados de la sociedad siguiéndome, o sea, que no necesitamos también a la poli —admitió Gary. Ahora sudaba; tenía las palmas de las manos tan húmedas que no paraba de pasárselas por los pantalones vaqueros.

—No te preocupes demasiado. —Gregori le dedicó una sonrisa supuestamente alentadora, aquella que dejaba vívidas imágenes de tumbas abiertas—. Estaré contigo a cada paso que des. Tal vez incluso te diviertas un poco haciendo de Rambo.

—Rambo iba bien armado —comentó Gary—. Yo subo ahí con las manos vacías. Creo que tal vez sea el momento de explicaros que jamás he ganado una pelea. Siempre acabo en el cubo de la basura o en los retretes, o tirado con la cara en el barro. No se me dan bien las peleas.

—A mí sí —le dijo Gregori con amabilidad apoyando de pronto la mano en su hombro. Era la primera vez, por lo que Gary recordaba, que el carpatiano le tocaba de forma voluntaria y con camaradería—. Gary dice todas estas cosas, *chérie*, pero, de todos modos, intentó enfrentarse a un hombre que empuñaba un cuchillo sólo con su bata de laboratorio para protegerse.

Gary se puso coloradísimo.

—Ya sabes por qué había ido al laboratorio —le recordó Gregori avergonzado—. Yo creé un tranquilizante que funciona con vuestra sangre, y ellos lo convirtieron en una especie de veneno. Tenemos que hacer algo al respecto. Si algo sale mal esta noche, y me atrapan, las notas sobre mi fórmula también están en mi ordenador portátil.

—Esto empieza a sonar cada vez más a una mala película —suspiró Gregori—. Vamos, aprendices. —Se mostraba impasible por fuera, pero no podía evitar reírse por dentro—. No te preocupes por lo de la fórmula, dejé que uno de los miembros me la inyectara, así que ya conocemos los componentes y estamos trabajando en el antídoto.

—¿No funcionó? —Gary estaba consternado. Había pasado muchísimo tiempo trabajando en esa fórmula. Aunque Morrison y su equipo la habían alterado, no pudo evitar sentirse de todos modos decepcionado.

—No puedes estar en los dos bandos, Gary. —Exasperado, Gregori le empujó un poco hacia la entrada del hotel—. No deberías desear que esa maldita cosa funcionara.

—Eh, que mi reputación está en juego.

—Y también la mía. Por eso neutralicé el veneno. —Gregori volvió a empujarle—. Muévete.

Gary se concentró en recordar el código de la puerta de entrada al pequeño hotel, que se mantenía cerrada cuando no había ningún recepcionista en su puesto. En cuanto la cerradura se abrió, se volvió con una sonrisa triunfante, pero los dos carpatianos habían desaparecido, esfumados en el aire. Con el corazón acelerado, se quedó un momento en la entrada, con medio cuerpo dentro y medio fuera, confiando en que no le hubieran abandonado solo en la lucha. *Rambo*. El nombre dio vueltas en su cabeza como un talismán. Decidido, se fue por el vestíbulo hacia su habitación y metió la llave en la cerradura.

Mientras abría la puerta, notó un roce tranquilizador, algo frío pegado a su piel. Tenía que ser Gregori adelantándole con intención de escudar su cuerpo mortal; al menos, confiaba en que fuera eso. En cualquier caso, le aportó una dosis añadida de valor.

Dos hombres se giraron en redondo para mirarle de frente. La habitación estaba patas arriba, los cajones abiertos, las ropas esparcidas; incluso los libros estaban destrozados. Uno de los hombres sacó una pistola.

—Vamos, entra. Cierra la puerta —ordenó de forma escueta.

Después de conocer a Gregori, ya nadie le resultaba amenazador. Gary sintió que no estaba ni mucho menos tan asustado como hubiera correspondido en circunstancias normales. Cerró la puerta con cuidado y se encaró a los dos desconocidos. Ellos intercambiaron una rápida mirada de obvia inquietud al percatarse de que no daba muestras de turbación. Les habían hecho creer que sería un trabajo fácil.

—¿Eres Gary Jansen? —preguntó el que tenía el arma.

—Ésta es mi habitación. Tal vez debierais presentaros. —Gary echó una ojeada al estropicio—. ¿Sois ladrones o buscáis algo en concreto?

—Estamos aquí para hacer preguntas. Llamaste al número privado de Morrison y dijiste que estaba sucediendo algo en el almacén. Cuando llegamos allí, el lugar ardía en llamas, y dos de nuestros hombres estaban muertos. Una vampiresa había desaparecido, se la habían llevado al hospital.

—Entonces os habréis dado cuenta de que no era en realidad una vampiresa. Era una de esas pobres jóvenes que salen de noche y juegan a vampiros porque les va el rollo gótico. Para estos críos sólo es un juego. Una manera de atraer la atención. No es de verdad. Deberíais saber la diferencia entre los juegos de un crío y un vampiro auténtico —les reprendió Gary.

—Y ¿tú sabes la diferencia? —preguntó el que esgrimía el arma, desconfiando con repentina perspicacia.

Gary miró a su alrededor y bajó la voz con un susurro de conspirador.

—Primero contadme quiénes sois.

—Soy Evans, Derek Evans. Sé que has oído hablar de mí. Trabajo para Morrison. Y éste es Dan Martin. Es con quien hablaste por teléfono el otro día.

—Tendrías que haberme hecho caso —recriminó Gary a Martin. Se pasó una mano por el pelo y se hundió en una silla—. Esa chica no era un vampiro, y esos dos idiotas se habían vuelto locos. No se tomaban en serio lo de encontrar vampiros verdaderos; no hubieran reconocido a un vampiro de verdad aunque les hubiera mordido en el cuello.

—Pero tú sí, ¿no es verdad? —preguntó Martin—. Tú sí que has visto uno. —A su pesar, había asombro en su voz.

—He intentado explicároslo, pero no escucháis —dijo Gary sacudiendo la cabeza—. Os dije que trajerais a Morrison al almacén. ¿Dónde está?

—Nos ha enviado en tu busca, Gary. Pensaba que nos habías traicionado. —Evans bajó el arma—. ¿Qué sucedió en ese almacén?

—Antes de que os lo cuente, tengo que saber si Morrison y la sociedad aprobaba el asesinato de esa pobre muchacha —dijo Gary manteniendo la voz baja.

Martin se arriesgó a lanzar una rápida mirada a Evans.

—Por supuesto que no, Gary. Morrison nunca desearía que un inocente resultara herido.

—Y ¿qué hay de mi fórmula? Desarrollé un tranquilizante para ayudar a los miembros de nuestra sociedad, con el propósito de someter a un vampiro, capturarlo y estudiarlo, nada de hacerlo rodajitas. Cuando me plantearon este asunto, me dijeron que éste era el objetivo final de la sociedad. Pero mi fórmula se alterado con veneno. Tiene que haber sido Morrison el que lo ha ordenado.

—Morrison es el experto en vampiros. Se dio cuenta de que el tranquilizante no sometería jamás a alguien tan fuerte —se apresuró a aclarar Martin.

—No era un veneno cualquiera —soltó Gary—, estaba concebido para provocar mucho dolor. Morrison quiere matar vampiros, no quiere estudiarlos. Ese veneno actúa muy deprisa, es extremadamente virulento y angustioso.

—Él quiere hablar contigo. Ven con nosotros, Gary, y déjale que te explique todo esto —añadió Martin—. Nos ha enviado aquí para protegerte. Estaba muy preocupado después de lo sucedido en ese almacén.

—Y ¿por eso habéis destrozado mi habitación? —preguntó Gary.

—Anoche no viniste a dormir. Esperamos aquí todo el día antes de que decidiéramos buscar alguna pista sobre tu desaparición —explicó Evans con cierta lógica.

—Y ¿el arma? —insistió Gary.

—Nos preocupaba nuestra propia seguridad. Morrison cree que un vampiro de verdad pudo entrar en el almacén. Temía que el vampiro te hubiera convertido, y que por eso nadie te había vuelto a ver durante el día. No podíamos arriesgarnos.

—¿Alguna vez has visto a Morrison durante el día? —preguntó Gary de repente.

Se produjo de pronto un silencio de horror.

—Bien, seguro que sí, claro —balbució Evans con el ceño fruncido en un intento de recordar. Parecía que algo atravesara su cráneo, fragmentos de cristal o algo parecido. Se frotó las sienes palpitantes—. Tú seguro que le has visto, ¿verdad Martin?

Martin soltó un gruñido, con el rostro crispado y perverso:

—Por supuesto, continuamente. Y tú también, Evans. ¿No te acuerdas?

Está mintiendo. Gregori se comunicó con la mente de Savannah. Es un criado del maestro vampiro. Su intención es llevar a Gary a algún lugar en el pantano.

¿Puedes detenerle sin que echemos a la policía sobre Gary?

Tenemos que perseguir a Morrison. Es el hombre que está detrás de esta persecución, el interesado en dar con la prueba de la existencia de nuestro pueblo. Está utilizando a la sociedad en un intento de destruir a nuestra raza. No podemos hacer otra cosa que detenerle. Gregori apoyó una mano en el hombro de Gary con suma delicadeza y le complació comprobar que el mortal no se apartaba de un brinco. *Vete con ellos. Deja que nos lleven hasta el jefe que les da órdenes.*

Era un poco desconcertante tener la voz de Gregori dando vueltas de modo imperioso en su cabeza, pero Gary asintió despacio.

—Pensaba que Morrison no tendría nada que ver con esos idiotas del almacén. Por eso le llamé. Creía que podría controlar la situación. Vamos a verle, claro. Tengo que contarle unas historias bastante demenciales. Diablos, nadie va a creerse lo que he visto. —Con garbo estudiado, despreocupado, se agachó entre el barullo de papeles del suelo y agarró su portátil. Flanqueado por los dos hombres, salió con seguridad de la habitación y se fue por el pasillo hasta salir a la noche.

¿Qué vas a hacer? Savannah estaba angustiada por Gary. Él tenía que vivir en el mundo de los humanos. Eso significaba que ninguna sospecha podía recaer sobre él en el caso de que los dos hombres que le acompañaban aparecieran muertos.

Nadie verá a Gary con esos dos títeres, dijo Gregori con calma. *Llevo en esto más de mil años,* chérie. *Éste es el mundo en el que vivimos. Lo conozco muy bien. Lo más probable es que no tengamos tanta suerte como para atrapar a nuestra presa, pero merece la pena intentarlo.*

Planean matar a Gary. Savannah era tan experta como Gregori a la hora de leer los pensamientos de quienes la rodeaban, y era capaz de percibir la malevolencia que bullía bajo la superficie de estos dos hombres, sobre todo el llamado Martin. Llevaba cierto tiempo cerca del vampiro, y el hedor del mal era fuerte en él.

Confían en conseguir más información. Morrison quiere sonsacársela él mismo, probablemente porque no confía en nadie más. Y le gusta ver situaciones de dolor y terror. La idea surgió de forma espontánea antes de que Savannah pudiera censurarla: *Ahora vete a casa, Savannah.*

No me envíes aún a casa. Es posible que me necesites para rescatar a Gary. No me amilanaré ante la primera señal de peligro, te lo prometo.

Los dos hombres guiaban a Gary hacia el río. Una embarcación esperaba allí, y Gary subió sin vacilar. El agua estaba encrespada, el viento soplaba con fuerza. Gregori se movía justo por encima de Gary para asegurarse de que la obsesión asesina no dominara a ninguno de aquellos antes de llegar a su destino. La travesía no parecía acabar nunca, y Gary estaba cada vez más pálido, casi amarillo. Al final, se mareó. Cuando bajó de la embarcación en una ensenada en el pantano, se tambaleó un poco.

Gregori le estudió y le rodeó los hombros con el brazo durante un breve momento para tranquilizarle. Era evidente que Gary era consciente de que había algún problema con estos hombres. Gregori notaba cómo respiraba a fondo y luego soltaba aire muy despacio. Gary iba a encontrarse bien. Confiaba en Gregori.

Tras desembarcar, Gary advirtió al instante que Evans y Martin se situaban para cerrarle el paso mientras caminaban por la orilla pantanosa. Los cipreses surgían del agua y una red de raíces formaba una macabra prisión de estacas y ramas colgantes. En la oscuridad, presentaban un aspecto siniestro. Unas volutas de bruma comenzaron a levantarse en dirección a ellos desde la superficie del agua, briznas blancas que envolvían poco a poco las marismas en una iridescencia misteriosa.

Una peste peculiar llegaba de la orilla, un hedor que impregnaba el aire. Parecían abundar los insectos nocturnos, bichos que se lanzaban como flechas para picar en la oscuridad. Gary se encontró palmoteando aquellas molestas cosas e intentando taparse la nariz. El olor era putrefacto, asqueroso, a carne pútrida en descomposición. Se le hundían los zapatos en el barrizal, y titubeó. Había oído en algún sitio que un hombre podía hundirse en el pantano y perderse entre los juncos y el barro, en lo profundo de un sumidero de aguas sucias. Gary tosió y jadeó, su cuerpo se rebelaba. Casi al instante notó el olor de una fragancia, un atisbo de aire fresco, una sugestión de flores silvestres y de bosque. Casi creyó haber oído el sonido del agua fluyendo sobre las rocas. *Savannah*. Sabía que era su contacto, que le ayudaba a superar aquella peste repugnante.

El aire de pronto pareció muy cargado; le costaba respirar. El viento dejó de soplar y por un momento se produjo un silencio total, incluso los insectos cesaron en su ruido incesante. Los dos hombres que escoltaban a Gary se detuvieron, volvieron sus rostros en dirección a la ciénaga y esperaron. Algo se movió saliendo de la oscuridad. Algo maligno y astuto. Una sombra se extendió sobre ellos y les envolvió. Una vez más, aquella quietud repentina se dejó notar, como si la sombra titubeara antes de avanzar y dejarse ver más. Un rugido de rabia y desafío llenó el vacío del silencio con el sonido atronador de un tren de carga.

En algún lugar en la lejanía, cayeron serpientes al agua con una serie de salpicaduras. Los caimanes se deslizaron por el barro con un sonido muy audible en el silencio, para luego hacerlo por el agua y desaparecer bajo las turbias profundidades. De forma inesperada, Martin propinó un empujón a Gary por detrás y le dejó despatarrado sobre el barro. Las rodillas se le hundieron casi hasta los muslos. Gary se tragó el miedo y se levantó poco a poco para plantar cara a los dos asesinos.

—¿De qué va esto? Pensaba que iba a encontrarme con Morrison. —Habló con calma.

—Morrison ha decidido que ya no le hace falta hablar contigo —dijo Martin.

Morrison percibe tu presencia, le dijo Gregori a Savannah. *Se encuentra cerca. Le percibo, pero no puedo señalar su localización exacta. Es poderoso, ha aprendido mucho durante siglos de existencia.*

Sus criados ya están avisados, respondió ella, asustada por Gary. Ya estaba colocando su cuerpo delante del mortal. *Han recibido orden de matar a Gary. Vete a por el vampiro. Yo protegeré a Gary.*

Gregori no iba a correr riesgos en lo referente a la seguridad de Savannah. Le dio un fuerte empujón mental para reforzar su orden silenciosa: *Ni hablar*, ladró Gregori, mientras los colmillos explotaban en su boca.

La rabia asesina se apoderaba de Martin, la oscuridad se extendía como una mancha por el cielo. Apuntó el horrible revolver contra el corazón de Gary.

—Métete en el río. Estoy seguro de que los caimanes tienen hambre esta noche.

Gary sacudió la cabeza con tristeza.

—Lo siento por ti, Martin. Eres el peón sacrificado por el rey en su huida. Nunca has sabido que, durante todo este tiempo, mientras ibas a la caza del vampiro, era él quien dirigía cada uno de tus movimientos.

—Creo que te mataré poco a poco, Jansen. No me caes demasiado bien —afirmó Martin.

—¿No ves cómo te ha confundido? Te has convertido precisamente en lo que más desprecias. Hace seis meses, ¿habrías considerado siquiera asesinar a alguien? Eso es lo que ha hecho Morrison contigo —insistió Gary en un intento de salvar la vida del hombre.

Martin estiró el brazo para apuntar. Al dirigir la vista a la mira del arma, de repente su expresión cambió, llena de desazón. La máscara de maldad desapareció por completo mientras observaba con horror su propia mano. El arma se estaba dando la vuelta para apuntarle a él. Se resistió a aquella cosa, intentó soltarla, pero la tenía pegada a la palma de la mano.

—¡Evans! ¡Ayúdame! —gritó Martin, y el sonido reverberó por las aguas.

Gary retrocedió, intentó apartar su mirada hipnotizada del hombre que sólo momentos antes había intentado matarle. El brazo de Martin se levantaba poco a poco para apuntar a su propia cabeza.

—¡Evans! —Le llamaba a gritos.

Evans arremetió contra Gary y le derribó, tumbándole sobre el barro y el lodo mugriento. Evans empujó el rostro de Gary contra el fango, en un intento de asfixiarle, metiéndole puñados de barro en la boca abierta. El sonido del arma retumbó en la noche, viajó por el pantano y sorprendió a la fauna a lo largo de kilómetros, pero Evans no alzó la vista para ver los resultados, pues estaba decidido a matar a Gary Jansen y echar el cuerpo a los caimanes.

Gary se revolvió con violencia, y casi consigue zafarse de él, pero Evans seguía aferrado a toda costa, y con sus manos encontró el cuello de Gary que agarró y dejó expuesto. Oyó un gruñido grave de advertencia. Volvió la cabeza y encontró dos ojos rojos y fieros que le miraban sin pestañear a tan sólo unos centímetros de su rostro. Sorprendido, Evans soltó a Gary y se hundió hacia atrás para salir huyendo. Al instante distinguió la enorme cabeza de un lobo. Su lustroso pelaje negro y músculos nervudos. El hocico. Los colmillos blancos. Gritó y se arrojó hacia atrás en dirección al río, avanzando despacio para poner distancia entre él y la bestia.

Gary jadeaba buscando aire, incapaz de ver nada con el lodo en los ojos y en la boca. Sí podía oír el atroz y repetitivo grito, los gruñidos sobrenaturales que le pusieron los pelos de punta, pero estaba ciego, ya que el pringue negro mantenía sus párpados sellados. Algo enorme le rozó pasando a su lado, algo musculoso con pelo. Olía a salvaje y peligroso. Se oyó una salpicadura tremenda en el agua. Los gritos fueron en aumento y luego se interrumpieron con brusquedad en medio de un chillido.

Savannah le rodeó los hombros con el brazo y empezó a quitarle el barro con un suave paño, en un intento de limpiarle los ojos mientras él se sacaba la mugre de la boca con un dedo.

—Ha estado muy cerca —le susurró ella—. Lo siento. Gregori debería haberme dejado ayudarte.

Gary escupió más lodo de la boca.

—No me extraña. —Las palabras quedaban apagadas por la porquería, pero ella las entendió de todos modos.

Savannah no podía mirar a su alrededor, había muerte por todas partes. El mundo de Gregori era desolador y horrible, lleno de violencia y destrucción. Sufría por él, por el terrible vacío que siempre formaría parte de su vida. Sabía que, para él, mantenerla apartada de aquello era algo más que una cuestión de seguridad. Gregori podría decirle eso, incluso se lo decía a sí mismo, pero en lo más profundo de él, donde contaba, en su corazón, en su alma, no quería que la violencia afectara a Savannah, que cambiara quién era ella. Eso era lo que le preocupaba: protegerla de un destino así. Estaba decidido a que la muerte de otro ser no manchara sus manos.

Gary consiguió por fin abrir los ojos. Savannah le examinaba con angustia, limpiándole el barro del rostro. Echó un vistazo hacia donde se encontraba Martin momentos antes y vio el cuerpo de un hombre en el suelo, empapado de agua del pantano. El arma seguía en su mano, y la sangre se extendía desde un charco de sangre formado debajo de su cabeza. Los insectos ya se arremolinaban para darse el festín. Gary apartó en seguida la vista, con el estómago revuelto. Lo suyo no era hacer de Rambo.

—¿Dónde está Gregori? —preguntó, pronunciando las palabras entre dientes.

Savannah le limpió más barro de la boca.

—Déjale unos minutos solo —recomendó ella.

—Y ¿dónde está Evans? —De pronto Gary la apartó para mirar con angustia a un lado y a otro, pues le preocupaba no ser capaz de proteger a Savannah.

—Está muerto —soltó ella sin más rodeos—. Gregori le ha matado para salvarte la vida. —Se levantó y se limpió inútilmente los vaqueros salpicados de barro—. Odio este lugar. Ojalá no hubiéramos venido nunca aquí.

—Savannah. —Gary se acercó a ella. Nunca antes había oído su voz entrecortada. Savannah, siempre llena de vida y risa, parecía tan triste de repente, tan perdida—. ¿Te encuentras bien? Gregori tiene razón. No deberías estar aquí.

Ella sacudió la cabeza, en un intento de contener su rabia repentina.

—Lo que parece que no entendéis ninguno de los dos es que estoy aquí. Lo esté físicamente o no, estoy con él. Siento lo que siente, de forma exacta. Envolverme entre algodones y ponerme en un estante no me protege en absoluto. —Se soltó de él y se fue andando hacia el río.

Gregori se materializó a su lado. Su figura grande y robusta volvía aún más pequeña la de ella. Se inclinó con gesto protector para ponerle una mano en el hombro. Gary observó que ella se la sacudía, para nada intimidada por el tamaño o poder de él.

—No te enfades, *mon amour*, de verdad sólo pretendía protegerte. Si hubiera dejado que Martin disparara el arma, la bala te hubiera alcanzado a ti. No podía permitir algo así —dijo Gregori con dulzura. Notaba el conflicto que se libraba dentro de ella. Nunca había estado cerca de la muerte y la violencia hasta que Gregori había impuesto su voluntad de hacerla suya. Desde el primer día como su pareja, no había visto otra cosa.

—No hubieras permitido en modo alguno que me disparara. En cambio a Gary casi le asesinan delante de mis ojos tras dejarme bloqueada con alguna orden tuya pasada de moda. —Savannah apretaba los puños con fuerza. Quería golpear algo, y Gregori parecía un objetivo lo bastante sólido.

—No voy a correr riesgos con tu vida, *ma petite* —recalcó él y la rodeó por la cintura desde detrás. Cuando ella intentó dar un paso para alejarse, él la agarró con más fuerza—. No, Savannah, de eso nada. No deberías estar aquí, para empezar.

—Y has perdido la ocasión de atrapar al vampiro por mí, ¿a que sí? —preguntó con voz lacrimosa y ojos húmedos—. El vampiro no podía percibir tu presencia, tú eres capaz de ocultarla, sin embargo sabía que yo estaba aquí, aunque de forma invisible.

Era cierto. Gregori prefería que no lo fuera, teniendo en cuenta lo confundida y enojada que estaba Savannah. No soportaba verla infeliz. Pero no le era posible mentir, y no lo haría aunque pudiera. Permaneció callado y dejó que ella leyera la respuesta en su mente.

Savannah sacudió la cabeza y propinó un golpe a los fuertes músculos de su torso.

—Detesto esto, Gregori. Me siento tan inútil. Siento que te pongo en peligro. Somos pareja. Te he pedido que nos encontremos en un punto intermedio, entre ambos mundos, y así lo has hecho. Has cumplido todo lo que te he pedido. ¿Qué he hecho yo para vivir contigo en tu mundo?

Gregori inclinó su cabeza morena hasta la delgada columna blanca de su cuello.

—Tú eres mi mundo, *ma petite*, mi misma existencia. Eres lo que hace soportable mi vida. Eres mi luz, el mismísimo aire que yo respiro. —Le rozó el pulso con la boca, luego el lóbulo de la oreja—. Nadie esperaba de ti que tuvieras que andar en medio de la muerte, eso nunca.

Ella se dio media vuelta con sus ojos azules oscurecidos con un intenso violeta.

—Si tú caminas entre la muerte, Gregori, entonces ahí es donde me encontrarás a mí. Justo a tu lado. Mi sitio está donde tú te encuentres. Soy tu pareja de vida. No hay otra manera. Soy tu pareja. —Levantó una mano, furiosa por esta situación—. No discutiremos más al respecto. No tienes otro remedio que ocuparte de mi felicidad, y la única manera de que yo sea feliz es aprender a ocultar mi presencia de los vampiros igual que de los humanos y de los carpatianos.

Savannah se apartó ofendida y dejó a Gregori de pie junto al borde del agua mientras ella regresaba al lado de Gary.

—Vamos, larguémonos de aquí.

—Y ¿qué pasará si encuentran los cadáveres? La poli vendrá en busca de la última persona que ha sido vista viva con ellos —dijo Gary metiéndose otra vez en la embarcación con reparo. Aún se sacaba lodo de la nariz y de la boca.

—Nadie te ha visto con ellos —respondió Gregori con calma—. Sólo vieron a dos hombres saliendo del hotel, dos hombres caminando por el barrio francés y dos hombres subiéndose al bote. Y por eso no podemos usar el bote para regresar.

Gary se quedó pestañeando.

—Y ¿cómo propones que regresemos? ¿Volando? —preguntó Gary con sarcasmo.

—Exacto —respondió Gregori con complacencia.

Gary negó con la cabeza.

—Esto se está volviendo demasiado estrambótico para mí.

—¿Quieres que deje tu mente en blanco para no experimentar esto? —preguntó Gregori con amabilidad, aunque estaba claro que sus pensamientos se dirigían a Savannah.

—No —dijo Gary con marcada decisión. Cogió el portátil del asiento del bote—. Pero ¿por qué no me llevas a otro hotel? Así tú y Savannah podréis disfrutar de un poco de tiempo a solas. Y para ser sinceros, no me importaría poder pensar un poco en todo esto. Es demasiado para asimilarlo de golpe.

Gregori se percató de que aquel mortal le caía cada vez mejor. No tenía ni idea de que un ser humano pudiera ser tan sensible a los sentimientos de los demás. Raven, la madre de Savannah, era así, pero era un caso especial; ella tenía verdaderas facultades parapsicológicas. La experiencia de Gregori con los mortales siempre había sido con sus perseguidores, carniceros y asesinos de su pueblo. Prefería mantenerse a cierta distancia de los mortales. No estaba preparado para gente como Gary Jansen.

Savannah ya se estaba disolviendo en una bruma que fluía entre las volutas de niebla, moviéndose sobre el agua. Gregori levantó a Gary y se lanzó hacia el cielo tras ella como un rayo. Gary soltó un chillido, un sonido muy agudo sospechosamente parecido al de un cochinillo. No pudo contenerlo mientras se agarraba a los anchos hombros de Gregori, apretando con fuerza los dedos a la camisa. El viento silbaba veloz contra su cuerpo, y tuvo que cerrar los ojos firmemente, incapaz de mirar abajo.

Espérame, Savannah, ordenó Gregori, con su voz de terciopelo negro reforzada con hierro.

Ella ni siquiera titubeó. Continuó moviéndose a toda prisa a través del río hacia el barrio francés.

¡Savannah! Su voz sonó imperiosa esta vez, una orden categórica pronunciada con voz cautivadora. *Vas a hacer lo que te diga.*

No, no lo haré. Había desafío en su voz, una mezcla de agresividad y hondo pesar. Notaba las lágrimas quemándole la voz, las lágrimas en su pecho. Huía tanto de ella como de él.

Gregori maldijo en voz baja en varias lenguas. *No me hagas obligarte a obedecer, chérie. Esto no es seguro para ti.*

Tal vez no quiera tanta seguridad, le dijo entre dientes, adentrándose aún más en la noche. *Tal vez quiera hacer algo alocado, por cambiar un poco. No aguanto esto, Gregori. Lo detesto.*

Mon amour, no huyas de lo que tenemos juntos. Sé que nuestra vida no ha empezado en el paraíso, que el mundo que tenemos que habitar es desagradable y peligroso, pero estamos juntos.

Tú eres un cazador. Estaba llorando, podía notarlo. *Y yo te pongo en peligro.*

Gregori le envió oleadas de alivio, pero sabía que no eran suficientes. El mortal que llevaba agarrado a su camisa se agitó.

—Mmm, ¿Gregori? —El viento se llevó las palabras de su boca y las arrojó sobre el agua.

La respuesta del carpatiano fue una especie de gruñido. Ahora su cuerpo iba por encima de la bruma, que hacía de manto protector.

—Di lo que tengas que decir.

—Creo que Savannah está molesta.

No hubo respuesta. Gregori continuó siguiendo a Savannah.

—Si me permites un comentario, a veces las mujeres necesitan sencillamente llorar —aventuró Gary.

Savannah se fue directamente a casa. Una vez que estuvo dentro de la seguridad de los cuatro muros, Gregori se alejó para llevar a Gary a un nuevo hotel.

—Ya sabes que no puedes salir hasta que vengamos a buscarte mañana —le advirtió. Era una sombra en la mente de Savannah. Podía verla con claridad, corriendo por la habitación de la entrada hasta la escalera de caracol, hacia el precioso tesoro que Julian les había dejado.

Savannah abrió de golpe el sótano, e hizo un ademán con la mano sobre la portezuela oculta que permitía la entrada a la cámara. Se metió poco a poco en la tierra curativa y se hundió profundamente; luego se hizo un ovillo y lloró descorazonada. Tantas muertes. Peter. Y ¿qué si hubieran perdido a Gary esta noche? Podrían haberle perdido, y ella se habría sentido inútil por no poder ayudarle, porque Gregori no lo permitía.

Tras dejar a Gary, Gregori acudió a su lado con dulzura y ternura. Sus manos desvistieron con una caricia el cuerpo de Savannah que ya no se resistía. No hizo intentos de despertarla, de convencerla para que se uniera a él. En vez de ello, machacó unas hierbas calmantes y curativas, que les devolvían los aromas de su patria. Se echó junto a ella en la cámara dormitorio, enterrándose a fondo en la fértil tierra, cogiendo su tierno cuerpo entre sus brazos para acercarla más a él.

Savannah recostó su cabeza sobre el amplio hombro de Gregori y cerró los ojos con fuerza. Tenía un puño cerrado en la boca, y Gregori notaba los sollozos que convulsionaban su cuerpo. Le murmuró en francés y le acarició el pelo, rodeándola con sus brazos protectores esperando a que ella desatara su tormenta de pena.

Sabía cómo dar caza y asesinar a la criatura más sanguinaria y astuta del planeta, el vampiro. Podía crear tormentas y lanzar rayos desde el cielo. Podía hacer que la tierra se moviera. Y sin embargo no tenía la menor idea de cómo detener este torrente de lágrimas. La estrechó en sus brazos, y cuando ya no pudo soportarlo, lanzó una brusca orden que les hizo dormir a los dos.

Capítulo 15

La tormenta se desplazaba desde el mar a través de la oscuridad creciente, soplando furiosa y rápida sobre el canal hasta
entrar en Nueva Orleans. Se desató con violencia, descargan-
do chaparrones tan fuertes sobre las calles que de inmediato
se hicieron varios dedos de agua y las enormes bombas de la
ciudad fueron incapaces de dar abasto para tragar la gran cantidad de líquido. Los rayos cruzaban crepitantes el cielo, danzaban en el aire y daban una exhibición del crudo esplendor
de la naturaleza. Los truenos estallaban ruidosos y el cielo se
llenaba de tambores que sacudían hasta los cimientos de los
edificios.

Gregori recorrió la casa descalzo, preocupado de pronto
por Savannah. Estaba sola afuera en el patio, en silencio, y no
compartía sus pensamientos con él. Desde que se habían levantado, sólo habían conectado sus mentes dos veces, y en
ambas ocasiones la encontró confundida, triste y caótica. Él se
había retirado para dejarle espacio. Ella quería precisamente lo que Gregori sabía que nunca podría darle: la libertad de
participar junto a él en sus batallas. La idea de ver a Savannah en cualquier situación de peligro le dejaba sin aliento.
Gregori, pese a todo su conocimiento, a todo su poder, no sabía qué hacer; era incapaz de decir lo adecuado para que ella
se sintiera mejor.

Savannah había salido en silencio al patio cuando empezó a levantarse viento, para observar las nubes que oscurecían, bullían dando vueltas bajo el cielo nocturno, anunciando el temporal que se acercaba. El cielo empezó a descargar, empapando la tierra. Savannah se limitó a enroscarse como un ovillo en un sillón y a observar con ojos melancólicos.

Gregori se detuvo en el umbral de la puerta abierta con ojos de mercurio fundido, atento y prudente. Ella contemplaba los latigazos de los relámpagos danzantes sin preocuparse por los dedos de agua acumulados en el patio, ni por su largo pelo empapado ni la fina camisa pegada a ella como una segunda piel. Estaba tan hermosa que dejó a Gregori sin respiración. A su alrededor, toda la naturaleza explotaba, salvaje y violenta. En medio de todo aquello, ella permanecía sentada como si aquel fuera su sitio. La seda blanca de la camisa, empapada de lluvia, se había vuelto trasparente, pegada a sus pechos altos y firmes dándole el aspecto de una ofrenda pagana.

Estaba sumida en sus pensamientos, muy lejos. Gregori tocó su mente porque necesitaba el contacto. Ella parecía tan distante, y él ya no soportaba la separación. Pese al aspecto externo de serenidad, la mente de Savannah estaba tan exaltada como la tormenta. Se elevaba por encima de la tierra, pues ya no la sujetaban la piel y los huesos. La furia de la inminente tempestad estaba dentro de ella, turbulenta e indómita.

Gregori no encontró en ella condena alguna por los errores que él había cometido; no le responsabilizaba de su dolor. Sólo había una fiera necesidad de dar con una manera de entender y aceptar esas cosas que ella no podía cambiar. Savannah creía que las deficiencias eran su propia juventud y la falta de experiencia. Le afligía de modo especial haberle puesto en peligro sin darse cuenta por no saber aún ocultar su presencia ante los enemigos. Gregori casi gime en voz alta. No se la merecía, nunca la merecería.

Savannah volvió la cabeza poco a poco hacia él, con el fondo de sus ojos azules oscurecidos por la furia de la tormenta. Entonces lo notó, la excitación y el hambre. La tormenta que rugía. Se desplazaba por la sangre de Savannah igual que atravesaba el cielo nocturno. Despertó algo primitivo y salvaje en Gregori. Notó el rugido de su bestia interior, el hambre que le inundaba. Los ojos plateados relucieron rojos en la oscuridad de la noche, feroces y salvajes, los ojos de un animal más que los de un hombre.

Gregori nunca olvidaría aquel momento. Ni en un siglo, ni en una eternidad. La noche era suya. Pese a todo lo sucedido entre ellos, nada podía separarles. Se pertenecían el uno al otro. Se necesitaban. Corazones y mentes, cuerpos y almas. Los árboles se mecían con el viento, las plantas se doblaban casi con las fuertes arremetidas. La humedad era alta, el aire estaba cargado de electricidad que saltaba y crepitaba. Rayos zigzagueantes de rojo blanco caían sobre el suelo y sacudían la tierra. Uno descargó contra la fachada de un edificio a escasas manzanas, carbonizando las paredes y lanzando ladrillos sobre la acera y la calle. Un poste telefónico próximo explotó con una lluvia de chispas luminosas.

Savannah estaba de pie en el patio con los relámpagos saltando en arcos por el cielo sobre su cabeza, con el viento sacudiendo su pelo y la lluvia empapando su cuerpo, y alzó los brazos para abrazar la brutal fuerza de la naturaleza. Su piel cremosa y perfecta estaba húmeda. La camisa de seda se pegaba a su torso y resaltaba el rosa oscuro de sus pezones erectos. Tenía las piernas desnudas y delgadas, y el triángulo de rizos en lo alto de su vértice tentaba y atraía, le llamaba de un modo misterioso. Su largo pelo, suelto al viento, estaba húmedo y revuelto, como la propia noche.

Gregori se acercó a ella porque tenía que hacerlo, no tenía otra opción. Nada, ningún obstáculo podía haber impedido que acudiera a su lado. Deslizó el brazo y la atrajo hacia él, buscando su boca con la intensidad feroz de la tormenta. No encontraba las palabras, no tenía palabras que ofrecerle, sólo esto, su feroz necesidad de mostrarle lo que significaba para él. Lo que ella le daba. Vida. Todo.

Gregori la quería así. Húmeda y salvaje, mientras los relámpagos hendían el cielo y abrasaban la sangre de ambos. Tomó su boca y la devoró con voracidad, declarando suya a Savannah, marcando su boca y su piel con su rúbrica.

El fuego se propagó por el cuello de Savannah mientras Gregori la besaba y acariciaba con la lengua, para hundir luego a fondo sus dientes. El placer y el dolor la sacudieron, la redujeron a un frenético éxtasis, ansiando más, nunca dejaría de ansiar más. Gregori tomó su sangre, el dulce y caliente fluido le llenó mientras se colmaba con el sabor de su mismísima esencia.

Mientras bebía su meloso néctar, separó los extremos de la camisa para poder coger la plenitud de sus pechos en sus manos, deleitándose con su cuerpo, con su blandura. Tan perfecta. Percibió en la mente de Savannah el deseo, el hambre salvaje, la necesidad de emular la furia de la tormenta, la necesidad de sentirse viva en medio de toda la violencia que les rodeaba.

La necesidad de Savannah era la de Gregori. Pasó su lengua sobre los pinchazos para perderse a continuación por la garganta, dejando un rastro de llamas. Encontró el pecho a través de la fina transparencia empapada en agua de su camisa y lamió alocadamente, con el frenesí salvaje del deseo y el amor. Encontró con las manos su trasero desnudo, cogió las nalgas para atraerla contra su cuerpo fogoso. La necesidad superaba la cordura; sus colmillos estallaron hacia fuera y perforó la protuberancia cremosa del pecho, y de ese modo ella fluyó dentro de él como un néctar.

Savannah le acunó la cabeza con un brazo, mientras con la otra exploraba su cuerpo con la clara intención de ponerle al rojo vivo. La tormenta estallaba a su alrededor, a través de ellos, se acumulaba en lo profundo de sus cuerpos, exigiendo liberación. Gregori se alimentaba, ejercía su derecho y reclamaba a Savannah con sus manos, deslizándolas hacia abajo hasta el núcleo húmedo, excitado y palpitante. Sondeó con los dedos, con caricias juguetonas y tentadoras. La combinación de la boca bebiendo su sangre y los dedos acariciándola la volvieron loca, y se movió contra las manos, desesperada por conseguir alivio.

Los gritos roncos de Savannah se perdían entre los estallidos de los truenos mientras su cuerpo se tensaba lleno de vida y exigía más de Gregori. Él alzó la cabeza y observó con ojos hambrientos el fino reguero rojo que se mezclaba con la lluvia sobre su cuerpo. Pasó la lengua por el pecho y luego siguió el rastro de rubí que goteaba hasta su vientre y un poco más abajo. Savannah estaba lista, gritando de excitación mientras se fragmentaba bajo aquel ataque.

Los relámpagos chisporroteaban y descargaban latigazos de fuego que parecían azotarles con su furia, que parecían danzar a través de sus cuerpos, alimentando la tormenta desatada dentro de ellos y a su alrededor. Gregori la empujó hacia atrás hasta chocar con la intrincada forja de hierro de la pérgola. Dio la vuelta a Savannah para dejarla de tal manera que sus pechos quedaran entre los barrotes. Ella se agarró al metal, sujetándose con los puños cerrados mientras él la cogía por las caderas. Gregori la acarició con las palmas de la mano, su suave piel le estaba volviendo loco de necesidad. Se apretó contra su trasero con su cuerpo también frenético, la dura erección no paraba de crecer. Nunca había necesitado tanto alguna cosa.

Savannah profirió un sonido, un pequeño grito desgarrado y gutural. La suave súplica desmoronó el poco control que le quedaba a Gregori, quien se impulsó hasta el fondo de su vulva de ardiente terciopelo. Se oyó gemir de placer, un sonido arrancado de lo más profundo de su ser que el viento se llevó y lanzó por la turbulenta noche. Sujetaba con las manos sus caderas mientras se enterraba cada vez más a fondo, con fuerza y velocidad, tan salvaje como los vientos que les azotaban.

La espalda de Savannah, tan larga y perfecta, se estiraba ante Gregori, y entonces él inclinó la cabeza para lamer las gotas de agua. Ella era menuda, tan delicada, y aun así fuerte y salvaje como cualquier producto de la naturaleza. El ardor insaciable del ritual carpatiano les dominaba, pero el corazón de Gregori, cautivo para siempre, era igual de tierno por muy salvaje que él fuera.

Notó que ella se debilitaba, que experimentaba un mareo momentáneo. Supo al instante cuál era el problema, aunque ella intentara ocultarlo. Gregori había tomado demasiada sangre. Sin mediar palabra, la levantó en sus brazos. El pequeño grito de pesar satisfizo su ego masculino mientras les llevaba a través del patio hasta un diván. Se acomodó en los cojines mojados y la levantó para dejarla a horcajadas sobre su cuerpo.

Savannah chilló cuando bajó su cuerpo terriblemente excitado sobre él. Gregori la llenó por completo con una fricción candente, tensa y erótica. Entonces la cogió por la nuca y la obligó a inclinar la cabeza hasta su pecho. *Ahora vas a alimentarte tú.*

Parecía un ser salvaje, moviendo su cuerpo de forma frenética encima de él, tomando el férreo control de Gregori y reduciéndolo a cenizas. Él extendió las manos sobre su cintura y se permitió el lujo del puro placer, mientras los relámpagos crepitaban a través de su cuerpo consumido por las llamas. Movió las manos sobre la línea perfecta de su espalda hasta encontrar su cabello y obligarla a bajar la cabeza hacia él. *Necesito esto de ti. Necesito que me metas en tu cuerpo.* Apretó los dientes conteniendo el placer que amenazaba con volverle loco.

Aquella orden era una súplica, y Savannah se inclinó hacia delante mientras cabalgaba sobre Gregori. Lamió con la lengua las gotas de agua sobre su pecho, una pasada, y una segunda vez. El cuerpo de Gregori se contrajo perforado por el fuego: dolor y placer fusionados en una única sensación. Los dientes de Savannah les unieron igual que Gregori les unía con su cuerpo. Cuerpo y alma. Dios, la amaba, se sentía completo y entero con ella. La terrible carencia, el vacío negro, quedaba relegado para siempre por la belleza de espíritu de Savannah, la belleza de su alma.

Él susurró antiguas palabras de amor sin dejar de apretar los dientes, embistiendo contra ella, llenando su corazón igual que llenaba su cuerpo. Cuando llegó la explosión, fue tan turbulenta como los rayos lacerantes, tan sonora como el crepitar de los truenos, tan salvaje como los vientos que rasgaban la noche.

Se aferraron el uno al otro, exhaustos, saciados, asombrados de la belleza de su acto sexual, la belleza de su tormenta. Mientras permanecían aún enlazados sobre el asiento, Savannah con la cabeza sobre el corazón atronador de él, Gregori rodeándola con los brazos, los vientos empezaron a amainar, y la naturaleza aflojó la fuerza frenética mientras sus corazones regresaban también poco a poco a su ritmo normal.

Gregori le besó las sienes, la línea del pómulo y le pasó la boca por la comisura de los labios, mordisqueando luego su barbilla en su recorrido descendente.

—Eres mi mundo, Savannah. Debes saberlo.

Ella le abrazaba, conmocionada por la intensidad, por la fuerza de la intensidad del uno por el otro.

—Si esto entre nosotros se hace más fuerte con los años, ninguno de los dos vivirá demasiado.

Gregori se rió en voz baja.

—Tal vez tengas razón, *chérie*. Eres una mujer peligrosa.

Él se levantó del diván, aún sujetándola en sus brazos, y se deslizó por el patio hasta el interior de la casa. El agua de la ducha caía caliente sobre sus cuerpos después de la fresca lluvia, y permanecieron ahí durante un rato, demasiado agotados como para moverse. Savannah estaba agradecida de que él la sostuviera en sus brazos pues temía que las piernas no volvieran a aguantar su cuerpo.

Gregori secó su delgado cuerpo con una toalla antes de hacer un ademán con la mano para envolverse con ella. Savannah se paseó por la casa de regreso a la cocina, solamente tapada por otra de las camisas de Gregori. Su piel desnuda mostraba señales que no estaban antes, y Gregori maldijo su propia rudeza mientras la iba siguiendo. Le había dejado su señal en el pecho a posta, la marca de su posesión, pero era preciso curar las demás señales débiles en el resto del cuerpo.

Savannah se rió un poco.

—No me duele en ningún sitio, pareja. Me ha encantado, y bien que lo sabes.

—Puedo hacer que te encante sin dejar esas señales —le corrigió.

Ella cogió con despreocupación una pila de folletos, los hojeó, y a continuación los dejó caer sobre la encimera.

—Si alguna vez me haces daño, Gregori, te prometo que te lo diré de inmediato.

Él percibió que volvía su inquietud.

—¿Qué sucede?

—Hagamos alguna cosa, Gregori. Algo que no tenga que ver con la cacería. Algo diferente. Algo de turistas.

—Las calles están inundadas esta noche —comentó él.

Savannah se encogió de hombros.

—Lo sé. He estado mirando por encima los folletos, vienen todas las atracciones turísticas que hay por aquí —dijo Savannah con toda tranquilidad.

Gregori alzó la vista con actitud alerta al oír el desinterés tan calculado en su voz.

—Y ¿alguna te ha parecido apetecible?

Ella volvió a encogerse de hombros con indiferencia.

—Las más interesantes son excursiones de día en su mayoría. Como las que recorren los pantanos. Una de ellas te permite ir con alguien que ha crecido en el pantano. —Volvió a encogerse de hombros—. Me gustaría conocer la historia local; no me importaría dar una vuelta por el pantano con alguien que haya vivido ahí.

—¿Tienes el folleto a mano? —preguntó él.

—No es importante —comentó Savannah con un pequeño suspiro. Echó la pila de folletos sobre la mesa y cogió su cepillo para el pelo.

Gregori se lo quitó de la mano.

—Si quieres hacer una buena excursión por el pantano, Savannah, entonces iremos.

—Me gusta el rollo turista —admitió Savannah con una leve sonrisa—. Es divertido hacer preguntas y aprender cosas nuevas.

—Apuesto a que se te da muy bien —le respondió mientras le pasaba el cepillo despacio por la larga melena de cabello negro azulado. Bullía con vida propia, se negaba a ser domado. Lo cogió en sus manos sólo para sentir lo suave y sedoso que era. Por encima del hombro de Savannah, su mirada pálida observó el folleto que ella había dejado a un lado. Si ella quería una excursión, movería cielo y tierra para que la hiciera.

—No es verdad que siempre nos pasemos la vida cazando vampiros y asesinos humanos que asolan a nuestro pueblo —empezó a decir con diplomacia.

—Lo sé. Pero aparecen allí donde vamos —apuntó ella.

Él intentaba deshacer un enredo en su reluciente pelo.

—La primera vez que me planteaste venir a Nueva Orleans, confiamos en que los miembros de la sociedad nos siguieran y dejaran en paz a Aidan y a su gente. ¿No es eso lo que querías?

—No exactamente —reconoció ella con un centelleo en sus ojos azules—. Sólo intentaba convencerte de que viniéramos aquí, ya sabes, la clásica luna de miel. Dulce y joven esposa enseña a viejo y arrugado cascarrabias a divertirse. Ese tipo de cosas.

—¿Viejo y arrugado cascarrabias? —repitió sin disimular su asombro—. Lo de viejo puedo aceptarlo, incluso lo de cascarrabias. Pero, desde luego, no estoy arrugado. —Como castigo le tiró del pelo.

—¡Uy! —Se dio media vuelta y le fulminó con una mirada de indignación—. Era por lo de los brujos y sus arrugas, ya me entiendes. Parecía encajar.

Gregori se llevó el pelo a la cara para ocultar la repentina emoción que le abrumaba. La fragancia de flores y aire fresco le envolvió. O sea, que esto era lo que había buscado durante todos esos largos siglos. Diversión. Aceptación. Alguien con quien compartir la risa y las bromas, para convertir hasta los momentos difíciles de la vida en algo hermoso. Ella ahora formaba parte de él y no podría regresar a su anterior existencia estéril. Nunca querría seguir en el mundo sin ella.

—¿Te parezco demasiado viejo, Savannah? —le preguntó en tono afable, mientras se llevaba mechones de pelo a la boca. Tan suave. Tan parecido a la seda, e incluso mejor.

—Viejo, no, Gregori —le corrigió con ternura—. Sólo anticuado. Tienes tendencia a creer que las mujeres deberían hacer siempre lo que les dicen.

Gregori se encontró riéndose.

—Pues no es lo que tú haces.

Ella inclinó hacia atrás la cabeza, una indicación no muy sutil para que él reanudara el cepillado.

—Ojalá entendieras que no puedo quedarme mirando cómo alguien sufre daño por mi causa.

Él suspiró de forma audible y dejó pasar unos instantes antes de responder.

—Nunca debería haberte llevado conmigo y ponerte en tal situación, *ma chérie*. Me disculpo por eso.

—Quiero hablar de esto —insistió, apretando el puño.

Él apartó a un lado la fina camisa, inclinó la cabeza y le tocó con la boca el hombro desnudo. La sensación era tan íntima como el pecado.

—Ese tema ya no admite discusión. Anoche ya lo dejamos. No voy a hacerlo, ni siquiera por ti. Tienes que entender quién soy. Estás dentro de mí, igual que yo estoy en ti. Tú sabes lo que siento. No puedo hacer otra cosa más que protegerte. Así soy yo.

—¿Tienes que ser tan inflexible respecto a esto, Gregori? —protestó Savannah. Pero estaba en lo cierto; ella ya conocía la respuesta. Era imposible estar en su cabeza y no sentir su implacable resolución.

—La tormenta se aleja ya de nosotros. ¿Quieres ir al pantano esta noche? —preguntó en voz baja, mientras le separaba el pelo con destreza y empezaba a entretejerlo en una gruesa trenza.

A ella le encantaba el contacto de sus manos en su pelo, los dedos masajeando su cuero cabelludo, tirándole con tal ternura de la gruesa longitud de la trenza. Se estiró para apoyar la palma de su mano en el hombro desnudo, en el lugar exacto donde sus labios la habían tocado.

—Me encantaría ir contigo al pantano.

Él le sonrió con sus ojos plateados convertidos en mercurio fundido.

—Podemos observar la fauna, por hacer algo diferente. Nada de vampiros.

—Nada de tipos raros, miembros de sociedades secretas —añadió ella.

—Ni mortales a quienes rescatar —dijo Gregori con intensa satisfacción—. Vístete.

—Siempre me quitas la ropa y luego me dices que vuelva a vestirme —se quejó Savannah con su sonrisa exasperante, esa tan sexy que le volvía loco.

Gregori le dio la vuelta para que le mirara, agarró la parte delantera de la camisa y juntó los extremos abiertos para tapar su tentador cuerpo.

—No puedes esperar que te vista yo, ¿cierto? —preguntó inclinándose para rozar sus labios con los suyos. Ella notó de hecho cómo brincaba su corazón como respuesta. O tal vez fuera el de él. Ya era casi imposible distinguir la diferencia.

Savannah tardó apenas unos momentos en estar lista. Salieron al patio de la mano. La lluvia ahora no era más que una neblina, pero todavía había varios centímetros de agua sobre las baldosas. Gregori se llevó su mano a la boca.

—Nunca volveré a mirar este lugar del mismo modo, *ma petite* —dijo con suavidad. Su voz susurraba sobre su piel, era terciopelo negro deslizándose sobre su cuerpo y se filtraba en su mente. Su voz era la pureza en sí misma, tan hermosa que nadie podía resistirse, y ella menos que nadie. Savannah se encontró sonrojándose, el rubor le cubrió el rostro poco a poco.

La risa de Gregori era suave y ronca. Su cuerpo ya empezaba a cambiar de forma mientras se disponía a lanzarse al cielo. Savannah observó con orgullo el cuerpo de Gregori comprimiéndose, al tiempo que unas plumas iridescentes cubrían la forma del ave rapaz. Era hermosa, con ojos agudos, pico afiladísimo, garras y un cuerpo poderoso. No tenía experiencia en cambiar de forma en medio del aire, pero retuvo en su mente la imagen que él le envió y notó la peculiar dislocación de huesos y músculos que anunciaba el cambio.

Las sensaciones eran por completo diferentes. Como aquella noche en la que corrió libre como el lobo, Savannah ahora tenía los sentidos de un ave de presa. Su visión era aguda y clara, sus ojos se abrían muchísimo. Extendió las alas tentativamente y luego las agitó bajo la ligera llovizna. Eran mucho más grandes de lo que hubiera imaginado. Qué deleite. Las agitó con más fuerza para poder crear viento, provocando olas en el agua acumulada en el patio.

¿Te estás divirtiendo? La voz de Gregori dejaba entrever un deje de humor.

Qué gustazo, pareja, respondió. Batió con rapidez las alas, que la levantaron en el aire. La ligera bruma ya se estaba despejando por encima de ellos. El aire era cálido y llevaba la promesa de más lluvia, pero ella remontó el vuelo, deleitándose en su capacidad para hacerlo.

El cuerpo más grande y fuerte de Gregori descendió sobre ella, próximo y protector, guiándola en dirección al pantano. Desde donde se encontraban, allí en lo alto, los ojos agudos del ave rapaz podían detectar los menores movimientos más abajo. Incluso los colores eran diferentes. La visión infrarrojo, los sensores de calor... Savannah no estaba segura de qué era cada cosa con exactitud, pero la manera en que percibía el mundo era una experiencia única y diferente.

Descendió por debajo de Gregori y se alejó de él planeando, volviéndose a un lado y otro y ascendiendo luego en círculos por encima de él. En su mente podía oírle maldecir. Como siempre, sonaba arrogante, elegante, anticuado, al mando por completo. Riéndose, encontró una corriente de aire caliente y la siguió por encima del río. El ave macho se dejó caer para cubrirla y cercarla con sus enormes alas. *¡Aguafiestas!*, le acusó ella, con un contacto mental que era un susurro lleno de alegría e invitación a participar en la diversión.

Corres un gran peligro, ma femme. Gregori sabía que la amenaza sonaba vacía; él le concedería el mundo. Pero ¿por qué siempre tenía que ser tan temeraria?

Cualquiera que elija vivir contigo debe tener cierto sentido de la aventura, ¿no crees? Su suave risa jugueteó sobre su piel como música, como la amable brisa que soplaba desde las montañas en su tierra natal.

Incluso dentro del cuerpo de un ave, él cobraba vida, la necesidad y el hambre despertaba para convertirse en parte de él. Incesante. Exigente. Salvaje en su intensidad. Era más que simple deseo. Más que hambre. Más que necesidad. Era todo eso mezclado con una ternura que nunca antes había concebido. Cuanto más atrevido era el comportamiento de Savannah, cuanto más desafiante se mostraba, más se derretía su corazón. *Lo que pienso es que sería mejor que hicieras las cosas como yo digo; cambiar de forma no es cosa sencilla.*

Todo el mundo lo hace, protestó ella al tiempo que salía disparada de debajo de él.

El macho rapaz se lanzó a por ella rápido y recto como una flecha, cayendo en picado desde el cielo nocturno. Savannah, dentro del cuerpo de una hembra, soltó un pequeño chillido de miedo y su corazón palpitó con fuerza por lo inesperado del ataque. Se le escapó un extraño graznido, que la sorprendió de tal modo que, por un momento, olvidó lo que estaba haciendo y casi vuelve a cambiar de forma para recuperar su propio cuerpo.

¡Savannah! Su voz era una orden suave e hipnótica, imposible de ignorar o desafiar. Él retuvo la visión del ave en su mente, fusionándose por completo con ella hasta formar un solo ser. El ave de presa macho acudió una vez más volando para cubrir el cuerpo menor de la hembra, para guiarla sobre la ciudad hasta el canal que conducía al oscuro pantano.

Ha sido culpa tuya por asustarme, proclamó ella.

Bajo ellos se alzaban cipreses cubiertos de musgo en el agua. Unos densos juncos surgían de la marisma. El pantano rebosaba vida, con sonidos de insectos, pájaros y ranas. Las tortugas compartían los troncos caídos, en descomposición, con caimanes jóvenes, y las serpientes se deslizaban o se entrelazaban entre ellas, satisfechas y aletargadas, a lo largo de las ramas. El pájaro macho dio un leve empujón a la hembra y planearon por encima de la belleza de la noche durante un rato, observando la escena siempre cambiante por debajo de ellos.

Gregori lanzó una llamada a través de la noche en busca de la persona que satisfaciera los deseos de Savannah. Ella quería un guía, alguien que hubiera nacido y se hubiera criado en esta zona y que pudiera contestar a sus preguntas. Un barco se desplazó por las aguas en respuesta a su llamada. Había dado una orden especialmente fuerte, instando al hombre a responder de inmediato. *Pósate en la roca de abajo, Savannah, y cambia de forma mientras desciendes. Yo mantendré la imagen para ti.*

Por un momento, ella se asustó. La roca no es que fuera demasiado grande y la marisma era bastante traicionera. *Confía en mí*, ma petite. *Nunca permitiría que te sucediera algo*, la tranquilizó Gregori. Ella notó el consuelo de sus fuertes brazos rodeándola, incluso con la forma de pájaro que había adoptado.

El alcance de los poderes de Gregori siempre asombraba a Savannah. Estaba claro que era legendario. Todos los carpatianos hablaban de él en susurros. Ella pensaba que era poderoso, pero no había concebido las cosas de las que era capaz. Notó un orgullo inesperado por él, sin dejar de asombrarse de que él quisiera a alguien tan inexperta en las costumbres carpatianas y en los aspectos esenciales de su formación como ella.

Te enseñaré todo lo que te haga falta saber, chérie, *y disfrutaré con las enseñanzas,* susurró en voz baja en su cabeza. Ella notó al instante el fuego que se desplazaba por su cuerpo con el rumor de su voz.

Las garras del pajarillo apuntaron hacia abajo y buscaron agarrarse al pedrusco al tiempo que su delgada forma titilaba en el aire húmedo. Mientras su figura se materializaba, el ave macho encontró un pequeño espacio de suelo estable sobre el que descender. Se deslizó suavemente hasta posarse sobre los dos pies y su cuerpo musculoso hizo que el de Savannah pareciera pequeño. Oyeron el zumbido constante del motor del barco que avanzaba dando resoplidos hacia ellos. Con una risa, Savannah saltó a los brazos de Gregori desde el precario apoyo sobre la roca.

Él la cogió y la estrechó contra su pecho, lleno de puro júbilo y euforia corriendo por sus venas. Volver a sentir era algo que iba más allá de su comprensión, sentir así, aquella dicha en él, era del todo increíble. Le susurró a Savannah en su lengua antigua unas palabras de amor y de compromiso que no encontraba la manera de expresar en ningún otro idioma. Ella era más de lo que podía imaginar; era su vida, el mismísimo aire que respiraba. *Te preocupan las cosas más ridículas*, dijo con aspereza, enterrando su rostro sólo por un momento en el cuello de Savannah para inhalar su fragancia.

—¿Ah sí? —preguntó ella en voz alta, moviendo la vista por encima de Gregori—. Eres tú el que siempre se preocupa de que yo vaya a hacer algo alocado.

—Haces cosas alocadas —respondió con suficiencia—. Nunca sé con qué vas a salir a continuación. Suerte que resido en tu mente, *ma petite*, o tendría que encerrarte en el manicomio más próximo.

Ella le rozó la barbilla con los labios, que pasó ligeros sobre su mentón, y luego mordisqueó provocadora el borde de su boca.

—Creo que quien tendría que estar encerrado eres tú. Está claro que eres letal para las mujeres.

—Para las mujeres, no, para ti, sí. —Gregori detuvo la boca juguetona de Savannah con sus labios y tomó posesión de ella pese al hecho de que la embarcación estaba ya casi a su altura. Caía indefenso en la telaraña del encanto de Savannah. Ella era magia, belleza y fascinación.

La risa volvía a escapársele mientras se agarraba a la camisa de Gregori con fuerza.

—Tenemos compañía, pareja. Supongo que tú le has llamado, ¿verdad?

—Tú y tus ideas —masculló él mientras se deslizaba sobre la mullida superficie hasta el bote.

El capitán de la embarcación no dio muestras de advertir que los pies de Gregori en ningún momento acababan de tocar la ciénaga. El hombre tenía la mirada puesta en Savannah con asombro genuino.

—Eres la maga Savannah Dubrinsky. He asistido a tres de tus espectáculos. Cogí un avión a Nueva York para verte el año pasado, Denver hace unos meses y San Francisco este mes. No puedo creer que seas de verdad tú.

—Qué cumplido. —Savannah le dedicó su famosa sonrisa, la que incorporaba esas curiosas estrellas de plata al centro de sus ojos—. ¿Viajaste tanto sólo para verme? Me siento halagada.

—¿Cómo lo consigues? ¿Desaparecer como haces en medio de la bruma? Me acerqué al escenario todo lo que pude, pero de todos modos sigo sin poder imaginar cómo te las apañas —explicó adelantándose para tender su mano—. Me llamo Beau La Rue. Nací y también me criaron justo aquí en el pantano. Es un privilegio conocerla, señorita Dubrinsky.

Savannah deslizó la mano entre los dedos del capitán, fue un contacto breve antes de que Gregori pusiera sus pies con firmeza en la embarcación. Otra vez la tenía entre sus brazos, apartándola del asimiento del capitán.

—Soy Gregori —dijo con voz amable y suave, esa voz que embelesaba y fascinaba, la misma que susurraba con amenaza—. Soy el marido de Savannah.

Beau La Rue sólo había conocido otro hombre tan peligroso como éste en toda su vida. Daba la casualidad de que también había sido de noche en el pantano. El poder y el peligro iban adheridos a Gregori como una segunda piel. Sus ojos de un tono pálido inusual eran hipnóticos, su voz persuasiva. Beau sonrió. Había pasado la mayor parte de su vida en estas aguas, y había encontrado de todo aquí, desde caimanes a contrabandistas. La vida en el pantano siempre le satisfacía, impredecible y excitante.

—Habéis escogido una noche interesante para vuestra excursión —dijo alegre. De hecho, la tormenta ya había pasado, pero el estado del agua esta noche era peligroso. En las orillas que les rodeaban, los caimanes, por lo general tan calmados y silenciosos después de haber tomado el sol durante el día, esa noche bramaban desafiantes o se introducían en silencio en las aguas para ir a por sus presas.

Los dientes blancos de Gregori centellearon como respuesta. Él formaba parte de la noche, conocía todas las criaturas, la tierra inquieta e indómita armonizaba con su alma hambrienta. Beau le observó detenidamente, contempló la absoluta quietud que caracterizaba al peligroso predador, los ojos despiadados que se movían sin descanso no perdían detalle. El cuerpo poderoso y bien musculado tenía una falsa apariencia de relajación, pero estaba preparado para cualquier cosa. El rostro, de una sensualidad severa, de una belleza cruel, llevaba grabado conocimientos y dificultades, riesgo y peligro. Gregori permanecía en las sombras, pero la amenaza plateada de su mirada relucía con una extraña luz iridescente en la oscuridad de la noche.

Beau aprovechó la oportunidad para estudiar a Savannah. Era todo lo que transmitía en el escenario, incluso más: etérea, misteriosa, sexy. Todo lo que componía las fantasías de los hombres. Tenía un rostro perfecto, iluminado por la dicha, con claros ojos como hermosos zafiros de estrellas azules. Su risa era musical y contagiosa. Era pequeña e inocente al lado del predador que había subido a su embarcación. Tocaba el brazo de Gregori para indicar algo en la orilla y le rozaba levemente con el cuerpo, y cada vez que sucedía, esos ojos pálidos de él se encendían como mercurio fundido y acariciaban el rostro de ella de modo íntimo y ansioso.

Beau empezó a responder a sus preguntas. Le explicó a Savannah todo sobre su juventud, sobre su padre que cazaba para conseguir comida y pieles, de cómo él y su hermano recogían musgo de los árboles para que su madre y hermanas lo secaran y lo metieran en sus colchones. Se encontró contándole todo tipo de recuerdos de la infancia, cosas que no sabía que recordara. Ella se entregaba a cada palabra que pronunciaba, hacía que se sintiera el único hombre en el planeta... hasta que Gregori se agitó con una mera insinuación de tensión muscular, suficiente para recordar a Beau que ella estaba bien protegida.

Les llevó a todos sus lugares favoritos, a los sitios más hermosos y exóticos que conocía. Gregori hizo también preguntas entonces, sobre hierbas y artes curativas naturales en el pantano. A Beau la voz le parecía irresistible, como terciopelo, un poder de magia negra que podría escuchar siempre.

—Oí a unos hombres hablando en un restaurante acerca de una leyenda del pantano —dijo de pronto Savannah. Se apoyó en un lado de la embarcación, con lo cual ofrecía una visión intrigante de sus estrechos pantalones vaqueros. Se ajustaban de forma encantadora a cada una de sus curvas.

Gregori se movió, su cuerpo se deslizó fluido y en silencio, y al instante cubrió con su figura la de Savannah, bloqueando aquella visión apetecible para el capitán. Gregori se inclinó hacia ella y bajó ambos brazos hasta la baranda para dejarla aprisionada contra él. *Vuelves a hacerlo.* Sus palabras rozaron con suavidad la mente de Savannah mientras el cálido aliento jugueteaba con los mechones sueltos sobre su cuello.

Savannah se inclinó a su vez hacia él, ajustando el trasero a la forma de sus caderas. Se sentía feliz, libre de la carga opresiva de la caza, de la muerte y la violencia. Estaban sólo ellos dos.

Tres, le recordó Gregori mientras rozaba con los dientes su pulso sensible. Notó la respuesta precipitándose por la sangre de Savannah, y la lava fundida propagándose por la suya.

Mi madre piensa que mi padre es un hombre de las cavernas. Yo estoy empezando a pensar que vas a hacer sudar tinta a este hombre para que se gane su dinero.

Serás irrespetuosa.

—¿Qué leyenda? Hay tantas —dijo Beau.

—Sobre un viejo caimán que yace al acecho para comerse perros de caza y niños pequeños —respondió Savannah.

Gregori tiró de su larga trenza para que inclinara hacia atrás la cabeza. Le rozó la línea de la garganta con su boca. *Yo mismo podría ser un caimán hambriento*, se ofreció quedamente.

—El Viejo —dijo Beau—. A todo el mundo le gusta esa leyenda. Se ha transmitido durante cien años o más, y el bicho crece cada vez que se cuenta. —Hizo una pausa durante un momento para maniobrar su embarcación y salvar un obstáculo en el canal. Los cipreses se inclinaban muy bajos, parecían macabras figuras de palos vestidos con largas hebras de musgo colgante. De vez en cuando se oían salpicaduras de alguna serpiente que caía al agua con un plaf.

—Cuentan que el viejo caimán ha vivido siempre. Ahora es enorme, no para de engordar con sus matanzas, y más astuto y artero que cualquier cosa que exista en el pantano. Se hace notar en su territorio, y los otros caimanes le eluden.

Dicen que mata cualquier caimán lo bastante estúpido como para meterse en su territorio, pequeños y grandes por igual, machos o hembras. Los cazadores desaparecen de tanto en tanto en esa zona inhóspita y la culpa se la lleva el viejo caimán.

Beau permitió que la barca se detuviera, y oscilaron tranquilamente en el agua.

—Qué gracioso que hayas preguntado por esa leyenda en concreto. El hombre que me dio las entradas para tu concierto estaba muy interesado por ese caimán. Solíamos venir aquí juntos por la noche, para coger hierbas y corteza, y sondeábamos la zona en busca del monstruo. De cualquier modo, nunca lo encontramos.

—¿Quién te dio las entradas para el espectáculo de Savannah? —preguntó Gregori en tono tranquilo, aunque ya sabía la respuesta.

—Un hombre llamado Selvaggio, Julian Selvaggio. Su familia lleva en Nueva Orleans casi desde su fundación. Le conocí hace años. Somos buenos amigos —sonrió con sumo encanto— pese a que es italiano.

Gregori alzó las cejas. Julian había nacido y se había criado en los Cárpatos. Era tan italiano como Gregori era francés. Julian había pasado un tiempo considerable en Italia, igual que Gregori había residido en Francia, pero ambos eran carpatianos de cabo a rabo.

—Conozco a Julian —dijo Gregori sin que le preguntaran, y sus blancos dientes relucieron en la oscuridad. El agua chapaleaba contra la embarcación y producía un peculiar sonido con las salpicaduras. El balanceo era más relajante y apaciguador que molesto.

Beau respondió con gesto de petulancia.

—Eso pensé. Los dos tenéis una conexión con Savannah, los dos hacéis las mismas preguntas sobre medicina natural y los dos intimidáis como demonios.

—Yo soy más simpático que él —dijo Gregori con la cara seria.

Savannah le rozaba el pecho con la cabeza. Su risa era una dulce música en el calor sofocante del pantano.

—O sea, que nunca has encontrado al caimán. ¿Es cierto que se come perros grandes?

—Bien, el hecho es que, un gran número de perros se han perdido en el pantano a lo largo de un camino en concreto. Se supone que se encuentra en el territorio del Viejo. Un par de cazadores dicen que lo vieron agazapado para tender una emboscada a los perros. Sin embargo, no pudieron trincarlo. Nadie puede. Lleva demasiado tiempo por aquí; se conoce todos los rincones del pantano. En cuanto algo lo pone sobre aviso, desaparece. —El capitán se frotó la frente como si le fuera a estallar.

—Hablas como si creyeras que es real —indicó Gregori en tono afable—. Aun así dices que tú y Julian no lo encontrasteis. Julian es un cazador sin igual. Si existiera una criatura así, seguro que la encontraría. —Estaba leyendo la mente del capitán, acosándole. A su lado, Savannah se agitó como si quisiera contradecir su afirmación, pero Gregori la hizo callar levantando la mano.

—Julian sabía que estaba ahí, lo percibía.

—Pero tú sí lo has visto. —Gregori insistió un poco más, pues de pronto estaba interesado en esta bestia que podía sobrevivir cuando muchos otros no lo conseguían.

Beau echó una ojeada por el canal, incómodo en la oscuridad de la noche. Era supersticioso y había visto cosas, cosas inexplicables, y no le gustaba hablar de ellas sin la luz del sol.

—Tal vez. Tal vez haya visto al Viejo —admitió, en voz baja—. Pero por aquí, si admites una cosa así, los recién llegados piensan que eres un loco.

—Cuéntanoslo —instó Gregori con voz aterciopelada, tan persuasiva que era imposible resistirse a ella.

Capítulo 16

Por un momento cesó el viento y los insectos del pantano permanecieron en silencio. Una oscura sombra pareció sobrevolarles. Gregori miró a Savannah. Beau sacó una lata de cerveza de una nevera y ofreció bebidas a la pareja. Ellos declinaron el ofrecimiento y el vació un tercio del contenido de un trago.

—Mi padre era cazador —les dijo Beau—. Pasé mucho tiempo en el pantano con él, cazando también. Cuando yo tenía unos dieciséis años, estábamos acampados en el exterior de la vieja cabaña que os he indicado antes. Había algunos críos de fiesta en una barca, jóvenes de la ciudad. Tenían una embarcación bonita de verdad, no como la antigualla que nos llevaba a nosotros a la escuela. Yo sentí celos, ya sabéis, las chicas eran guapas y los chicos iban bien vestidos. Cuando nos vieron a mí y a mi padre, se rieron y señalaron nuestro viejo esquife. Sentí vergüenza.

Savannah profirió un suave sonido de simpatía, con su inclinación natural a consolar a la gente. Gregori entrelazó sus dedos y la sujetó a su lado. Qué criatura tan compasiva, y qué manera de hechizar a los hombres sin tan siquiera darse cuenta. Se llevó sus nudillos al calor de su boca como muestra de aprecio hacia su carácter.

Beau dio otro trago a la cerveza, luego se secó la boca con el dorso de la mano.

—Les vimos cómo llegaban hasta la bifurcación desde la que se continúa a lo más profundo del pantano. Su barca era grande y no debería haberse adentrado tanto entre los juncos. Allí las raíces son muy gruesas, sobresalen por encima del agua por todos lados. Los insectos pululan a tu alrededor y te pican hasta que estás cubierto de sangre. Era imposible que aquella barca pasara, pero lo consiguieron de algún modo, como si les hubieran despejado el camino. Una invitación a la muerte.

Savannah sintió un escalofrío, un temor tenebroso e inquietante que cubrió su corazón como una sombra.

—¿Por qué alguien iba a querer ir a un lugar así? —preguntó con un estremecimiento.

Gregori le rodeó los hombros con un brazo y la atrajo hacia la protección de su cuerpo.

—No hay nada que temer, *ma petite*, estoy contigo. Nada puede lastimarte si yo estoy a tu lado.

Beau creía la promesa susurrada por Gregori a Savannah. Ya había advertido la ausencia de mosquitos y otros insectos. Lo mismo había pasado también con Julian Selvaggio. Un fenómeno extraño pero, claro, Beau había presenciado muchas cosas extrañas en el pantano.

La voz del capitán sonó aún más baja, como si la mismísima agua que fluía bajo el barco pudiera llevar su relato al mundo exterior.

—Son muchos los que van allí a ver si la leyenda es verdad. Tramperos, cazadores furtivos a la búsqueda de un trofeo, gente con hambre, que necesita comida y dinero. Para la gente de fuera esto es una estupidez vudú, no entienden el poder de la magia o del propio pantano. O sea, que persiguen lo que no entienden. Julian respetaba la naturaleza, respetaba nuestras costumbres y la magia que hay aquí. Por eso se lo conté a él, por eso fui de caza con él.

—¿Por qué alguien iba a querer matar al Viejo? —La compasión de Savannah se desplazó entonces hacia el caimán—. Lo único que quiere es sobrevivir.

Beau sacudió la cabeza con semblante serio y se estiró para poner en marcha el motor. La barca reanudó su curso y avanzó con resoplidos por el agua.

—No, Savannah, no malgastes tu compasión. No se trata de un caimán ordinario. El Viejo es malvado. Se mantiene a la espera y, hambriento o no, mata cualquier cosa que se acerque. Hombre o bestia, todo es lo mismo para él. Tira de ellos hasta que se caen al agua y los devora.

—Pensaba que te gustaban los caimanes —protestó Savannah—. Forman parte de la naturaleza, parte del pantano. Su sitio está aquí. Somos nosotros los que invadimos su territorio. Este pobre caimán no pide a nadie que venga a cazarle. Lo más probable es que quiera que le dejen en paz. Pero aun así la gente viene aquí.

—Cuéntanos qué les pasó a los jóvenes. —Gregori le animó a seguir.

—No regresaron. Mi padre estaba muy inquieto, muy preocupado. Conocía la reputación del caimán y no le gustaba que los forasteros se adentraran tan lejos por el pantano. El viejo mataba por pura diversión. Sabíamos que era maligno. Al final mi padre insistió en que fuéramos en su búsqueda. Me dijo que me mantuviera muy callado. Él cogió lámparas de aceite y cerillas, armas y un arpón... todo lo que teníamos en el campamento para protegernos.

El aire era sofocante, parecía anquilosado, esperando el resto del relato. Savannah se apretó contra la forma sólida de Gregori. De repente no estaba segura de querer escuchar el resto. Podía sentir, oír y oler la imagen que describía Beau.

Todo va a ir bien, chérie. La voz de Gregori proporcionó cierto alivio calmante a su mente y una dosis de protección, creó una capa de aislamiento entre la sensibilidad de Savannah y lo que pudiera oír a continuación, fuera lo que fuera.

—El hedor era terrible. El aire estaba tan cargado que apenas podíamos respirar. Recuerdo que sudábamos a mares; los dos sabíamos que si continuábamos adentrándonos en el territorio del Viejo, acabaríamos siendo su cena. Queríamos dar media vuelta. Aminoramos el avance de la barca. El corazón me latía con tal fuerza que podía oírlo. Y los insectos arremetían contra nosotros sin cesar. Veía a mi padre negro por su culpa, moviéndose sin parar encima de él. Nos picaban y nos mordían, se nos metían en los ojos y en la nariz, incluso dentro de la boca.

Beau se estaba alterando tanto que Gregori se aproximó a él de manera instintiva para calmar su mente. Se ajustó a la respiración del hombre y luego la controló; entonces se ajustó al ritmo de su corazón y lo ralentizó hasta devolverlo a una pulsación normal. Le susurró el cántico sanador sedante de su pueblo e hizo un suave ademán con la mano para crear una brisa que dispersara el calor sofocante y refrescara la transpiración del cuerpo de Beau. Al instante se alivió la terrible presión que aumentaba en el pecho del capitán.

Beau sonrió fríamente.

—Sólo le había contado esta historia a una persona. Me prometí no volver a hacerlo nunca, pero por algún motivo me sentí obligado a compartirlo con Julian, y ahora con vosotros. Lo siento. Parece que fue ayer.

—A veces ayuda contar una mala experiencia —comentó Savannah con afecto. Sus ojos oscuros aparecían luminosos en medio de la noche. Brillaban como los de un gato, extraños y bellos.

El capitán sacudió la cabeza.

—Mientras no lo cuente, puedo fingir que en realidad no sucedió. Mi padre nunca hablaba de ello, ni siquiera conmigo. Creo que los dos queríamos que fuera sólo una pesadilla.

—Los jóvenes de la ciudad estaban bebiendo. —Gregori captó la narración en su cabeza.

Beau hizo un gesto de asentimiento.

—Encontramos botellas vacías flotando en el agua, en la orilla. Luego les oímos gritar. No era cualquier grito, sino ese tipo de chillidos que te quedan grabados para siempre. Te despierta por la noche con un sudor frío. Mi padre estuvo un mes borracho intentando olvidar esos gritos. Sé que no sirvió de nada. —Volvió a secarse la boca—. A mí tampoco me ha servido nunca.

· *No quiero oír esto, Gregori. Le duele demasiado recordarlo*, protestó Savannah, agarrando la camisa de Gregori con los dedos.

Gregori le pasó una mano apaciguadora por el pelo. *Aliviaré su dolor después. Es interesante. Presiento en su mente la presencia de Julian, como si él también tranquilizara a este hombre. ¿Por qué iba a trastornar tanto a su padre el caimán asesino de seres humanos? ¿Por qué el terror persiste en él después de tantos años? En este lugar se han producido muchas muertes, pocas de ellas agradables. Tal vez sea necesario oír este relato.*

—Estábamos cubiertos de insectos, como si fueran una manta arrastrándose sobre nosotros, y era casi imposible respirar. —Beau se tocó la garganta al recordar la sensación de ahogo—. De todos modos, no podíamos dejarles ahí. Continuamos avanzando entre los juncos y las raíces. Para nosotros, el avance era muy difícil pese a que llevábamos una embarcación mucho más pequeña. El agua estaba negra y turbia cerca de la orilla. Formaba una charca ahí de agua estancada. El hedor era increíble, como un matadero con carcasas descompuestas al sol. Mi padre quiso dejarme en la barca a la entrada de la charca, dijo que continuaría él a pie, pero yo sabía que si le dejaba, moriría.

—Oh, Beau —susurró Savannah llena de compasión. Estaba casi tan apenada como el capitán. Gregori la tranquilizó y consoló de forma automática; le proporcionó un cojín aislante más fuerte. Ella era como una esponja y estaba absorbiendo el terrible trauma.

—Supongo que los dos aceptamos que probablemente no íbamos a salir de ahí —continuó Beau sin dejar de guiar la embarcación con destreza para salvar un obstáculo—. Pero entramos. Estaba negro. No como si fuera de noche, sino negro. Mi padre encendió la lámpara y entonces pudimos verles. La embarcación estaba hecha trizas, grandes trozos de la misma sobresalían como si algo enorme la hubiera atacado. Se estaba hundiendo, casi estaba bajo el agua. Uno de los chicos se aferraba a la barca, pero la sangre salpicaba el aire. No pudimos llegar a él. Algo surgió del agua, algo prehistórico. Sus ojos eran malvados, y tenía la boca muy abierta. No era un caimán normal, y se estaba divirtiendo, jugueteando con esos chicos que se morían.

Beau se pasó una mano por el pelo lleno de turbación, mirando a través de las conocidas aguas. Gregori se meneó y atrajo la atención del capitán. Esos peculiares ojos plateados atrajeron su mirada y la sostuvieron. Al instante, Beau se sintió calmado, centrado y protegido. Consiguió distanciarse del relato que contaba, que se convirtió sólo en eso, en una historia que le había sucedido a otra persona.

Gregori percibió el extraño cambio en la mente del capitán, como un velo brumoso que producía una reacción programada. Se concentró y siguió el rastro, el patrón maligno que tan familiar le resultaba. Reconoció el contacto curativo de Julian, las protecciones que había puesto en el mortal para evitar que la sombra mancillada se extendiera. Un vampiro había tocado a Beau La Rue. Beau había escapado, pero no resultó ileso.

El suave resuello de Savannah traicionó su presencia en la mente de Gregori. Se encontró sonriendo al comprobar que ella podía entrar y salir de su mente, que formaba parte de él de tal manera que ya no distinguía donde empezaba uno y donde acababa el otro. Savannah tenía acceso a sus recuerdos y a su conocimiento. Cuanto más tiempo pasaba en su mente mejor se le daba lo de asimilar las lecciones que los siglos le habían enseñado a él. *Mejor de lo que tú crees.* Savannah sonaba petulante.

Beau estaba más relajado. No era el capitán alegre de antes, pero desde luego su tensión se había aliviado.

—No pudimos hacer nada por ellos. Habíamos entrado en el patio de juego del monstruo y él tenía ganas de jugar. No intentaba ahogarlos de inmediato, ni matarlos al instante. Les arrojaba al aire y les arrancaba partes. Por el agua flotaban pedazos de sus cuerpos. La cabeza de una chica flotaba oscilante cerca de la orilla. Recuerdo la manera en que se extendía su pelo en forma de abanico sobre la superficie del agua.

Gregori tocó el hombro del capitán. *Suficiente, no hay necesidad de recordar los detalles de la atrocidad.*

Beau sacudió la cabeza, pues la vívida representación mental de pronto se empañó y no fue más que un recuerdo borroso.

—Nosotros de poco tampoco salimos con vida. Arremetió contra nuestra embarcación; era grande como cualquiera de esos cocodrilos del Nilo. No quería comida, no protegía su territorio, sólo quería matar. Habíamos penetrado en su guarida, en su dominio, mientras él se divertía, y estaba enfadado. Mi padre arrojó la lámpara de aceite al agua y todo aquello ardió. No volvimos la mirada atrás.

—Tuvisteis mucha suerte —dijo Gregori en tono amable, con una voz vigorizante como una brisa fresca. Se infiltró en la mente de La Rue, en sus poros, y disipó el malestar que le dominaba.

Puedes curarle, dijo Savannah.

Es un mortal.

Tú puedes hacerlo, insistió ella. *Julian le protegió, se aseguró de que el veneno no se expandiera, de mantener la pesadilla a raya, pero tú puedes eliminarla.*

El severo gesto de la boca de Gregori se suavizó un poco, casi esbozó una sonrisa. La historia se repetía. No había manera de convencer a Savannah de que no podía hacer todo lo que quisiera. Ella lo creía de un modo incondicional. Se llevó su mano al calor de su boca y le dio un beso en la palma. *Je t'aime, Savannah,* le susurró a la mente, como una caricia.

Savannah se inclinó hacia él. *Yo también te quiero, pareja.*

Gregori se concentró en limpiar la mente del mortal, en lavar el recuerdo del encuentro con la repugnante criatura, el no muerto. No lo eliminó por completo porque estaba afianzado con firmeza en el alma del capitán; el hombre había vivido demasiados años con esa experiencia. Pero Gregori lo encubrió, lo atenuó, extrajo los restos del contacto mancillado del vampiro, el castigo maligno por la intrusión, por haber escapado a su trampa. Las pesadillas desaparecerían, el vívido horror se desvanecería y el terrible horror y espanto con el que Beau había vivido se esfumarían de su vida para siempre.

Gregori soltó un suave suspiró y se frotó la nuca, tensa tras tal incursión mental. Suprimir la mancha del vampiro de aquel mortal, de cualquiera, era algo difícil, requería una energía tremenda. Pero mirar los ojos brillantes de Savannah hacía que todo mereciera la pena. Le estaba mirando como si fuera el único hombre sobre la Tierra.

Eres el único hombre por lo que a mí respecta, susurró en voz baja; las palabras sacudieron el cansancio de la mente. El sonido del antiguo cántico curativo era relajante mientras la voz de Savannah, hermosa y pura, limpiaba a su vez su mente del desagradable contacto con la depravación del vampiro. Para entrar en la mente de Beau y limpiarla, había tenido que ver cada momento en detalle, de forma muy gráfica. Gregori tuvo que entrar en la fealdad de todos los hechizos nauseabundos del vampiro para deshacerlos y curarle de dentro a afuera. Se encontró dándole la mano a Savannah, mientras una especie de humildad le inundaba. Nadie había hecho eso antes: cuidar de él, preocuparse por su bienestar, ayudarle a sanarse a sí mismo. Fue una experiencia única para el maestro de los sanadores de su raza.

—¿Llevaste a Julian a ese lugar? —preguntó Gregori al capitán.

Beau asintió.

—Hemos ido varias veces a lo largo de los años. Nunca volvimos a encontrar al Viejo otra vez.

—¿Te provocó las mismas sensaciones? ¿Su territorio? ¿Seguía siendo maligno?

Beau hizo un lento gesto de asentimiento y un leve ceño apareció en su rostro.

—Pero yo sabía que no estaba allí. Seguía siendo un lugar maligno, pero no era lo mismo. Por supuesto, con Julian, la sensación era siempre diferente. Todo era diferente.

—¿Diferente? —repitió Savannah—. ¿Cómo?

Beau se encogió de hombros.

—Es difícil explicar cómo es él, pero tú deberías saberlo. Es como éste. —Señaló a Gregori—. Es invencible. Hombre o bestia, natural o sobrenatural, nada puede hacerle daño. Eso hace que sientas.

Savannah intercambió una pequeña sonrisa de completo entendimiento con Beau. Sabía con exactitud a qué se refería.

—¿Crees que el caimán sigue ahí después de todos estos años? Seguro que mueren de muerte natural.

—Está vivito y coleando, pero no creo que permanezca en esa laguna todo el rato. Pienso que tiene un nuevo escondite. Julian se tomó en serio lo de perseguirle. Le dedicamos mucho tiempo, pero nunca dimos con su nueva guarida.

—¿Se le ha vuelto a ver recientemente? —preguntó Gregori—. ¿Aunque sólo sea un rumor de algún borracho al que se le va la lengua? ¿O alguna desaparición extraña?

Beau se encogió de hombros, con esa sencillez natural para aceptar la vida cotidiana que mostraba la gente del pantano.

—Siempre hay desapariciones en los pantanos, olores inexplicados y sucesos peculiares. A nadie le parece inusual.

Nadie cree ya en el Viejo. Se ha convertido en una leyenda, un cuento terrorífico para asustar a los turistas. Eso es todo.

—Pero tú conoces la verdad —dijo Gregori en voz baja.

Beau suspiró.

—Sí, yo sí que sé lo que hay. Él está por ahí en algún lugar en esos kilómetros de ciénagas, y tiene hambre. Tiene hambre todo el rato. No de comida, sino de asesinatos. Su hambre es así, vive para eso, sólo para matar.

Maniobró el barco con cuidado hasta el atracadero. Gregori dio las gracias a La Rue e intentó pagarle. Cuando el guía se negó, Gregori borró por un momento su noción del tiempo y dejó una cantidad de dinero en la cartera del capitán. Había estado en la mente del hombre y conocía sus problemas financieros; sabía que estaba preocupado por la salud de su mujer.

Savannah enganchó sus dedos al bolsillo de atrás de Gregori mientras caminaban por la carretera de regreso a la civilización. La Rue les llamó.

—¿Dónde tenéis el coche? Estas carreteras no siempre son seguras una vez ha oscurecido.

Gregori miró por encima del hombro, sus relucientes ojos pálidos no auguraban nada bueno. Reflejando un atisbo de la luna teñida de rojo, sus ojos parecían los de un lobo persiguiendo a su presa.

—No te preocupes, estaremos seguros.

Beau La Rue se rió risueño.

—No me preocupaba por ti. Me preocupaba que intente asaltaros algún amigo mío. No les hagáis mucho daño, ¿eh? Tal vez una pequeña lección de modales sea suficiente.

—Lo prometo —le aseguró Gregori. Rodeó a Savannah con un brazo—. Interesante esta historia sobre el caimán.

—¿Crees que el vampiro la está aprovechando para protegerse cuando está en el pantano? —aventuró Savannah.

—Tal vez —reflexionó Gregori. Inspiró con brusquedad, como un depredador olisqueando a su presa. El hambre le atormentaba, un filo penetrante y persistente, siempre presente, especialmente predominante después de haber usado tanta energía. Más adelante en la carretera, unos hombres agrupados cerca de un gran árbol bebían cerveza y observaban cómo se aproximaban. Gregori percibió sus miradas puestas en Savannah, olió su súbito interés.

Savannah se retrasó un paso tras él para que su cuerpo mucho más grande la ocultara de sus miradas indiscretas.

—Si no, ¿por qué otro motivo iba a utilizar el vampiro al caimán? ¿Por qué querría salvaguardar su guarida de ese modo?

—Piensa en lo que acabas de decir. Su guarida. El vampiro utiliza el pantano como guarida. Si ese caimán lleva tanto tiempo por aquí, sólo hay una explicación. El vampiro cambia de forma y se convierte en caimán. Desaparece en el pantano, así de sencillo, y cada vez crece más el terror de la población mientras espera a que se vaya el cazador.

—Pero si Julian ha vivido aquí muchísimos años... —empezó a protestar.

Gregori sacudió la cabeza.

—El tiempo no significa nada para un no muerto. Y hay pantanos más allá de este lugar, otras ciudades que tener atemorizadas. Él se limita a ir de una zona a otra, divirtiéndose hasta que le resulta seguro regresar.

Los sentidos de Gregori estaban pendientes del pequeño grupo de hombres. Les veía con toda claridad. Oía sus susurros, el rumor de la cerveza en sus latas, el flujo y reflujo de la sangre en sus venas. Sus colmillos se alargaron con un mal augurio. Se pasó la lengua por los largos incisivos, la ancestral llamada se cebaba en él.

Savannah tiró de su bolsillo y le obligó a detenerse.

—No me gusta esto, Gregori. Salgamos de aquí.

—Tú quédate aquí —protestó—. Déjales.

Gregori la cogió por los brazos e inclinó su morena cabeza hacia ella para atrapar su mirada azul con sus ojos pálidos.

—Tú me conoces, sabes lo que soy, Savannah. Ellos planean amenazarnos. Tal vez si nos vamos, otra pareja pase por aquí, y nosotros ya no estaremos para protegerla. Quieren medir sus fuerzas, intimidar y robar. Aún no están convencidos, pero intentan decidirse. Y yo quiero alimentarme. Noto también la palpitación de tu hambre, o sea, que voy a hacerlo.

—De acuerdo, hazlo entonces —replicó ella y se soltó para apartarse—. Pero me ponen la piel de gallina. Y no quiero su sangre para nada.

Él volvió a cogerla en sus brazos, encontró su garganta con la boca y la arañó con los dientes, jugueteando sobre su piel cremosa.

—Eres tan tierna por dentro, *ma petite*, tu corazón es tan tierno. Eres afortunada de tenerme.

—Eso es lo que crees —respondió ella cortante, pero su cuerpo se fusionaba por iniciativa propia con él. Gregori era fuego y hielo, un calor candente y excitación eléctrica,

Él la apartó y volvió a encaminarse hacia el grupo de hombres. Ahora susurraban formulando un plan de ataque. Gregori se fue en su dirección a buen paso. Ellos se separaron formando un semicírculo, pensando en superarle en un visto y no visto.

—¿Alguno de vosotros conoce a Beau La Rue? —preguntó con una voz tranquila que les sorprendió.

Uno de los hombres, a su izquierda, se aclaró la garganta.

—Sí, le conozco, ¿qué pasa? —Intentaba sonar beligerante. A Gregori le sonaba joven y asustado.

—¿Eres amigo suyo? —En esta ocasión, la voz de Gregori sonaba grave y persuasiva, y les atrapó a todos ellos con su hechizo de magia negra.

El hombre se sintió obligado a responder y se adelantó apartándose de la seguridad de sus amigos.

—Sí, ¿algún problema? —ladró sacando pecho.

Gregori sonrió con una exhibición de dentadura reluciente. Sus ojos relumbraban en la oscuridad, excitados y extraños. *Venid junto a mí para que me alimente.* Lanzó la llamada, que les envolvió y les atrajo a todos. Bebió la sangre de cuatro de ellos hasta hartarse, sació su sed y el doloroso hambre que le corroía. No fue especialmente amable, y dejó que cayeran al suelo mareados y sin ayuda. Implantó recuerdos de una pelea, de un solo hombre contra todos ellos. Sufrían derribados y fuera de combate. Dejó para el final al amigo de Beau La Rue, para Savannah. Fue mucho más precavido al beber su sangre; se aseguró de que el hombre sintiera la necesidad de dar las gracias a Beau La Rue. Le agradecería por haberle salvado de la severa paliza recibida por los otros.

A Savannah no le dio opción de protestar cuando fue a alimentarla. Le ordenó obedecer, y ella se quedó mirándole con ojos amodorrados, pestañeantes, antes de percatarse de lo que estaba sucediendo. Gregori percibió en qué momento ella recuperaba la conciencia, notó el calor que bullía anunciando el mal genio. Savannah le apartó de un empujón.

—Imbécil. —Una palabra. Debería haberle ofendido, pero le entraron ganas de reír.

Gregori le cogió la cabeza con las manos y la abrazó con fuerza, con una explosión de dicha dentro de él. La vida estallaba por doquier. La noche les pertenecía. La levantó en el aire y, acunándola en su brazos, se lanzó al cielo.

Gary casi se desmaya al ver materializarse a la pareja en el balcón exterior de su habitación. Abrió la puerta y les miró boquiabierto.

—¿Estáis chiflados? Cualquiera os puede ver ahí. Las habitaciones de todo el mundo dan al patio.

Gregori pasó con aire majestuoso a su lado y dejó a Savannah en la cama sin más ceremonia. Ella intentó pegarle sin poner demasiado entusiasmo y luego le siguió con mirada fulminante mientras él cruzaba la alfombra a zancadas para irse junto a Gary.

—Nadie puede vernos si no lo deseamos —le explicó Gregori con paciencia, apartando la mirada del trasero perfecto de Savannah—. ¿Has sacado la lista de nombres que necesitamos? ¿La de sospechosos de la sociedad?

—El director me ha dejado usar su impresora —admitió Gary mientras le tendía la lista a Gregori.

—Eh, Gary —dijo Savannah—, ¿quieres ir a cazar vampiros?

Gregori se volvió en redondo para paralizarla con su brillante mirada plateada. *No se te ocurra empezar.* Empleaba la belleza de su voz como un arma persuasiva e imperiosa.

Savannah pestañeó y luego le sonrió con dulzura.

—En serio, Gary, lo he visto en uno de esos folletos para turistas. ¿No es un lugar perfecto para buscar a esos tipejos de la sociedad? Seguro que frecuentan ese tipo de actos.

—¿Cacerías de vampiros? —repitió Gary en tono incrédulo—. ¿De veras?

—Tengo el folleto en casa. —Se guardó mucho de encontrar la mirada furiosa de Gregori.

Tenía otra vez aquella sonrisita secreta, la que siempre volvía loco a Gregori, la que le desbarataba por completo y derretía su corazón. Savannah no pretendía nada bueno, seguro. Él no tenía dudas al respecto. *Estaba pensando que lo que necesitas es un buen azote.*

La sonrisa de Savannah se volvió más petulante.

He dicho que hay que probarlo todo en la vida, pareja, pero creo que es mejor que esperemos a estar a solas, ¿no te parece?

—¿Me toma el pelo? —le preguntó Gary a Gregori—. ¿De verdad hay una cacería de vampiros para turistas?

—Créeme, mortal, si existe algo así, ella está enterada —admitió Gregori—. Me temo que van a convencernos de algo que luego lamentaremos.

—No lamentaréis nada —se apresuró a decir Savannah mientras se sentaba. Sus ojos azules ahora eran de un vivo violeta, con aquellas misteriosas estrellas plateadas que relucían en el centro—. Podemos ir mañana por la noche. Apuesto a que es divertido. Sale de la Herrería de Lafitte a las ocho. Incluso te proporcionan las estacas y el ajo. Vayamos, Gregori. —Sus largas pestañas descendieron para cubrir su expresión, y esa pequeña sonrisa atrajo toda la atención del carpatiano a su tierna boca—. Es posible que demos con alguna pista. Al fin y al cabo, es probable que los organizadores sean tipos profesionales.

Gregori notó la risa que amenazaba con desatarse desde algún lugar de su alma. Los ojos plateados adquirieron aquel tono cálido de mercurio fundido, de hidrargirio.

—Y ¿crees que podrán ayudarme?

Savannah asintió con gesto solemne.

—Lo dice en el folleto, nada de borrachos. Eso tiene que significar que saben lo que están haciendo, ¿no te parece?

—¿Qué más dice? —preguntó Gary con curiosidad.

Savannah le sonrió con malicia.

—De hecho, dice que es pura diversión. Haces un recorrido y te explican cosas. Historia de la ciudad mezclada con mitos y leyendas. —*De hecho podríamos enterarnos de algo, Gregori. Nunca se sabe.* Había una débil nota de esperanza en su voz que intentó ocultar con desesperación.

Gregori cruzó al instante la distancia que les separaba y le cogió la mejilla con la palma de la mano, deslizando el pulgar para acariciarle con suavidad la barbilla. *¿Por qué tienes que estar insegura? Lo percibo en ti, imaginas que te consideraré una tonta por querer hacer estas cosas para turistas.*

La risa de Savannah fue suave y sexy en cierto sentido. Puso su mano sobre la de Gregori.

—Estoy en ti pareja —le dijo con ternura—. Te examina tan bien como tú a mí. Piensas que el noventa por ciento de las cosas que quiero hacer son tonterías.

—Pienso que permitirte hacer esas cosas es una tontería.

Ella se crispó de forma evidente.

—Ya está bien de este asunto de «permitir». Por otro lado, me debes una noche de diversión sin encontrar problemas.

—¿Habéis tenido problemas esta noche? —preguntó Gary.

—No ha habido problemas . —Era evidente que Gregori estaba perplejo.

—Siempre te metes en peleas. Allí donde vas, no puedes evitarlo, así de sencillo —le acusó Savannah con indignación—. La de hoy te la has buscado tú solito.

—¿Te has buscado camorra? —Gary no daba crédito.

—No he buscado camorra —negó Gregori—. Unos cuantos hombres estaban decididos a asaltarnos, por lo tanto les ofrecí una experiencia interesante. No ha habido pelea alguna. Si de verdad les hubiera dado algún golpe físico, estarían en el hospital. —Sus blancos dientes relucieron, y los ojos plateados centellearon con algo más que peligro, con un atisbo de diversión—. De hecho, ellos creen precisamente que deberían estar hospitalizados. No les pasa nada malo. Fui bastante amable en consideración a Savannah. Lo cual, por lo que veo, ella no agradece.

—Lo que agradecería es salir y comportarnos con normalidad.

—Yo me he comportado de la manera más normal en mí, *chérie* —le recordó con amabilidad.

—Doy por supuesto, entonces, que vamos a cazar vampiros mañana por la noche —dijo Gary, con risa en su voz.

Gregori le cogió a Gary la lista de nombres y echó un vistazo para memorizar el contenido antes de devolvérsela. Por un momento, su mirada plateada descansó en el rostro de Gary, con un reflejo frío y desolado del vacío. Gary se estremeció, pero entonces Gregori pestañeó y la ilusión desapareció. Gary se preguntó cuál era la ilusión: el afecto que en ocasiones mostraba Gregori o el vacío sin alma, cruel, en sus ojos.

Savannah se levantó con un aspaviento de la cama y dedicó a Gary un mirada centelleante con sus intensos ojos azules; luego enganchó a Gregori por el codo con su brazo.

—Nos veremos en la herrería... bien, en el bar, mañana a las ocho.

—Tengo que volver al trabajo —objetó Gary—. Voy a perder mi empleo.

—No puedes regresar —dijo Gregori con cordialidad—. En el instante en que dijiste a Morrison que ibas a llamar a la policía, en el instante en que te opusiste a cambiar la fórmula, sellaste tu destino. Mandará tras de ti a su gente, y todos están dominados por una compulsión asesina. Morrison es el maestro vampiro, ahora ya lo sabemos, y tú le has contrariado.

—No me merezco su atención.

—El poder lo es todo para el vampiro —comentó Savannah en voz queda—. Vendrá tras de ti con todo lo que tenga. Que escaparas le ha debido poner loco; tendrá un gran resentimiento. Sabe que yo estaba junto a ti en el pantano, y a estas alturas también sabe que Gregori estaba allí. A nosotros no puede tocarnos, pero pensará que sí puede contigo; de algún modo habrá superado a Gregori.

Gregori hizo un gesto de asentimiento, asombrado por lo bien que se le daba a Savannah analizar la situación. Gary corría un peligro mucho mayor de lo que él podía imaginar.

—¿Has hecho alguna llamada desde esta habitación? ¿Has dado la dirección a alguien, aunque sea de tu familia?

Gregori negó con la cabeza.

—No, iba a llamar a alguna línea aérea para ver si podía aprovechar el billete para una fecha posterior. Y tengo que llamar mañana a mi jefe. Me despedirá, Gregori, y no quiero que lo haga. Aunque acabe trabajando para ti, tengo que seguir cuidando mi reputación. —Raspó con la punta del zapato un punto gastado de la alfombra—. Me gusta la investigación, no quiero quedarme en un puesto que detesto por todo esto.

Gregori le cogió el portátil a Gary y puso en marcha el procesador de textos con habilidad. Savannah le observó asombrada mientras sus dedos volaban sobre el teclado. Tecleó una larga lista de lugares y negocios.

—Tú escoges, Gary. Me considero afortunado de tenerte en plantilla. Entretanto, te dejaré algo en efectivo. No quiero que te sigan el rastro.

—No has visto mi currículum —protestó Gary—. No quiero limosna.

Los ojos plateados brillaron con una breve y cínica nota de humor.

—Tuve tu fórmula dentro de mi cuerpo, Gary. Es toda la prueba de tu genio que necesito. La sociedad tuvo acceso a esa sangre durante un tiempo antes que tú lo tuvieras, pero ninguno de ellos fue capaz de dar con algo que sirviera con nosotros.

—Genial, he tenido ese dudoso placer. Algún día vas a presentarme a alguno de tus amigos y podrás decir: «Por cierto, éste es el que inventó el veneno que está matando a nuestro pueblo».

Gregori se rió entonces con un sonido ronco y grave tan puro que resultaba hermoso de oír. Aportó cierta alegría al corazón de Gary, disipando el pesimismo que se había ido acumulando.

—Nunca lo pensé. Tal vez obtengamos reacciones interesantes.

Gary se encontró sonriendo con timidez.

—Sí, como un grupo de linchamiento conmigo como invitado de honor.

—Pronto tendremos un antídoto para todo nuestro pueblo —le recordó Gregori quedamente—. No hay por qué preocuparse.

—Si dispusiera de mi equipo, podría conseguirlo de inmediato —dijo Gary—. Siempre me aseguro de poder invertir cualquier reacción que yo cree. No sería tan difícil descubrir el punto en que alteraron la fórmula. De hecho, tal vez quede alguna secuela en tu cuerpo que perdure aún en el riego sanguíneo.

Parecía tan esperanzado que Savannah estalló en risas.

—El científico loco va a perseguirte por todas partes con una aguja hipodérmica, Gregori —se burló.

Gregori alzó una ceja con una máscara inescrutable por rostro y sus pálidos ojos más que amenazantes. Sus dientes destellaron y mostró unos colmillos.

—Tal vez no. —Gary abandonó la idea—. No ha sido un buen plan al fin y al cabo.

Savannah quería ponerse en marcha y se movía con su sensual gracilidad para hacerse un sitio bajo el brazo de Gregori. Parecía extremadamente pequeña al lado del gran carpatiano, delicada e incluso frágil. No era tanto la altura de Gregori como la tensión en sus músculos, el grosor de sus brazos y el poder que él emanaba. Ella alzó el rostro para mirarle y su tierna boca se curvó con una sonrisa. No se sentía para nada intimidada por Gregori.

Él la rodeó con el brazo y la apretujó un poco más, envolviéndola casi del todo.

—Piensa que voy a llevarla a esa ridícula cacería de vampiros.

—Y además tiene razón, ¿verdad que sí? —Gary le sonrió.

—Por desgracia —admitió Gregori—. ¿Tienes suficiente comida hasta mañana por la noche? Para entonces tendremos un plan de acción. —Dejó varios billetes grandes sobre la mesilla sin que Gary le viera.

—¿Qué plan de acción? ¿Qué puede hacerse? No podemos luchar contra toda la sociedad.

—Estaba pensando que podríamos usarte como cebo y atraerles hacia una trampa —dijo Gregori con rostro serio.

Los ojos de Gary se agrandaron llenos de espanto.

—No estoy seguro de que me guste ese plan. Suena un poco arriesgado para mí. —Miró a Savannah en busca de apoyo.

Gregori encogió sus amplios hombros con un gesto despreocupado.

—No veo ningún riesgo.

Savannah le dio un golpe en el estómago con su pequeño puño como represalia. Gregori le dirigió una mirada llena de sorpresa.

—¿Ahora es cuando se supone que debo decir «ay»?

Savannah y Gary intercambiaron un largo y lastimero quejido.

—¿Por qué quería que tuviera sentido del humor? —se preguntó ella.

Gary sacudió la cabeza.

—A mí no me preguntes. Has creado un monstruo.

—Sé que no seré capaz de aguantar la presión de los cuerpos humanos en el Preservation Hall —dijo de repente Gregori—, pero tal vez podamos escuchar la música desde la calle. Servirá para sacar a Gary unas horas de aquí y, con suerte, con la tormenta tan inclemente, es posible que los turistas se hayan quedado en casa.

Gary se levantó de un brinco ante la posibilidad de salir un rato de aquella habitación.

—Pues vamos.

Savannah no fue tan entusiasta y apretó el brazo de Gregori.

—¿Es seguro para él?

Enfante, no puedo creer que dudes de mi capacidad para protegerte a ti y al mortal.

¿El mortal? Tiene nombre. Es fácil matarle a él, más que a nosotros.

Los ojos plateados recorrieron su rostro. Levantó la mano para acariciarle la mejilla y movió el pulgar como una suave pluma.

—No permitiría que Gary corriera ningún verdadero peligro. Él no puede vivir siempre ocultándose.

Yo debería haber protegido a Peter. Él estaría vivo ahora mismo de no ser por mí. La voz de Savannah sonó ronca de dolor, y las lágrimas no vertidas se engancharon a la mente de Gregori.

Sólo yo soy culpable de la muerte de Peter, ma petite. Era responsabilidad mía detectar la presencia del vampiro. No había sentido ninguna emoción en tantísimo tiempo, en tantos siglos, y cuando fui a tu espectáculo y te vi, los colores casi me ciegan. Los sentimientos me abrumaron. Intentaba aclararme e intentaba recuperar el control. En todos los siglos de existencia, ha sido la única vez en que no he sido capaz de detectar la presencia del no muerto. La muerte de Peter es algo con lo que debo cargar sólo yo.

Gregori notó la rápida reacción de Savannah en su defensa, la negación instantánea de aquella valoración de la situación, y le conmovió como ninguna otra cosa.

Mientras salían de la casa de hospedaje y atravesaban las calles mojadas por la lluvia, mezclándose con la inesperada multitud, Gregori pensó en cómo le hacía sentirse Savannah. Él siempre mantenía el control, algo necesario en alguien de su poder y naturaleza depredadora, aun así ella le ponía en órbita.

Gregori echó una ojeada a la cabeza sedosa y permitió que la emoción le inundara, le atravesara. Sólo contemplarla le proporcionaba una sensación de paz y oleadas de afecto. Se percató de que era capaz de disfrutar de la música alegre, incluso de la locura de los turistas riéndose y apretujándose en las calles y en las aceras. Fundido con ella, podía sentir lo que ella sentía: despreocupación, su sentido del humor, el rápido interés que despertaba en todo y a todas las personas a su alrededor. No le costaba hablar con la gente; se los metía en el bolsillo con la misma facilidad que le cautivaba a él.

Cuando se la llevó a casa después de dejar a Gary de regreso en su habitación, volvió a estrecharla en sus brazos.

—Eres mi mundo —le susurró quedamente, hablando en serio.

Ella apoyó la cabeza en su hombro e inhaló su aroma masculino.

—Gracias por salir esta noche. Sé que es difícil para ti encontrarte entre humanos, pero yo he pasado los últimos cinco años viviendo entre ellos. El mismo tiempo que he transcurrido sin contactar con alguien de mi patria.

—Lo paso mal —admitió él—, pero quiero ofrecerte cuanto necesites, Savannah. Me cuesta entender que necesites su compañía.

—Siempre has sido tan solitario, Gregori —dijo ella con ternura— mientras que yo he estado en todo momento rodeada de humanos desde que me fui de casa.

Gregori encontró su sien con los labios, luego se perdió sobre sus párpados y descendió hasta su boca. La levantó en sus brazos para acunarla mientras sus labios no paraban de juguetear. Después la llevó escaleras arriba a una de las habitaciones y, allí, le hizo el amor con ternura y delicadeza, con increíble veneración, enseñándole con su cuerpo lo que nunca parecía poder expresar de forma adecuada con palabras.

Capítulo 17

La Herrería de Lafitte era oscura y misteriosa, el marco perfecto para el inicio de una aventura tan divertida. Savannah se rió en voz baja al ver a una pareja autóctona que sacudía la cabeza al ver al montón de turistas locos que abarrotaban la taberna para participar en la cacería de vampiros. Notaba la crispación interior de Gregori, el deseo de disolverse y volverse invisible que dominaba su mente, pero continuaba allí con gran esfuerzo. La gente volvía la cabeza ante su impresionante altura, el poder que ostentaba con naturalidad sobre sus anchos hombros. Mantenía su expresión imperturbable con estoicismo, mientras sus despiadados ojos plateados no se perdían nada.

En el oscuro interior del bar, la peculiar visión nocturna característica de los miembros de su especie les concedía cierta ventaja. Gary les flanqueaba, asombrado del número de turistas que de hecho acudía a estas cacerías. Savannah le fulminó con la mirada.

—Estamos aquí para divertirnos, Gary. No empieces a actuar como Gregori. Un gruñón en mi grupo ya es suficiente.

Gary se inclinó un poco hacia ella:

—Si no leyeras la mente de la gente todo el rato, fisgona, no estarías tan molesta.

—No leía tus pensamientos —objetó Savannah con expresión herida, formando un mohín francamente sexy con su carnosa boca—, lo llevás escrito en el rostro.

Estaba claro que Gregori estaba pasando un mal rato. Los carpatianos rara vez permitían que otros hombres se acercaran a sus parejas, y menos aún varones solteros y sin compromiso. Detestaba la presión de los cuerpos. Savannah atraía a los hombres de la misma manera que las abejas acudían a la miel. El personal masculino volvía la cabeza y su paso era seguido de miradas lascivas mientras se abrían camino entre el gentío en dirección a la sala situada en la parte posterior del edificio. Savannah emanaba un vapor peculiar. Incluso en una habitación tan llena de cuerpos, tantos que casi no quedaba sitio para sentarse, Savannah hacía que los hombres pensaran que ella era la única presente allí. La estancia, con escasa iluminación de velas parpadeantes, creaba un leve aire de misterio, y ella formaba una parte de todo aquello.

Era inevitable que alguien la reconociera, siempre sucedía. A Gregori le sorprendía el hecho de que la prensa aún no hubiera divulgado que ella estaba instalada en algún lugar de la ciudad; que todavía no mantuvieran vigilados todos los lugares turísticos esperando a que apareciera. Soltó un leve suspiro cuando el primer grupo de turistas se apiñó en torno a ellos, apretándose contra Savannah para poder estar cerca de ella. Gregori interpuso de forma instintiva su sólido cuerpo entre ella y el gentío. *Vas a provocar disturbios.*

Savannah firmó varios autógrafos; toda una hazaña con Gregori actuando como su guardaespaldas. Gary la defendía desde el otro flanco al reconocer el destello amenazador en los fríos ojos plateados de Gregori. Ella no les prestaba atención;

en vez de eso, se mostraba dulce y simpática, y daba conversación a la gente.

Cuando entró el guía, poco a poco se fue haciendo un silencio. Era impresionante, con una larga y espesa trenza, bastón y aspecto inquietante. Gregori miró a Savannah alzando una ceja, pero la mirada de fascinación de ella estaba centrada en el animador del grupo. El guía encendió una vela y mantuvo a su público en vilo durante un momento con una pausa teatral, luego pronunció unas palabras de advertencia sobre la peligrosa excursión que iban a realizar. Dejó claro que los borrachos no eran bien recibidos e hizo hincapié en que no se recomendaba el recorrido a niños pequeños.

Es bueno este tipo, susurró Savannah a la mente de Gregori. *Capta al instante la atención de todo el mundo y no la suelta. Un buen sentido de la teatralidad.*

Es un farsante.

No tiene que ser real, Gregori, le reprendió. *La idea es divertirse. Todo el mundo está aquí para pasarlo bien. Si prefieres no participar, podemos reunirnos más tarde. No es nada peligroso. No vamos a encontrarnos con ningún vampiro auténtico.*

Y un carajo, ni te pienses que voy a reunirme contigo más tarde. Si me aparto un segundo de tu lado, todos los hombres de esta habitación se apiñarán a tu alrededor.

Gregori supo el momento exacto en que los dos miembros de la sociedad entraron en la Herrería de Lafitte. Notó la siniestra necesidad asesina en ellos; supo que venían en busca de una posible víctima. Inspeccionó el sombrío interior del bar. El vampiro estaba vivo y coleando, y su siniestro ejército tomaba posiciones para cumplir sus instrucciones. Nadie podía saber que iban a estar aquí. Suspiró. Hasta aquel momento no se había percatado de lo importante que era para él que Savannah saliera a divertirse una noche. Al menos una noche sin incidentes.

Salió tras el grupo por la puerta y dejó el dinero en la mano estirada que cobraba la entrada. Savannah estaba cerca y él apoyaba su mano en su espalda a la altura de la cintura. Tres adolescentes coqueteaban de modo descarado con ella, y las risas de ella hicieron que la gente volviera la cabeza, captando también la atención repentina del guía y de los dos miembros de la sociedad.

Gregori observó cómo cambiaban ellos de posición e intentaban abrirse camino entre la multitud hasta su lado, pero era imposible. Se concentró en ellos y anuló su compulsión, velando sus pensamientos para que se concentraran en el espíritu de la cacería. Savannah acabó con una estaca afilada en la mano mientras un actor improvisado le dedicaba una sonrisa intrigante.

Empezaron a andar por las calles a buen paso, y mientras lo hacían, el gentío se estiró formando una larga hilera. Su guía se detuvo ante una casa, se encaramó a una vaya y empezó a contar el relato dramático de amor y asesinato vivido en su interior. Narró la historia con sumo talento, introduciendo suficiente información verídica en el melodrama como para hacerlo creíble. Los ojos brillantes de Savannah relucían. Mientras la multitud continuaba adelante para seguir la capa movida por el viento del animador, que caminaba a paso rápido, ella se agachó para tocarse la tira del zapato. Gregori notó cómo se separaba y se volvió para esperarla.

Ella le sonrió con aquella sonrisa sexy y misteriosa que endurecía su cuerpo y activaba pequeñas bombas en su cabeza. El cabello le resbaló sobre el hombro como una cascada de seda. La visión le dejó literalmente sin aliento. Para cuando ella se ajustó el zapato, los dos miembros de la sociedad se habían colocado a su lado. Savannah se enderezó y esa sonrisa irritante curvó su blanda boca.

—¿De dónde sois vosotros dos? —Su voz sonaba hermosa y pura, una mezcla de seducción y música—. Soy Savannah Dubrinsky. ¿A que es divertido todo esto?

Los dos sintieron su impacto de inmediato, su trampa cautivadora. Gregori oyó la palpitación inesperada de sus corazones y la subsiguiente aceleración. Los ojos azules de Savannah atraparon y retuvieron sus miradas; las atraparon en sus centros de estrellas plateadas.

—Randall Smith —respondió ansioso el más bajo de los dos hombres—. Me trasladé hace varios meses desde Florida. Éste es John Perkins. También es originario de Florida.

—¿Vinisteis aquí para el Mardi Gras y os quedasteis por la diversión? —preguntó Savannah.

¿Qué demonios crees que estás haciendo? Mon dieu, ma femme, *ya está bien que me vuelvas tan loco. Prohibo esto.*

Savannah acomodó su paso entre los dos hombres, con sus enormes ojos llenos de interés. Gregori notó el rugido de la bestia que alzaba su cabeza y pedía ser liberada. La bruma roja se extendió y el ansia le golpeó con fuerza.

—Él vino aquí a ayudar a un amigo nuestro —admitió Randall. Empezó a frotarse las sienes con una repentina palpitación. La cabeza le dolía, como si fuera a saltarle en pedazos.

Savannah se inclinó un poco más sin dejar de mantener cautiva la mirada de él con sus ojos. La multitud se había detenido una vez más mientras su anfitrión empezaba a contar otra leyenda de fantasmas y misterios inexplicados. Su voz mantenía al grupo hechizado, añadía atractivo a la historia, a la ilusión evocadora de la noche. Randall sintió que se ahogaba en aquellos ojos, como si ella le hubiera atrapado para siempre en la estrella iluminada. Quería ofrecerle lo que fuera, todo. Su cabeza decía que no, pero su frenético corazón y su alma acelerada necesitaban confesarle cada uno de sus pensamientos.

—Pertenecemos a una sociedad secreta —susurró en voz baja; su voz era tan baja que sólo era posible que la oyeran los dos carpatianos. No quería que su compañero supiera que estaba traicionando a los demás miembros. Había un zumbido curioso en su cabeza, como un enjambre de abejas. Empezó a sudar.

Savannah le tocó ligeramente, tan sólo un roce de sus dedos sobre el brazo. Por curioso que pareciera, ella le aportó una brisa refrescante con su contacto, que aclaró su cabeza durante un momento y alivió el opresivo dolor. Su sonrisa provocó un escalofrío de excitación en todo su cuerpo, y le inundó de tal deseo y necesidad que sintió ganas de postrarse a sus pies.

—Qué excitante. Y ¿es peligroso? —Ella ladeó la cabeza con una seducción inocente que a él le incitaba a acercarse cada vez más.

Randall era consciente de su estrecha cintura, la prominencia de sus pechos y el balanceo de sus caderas. Nunca había deseado otra cosa en su vida, y aquellos enormes ojos estaban centrados sólo en él, le veían sólo a él. Tragó saliva con dificultad.

—Muy peligroso. Cazamos vampiros. Los de verdad, no esta tontería.

La boca perfecta de Savannah formó un círculo pequeño. Sus labios eran hermosos, suaves como pétalos de rosas, labios húmedos que formaban un puchero apetecible.

Savannah, para ya. Es peligroso, no importa lo que tú creas. Su mente apesta al vampiro.

Podría descubrir dónde se encuentra Morrison.

He dicho que no. Gregori estiró el brazo y la agarró por la muñeca, apartándola de los dos hombres y atrayéndola hacia la protección de su cuerpo. *No voy a utilizarte para encontrar al no muerto. El vampiro volverá a encontrar tu rastro. Ahora no tengo otra opción que destruir a éste.*

El rostro de Savannah palideció de forma perceptible y las largas pestañas descendieron para ocultar sus ojos. *¿Por qué no curarle como hiciste con el capitán?*

No puedo curar lo que es en esencia maligno. Pasó con suavidad el pulgar sobre el pulso tan rápido en la parte interior de la muñeca de Savannah. *Es un servidor del vampiro, y tú lo sabes, Savannah. Lo has sabido en el momento en que has tocado su mente. Todo lo que puedas descubrir y rastrear, el vampiro también. Y él tiene más destreza que tú. No puedo permitirte un riesgo de este tipo.*

Randall les acosaba, subyugado por la coacción mental. Percibió la mano de Gregori en la muñeca de Savannah como algo maligno, una culebra enrollada que la apartaba del lugar que le correspondía, a su lado.

Gregori se concentró en su compañero, John Perkins. La mente de este hombre era más fuerte que la de Randall Smith. El dominio del vampiro sobre él era más negro, como si Perkins hubiera mantenido contacto próximo durante un periodo de tiempo más prolongado. Observaba a Savannah con gesto desconfiado. Gregori distinguió con facilidad su lascivia siniestra, los celos de que Randall hubiera sido el agraciado de las atenciones de Savannah. Perkins se retorcía por dentro; la coacción del vampiro operaba en su mente ya de por sí depravada.

Morrison sabía cómo escoger a sus sirvientes. Le interesaba la naturaleza corrompida y repugnante de hombres maliciosos, hombres sin amigos ni familiares, hombres sedientos de violencia y degradación. Les enviaba a moverse entre personas curiosas, como Gary, personas con mentes rápidas e inteligentes, abiertas a lo paranormal. Gente aislada por su inteligencia y actitud abierta. El vampiro era capaz de aprovecharse de esos hombres inteligentes atrayéndoles con falsas esperanzas, falsas promesas, utilizándoles para las labores de investigación y trabajo de campo necesarios para sus legiones de sirvientes verdaderos.

Gregori soltó un suave suspiro. Él era lo que era. La culpabilidad no podía formar parte de su existencia. Era responsable de la continuidad de su raza y de la seguridad de Savannah. Penetró en la mente de John Perkins con suficiente impulso como para superar el control del vampiro y plantó las semillas de la destrucción. Sujetó con más fuerza la muñeca de Savannah y aceleró el paso para poner distancia entre los miembros de la sociedad y su compañera en la vida.

Una vez más, su guía les había obligado a detenerse y narraba una leyenda de libertinaje y asesinato. La multitud guardaba silencio, cautivada por la interesante historia de esta ciudad. Gregori metió a Savannah entre el gentío y la protegió con su gran cuerpo de la inminente violencia.

En medio de la calle, John Perkins observaba con gesto malévolo a Randall Smith.

—Tienes que estropearlo siempre todo, Smith. Tienes que ser siempre el que hable con Morrison. Yo tengo más relación con él, pero tú tienes que demostrar, cómo no, que eres el que corta el bacalao.

—¿De qué coño hablas? —quiso saber Randall, que buscaba frenéticamente a Savannah entre la multitud.

Gregori la cubría con una bruma creada por él que hacía imposible detectarla en medio de la noche. Randall estiró el cuello, hizo un intento de eludir a su compañero, llegando incluso a apartarle de un empujón. Su corazón latía de un modo frenético, su único pensamiento era encontrar a Savannah.

—¿Qué estás haciendo, Gregori? —le preguntó ella en voz baja.

Gary avanzó poco a poco entre la multitud de turistas hasta conseguir hacerse un sitio al lado de los carpatianos. Estaba cautivado por el narrador igual que el resto del grupo. Estudió totalmente embelesado el edificio con su historia de engaños, incendios y asesinatos.

Gregori inclinó su oscura cabeza hasta Savannah.

—No puedo hacer otra cosa que eliminar la amenaza sobre ti. El vampiro tiene un rastro claro que le conduce directamente hasta ti desde la mente de éste. Es una trampa, *ma petite*, y nosotros no podemos permitirnos caer en ella.

—¿Nosotros? —respondió ella—. En realidad quieres decir tú.

Perkins empujó a Randall con fuerza suficiente como para que el otro hombre se quedará despatarrado en medio de la calle. Randall empezó a soltar obscenidades que acabaron por distraer al narrador. El guía hizo una pausa para conseguir un efecto aún más dramático, soltó un suspiro y se dirigió hacia los dos hombres.

Gary había advertido que los coches patrulla de la policía cruzaban la zona con frecuencia y se preguntó si sería en deferencia al guía y su excursión. Era posible que incluso tuviera algún sistema de mandarles aviso si se producía algún problema.

Antes de que el guía alcanzara a los dos hombres, Perkins sacó un arma. Todo el mundo se quedó paralizado al instante.

—Serás traidor. ¡Ibas a traicionarnos a todos! —gritó con el rostro crispado, convertido en una máscara de furia y odio.

Le dominaba la siniestra compulsión asesina, igual que a Randall, que también sacó su propia arma. La multitud salió corriendo en todas direcciones, en busca de un lugar donde esconderse, cobijándose detrás de los coches aparcados y saltando al otro lado de las vallas. Se oyeron gritos descontrolados y el aire se cargó de miedo. Gregori empujó a Savannah hacia Gary y luego hacia el relativo cobijo de una pared. Él permaneció totalmente erguido en la acera observando el drama que se desarrollaba ante ellos.

El guía, quien era obvio que se debatía entre la necesidad de ponerse a cubierto y la necesidad de proteger a sus turistas, vacilaba aún ahí en medio. Gregori hizo un gesto con la mano para levantar una barrera entre el hombre y cualquier bala perdida. Los dos miembros de la sociedad se gritaban enfurecidos y entonces Perkins soltó una descarga que coincidió con las balas que le disparó Randall.

Una oscura sombra cruzó el cielo, borró las estrellas y detuvo el viento. Los dos hombres cayeron lentamente, con las camisas salpicadas de lo que parecía pintura roja. Aterrizaron como muñecas de trapo en medio de la calle, estirados e inmóviles. Sus armas cayeron a su vez sobre el asfalto con ruido, tiradas con aspecto de juguetes inofensivos. La sombra oscura permaneció suspendida, tan inquietante como la repentina violencia que había estallado. Nadie se movía, nadie hablaba, nadie articulaba sonido alguno. Era como si supieran que la sombra oscura y siniestra que nublaba el cielo era mucho más mortal que las armas tiradas y silenciadas en la calle.

La gran mancha extendida sobre las estrellas empezó entonces a aglutinarse para formar una nube más pequeña, más negra y densa, que no auguraba nada bueno. Se movió compacta y pesada, con lentitud, como si supervisara al grupo con un obsceno ojo rojo. En su centro, una vena de luz parpadeante emitía continuos rayos intermitentes.

Alguien soltó un jadeo. Alguien más inició una plegaria en voz baja. Tras un momento, otros se sumaron al rezo. La sombra se oscureció hasta tapar todo fragmento de luz sobre sus cabezas. Las venas relampagueantes, escindidas y amenazadoras, aumentaron la actividad.

Gregori comprendió que el vampiro les estaba buscando. Sabía cuándo estaban cerca sus enemigos, pero Gregori había ocultado su presencia de modo automático, algo que hacía sin pensar. El no muerto debería haber detectado la presencia de Savannah tras seguir el débil rastro psíquico a través de su sirviente, pero Savannah también había sabido ocultarse. Después de tanto rondar por la cabeza de Gregori, había aprovechado las lecciones aprendidas con la dura experiencia, las pruebas y errores. Estaba disimulando su presencia con la misma destreza de la que era capaz Gregori.

Eso no cambia las cosas, pareja. Sus palabras rozaron con suavidad la mente de Gregori. *Tiene intención de atacar y destruirnos a todos los aquí presentes en su esfuerzo por atraparnos.*

Gregori notó una oleada de orgullo ante su capacidad de aprender con rapidez y de evaluar al enemigo. Se apartó un poco de la masa apiñada de turistas para poner más distancia entre él y el guía. Caminó con la cabeza alta, totalmente erguido, con el largo pelo flotando en torno a él. Andaba con las manos sueltas a ambos lados y el cuerpo relajado y vibrante de poder.

—Ahora, escúchame, anciano. —Su voz sonó suave y musical; llenó el silencio de belleza y pureza—. Ya has vivido bastante tiempo en este mundo, y estás harto del vacío. He acudido en respuesta a tu llamada.

—Gregori. El Taciturno. —La voz maligna respondió con siseos y gruñidos. El horrible sonido hería las terminaciones nerviosas como uñas sobre una pizarra. Algunos de los turistas de hecho se taparon los oídos—. ¿Cómo te atreves a entrar en mi ciudad e interferir en donde no tienes derecho alguno?

—Yo soy la justicia, maligno. He venido para liberarte de las limitaciones que te retienen en este lugar. —La voz de Gregori era tan suave e hipnótica que los que escuchaban asomaron la cabeza desde sus santuarios. Era una llamada atrayente, tanto que nadie podía resistirse a sus deseos.

La forma negra sobre sus cabezas se enturbiaba como el caldero de una bruja. Un rayo dentado cayó en la tierra directamente sobre el grupo agazapado. Gregori alzó una mano y redirigió la fuerza de energía para alejarla de los turistas y de Savannah. Una sonrisa curvó el cruel gesto de su boca.

—¿Piensas burlarme con esa demostración, anciano? No intentes enfurecer lo que no entiendes. Tú has venido a mí. Yo no he ido tras de ti. Pretendes amenazar a mi pareja y a quienes considero mis amigos. No puedo hacer otra cosa que aplicarte la justicia de nuestro pueblo. —La voz de Gregori sonaba tan razonable, tan perfecta y pura que exigiría obediencia al más recalcitrante de los criminales.

El guía profirió un sonido, algo entre incredulidad y miedo. Gregori le silenció con un ademán de su mano, pues no necesitaba ninguna distracción. Pero el ruido había sido suficiente para que el anciano vampiro rompiera el hechizo que la voz de Gregori estaba creando en torno a él. La oscura mancha sobre sus cabezas se sacudió con furor, como si se librara de las ligaduras más restrictivas antes de lanzar una serie de rayos sobre los indefensos mortales en tierra.

Se sumaron más gritos y gemidos a las oraciones susurradas, pero Gregori se mantuvo firme en su sitio, sin inmutarse. Se limitó a redirigir los latigazos de energía y luz y enviarlos de vuelta, para que estallaran dentro de la masa negra situada sobre sus cabezas. Un atroz alarido, un chillido de desafío y odio, fue la única advertencia antes del granizo que descargó a continuación. Grandes bloques de hielo de intenso color rojo, del tamaño de pelotas de golf, llovieron sobre ellos. La ducha de sangre congelada que caía del cielo era densa y horrible de ver. Pero se detuvo de súbito, como si una fuerza invisible la mantuviera suspendida a escasos centímetros por encima de sus cabezas.

Gregori seguía igual, permanecía impasible, su rostro una máscara inexpresiva mientras protegía a los turistas y arrojaba el granizo contra su atacante. Desde el cementerio situado a pocas manzanas de ellos, un ejército de difuntos empezó a levantarse. Los lobos aullaron y corretearon al lado de los esqueletos que se movían para interceptar al cazador carpatiano.

Savannah. Pronunció una vez su nombre, no fue más que un suave roce en su mente.

Entendido, respondió al instante. Gregori tenía las manos ocupadas con las abominaciones que el vampiro le lanzaba; no quería malgastar su energía protegiendo de aquella aparición al vecindario. Ella salió al descubierto, una figura pequeña y frágil concentrada en la amenaza inminente.

Disimuló la manada de lobos para que los habitantes de las casas situadas a lo largo de la manzana y los conductores de los coches los tomaran por perros que venían por la calle. Los esqueletos descarnados, grotescos y estrafalarios, quedaron como un grupo de gente que se movía a buen paso. Mantuvo la ilusión hasta que se encontraron a pocos pasos de Gregori. Entonces retiró la ilusión y transmitió a Gregori cada gramo de energía y poder para que hiciera frente al ataque.

Se levantó un fuerte viento que azotó la materialidad de Gregori, zarandeando su cuerpo y soltando ondas de pelo negro que surcaron su rostro. Su expresión continuaba imperturbable, los ojos plateados fríos y despiadados, sin pestañear y fijos en su presa. El ataque llegó por tierra y cielo simultáneamente. Astillas de madera afilada llegaron disparadas por el aire con los vientos salvajes, apuntadas directamente a Gregori. Los lobos se abalanzaron de un salto a por él, con los enardecidos ojos relucientes en la noche. El ejército de difuntos avanzaba sin descanso hacia delante, continuando hacia la figura solitaria de Gregori.

Él movió la mano, describió un complicado trazado dirigido contra el ejército que se aproximaba; y a continuación Gregori estaba dando vueltas, convirtiéndose en un viento fluido de movimiento atractivo a la vista, tan rápido que se desdibujaba. Los cuerpos que salían volando por los aires iban acompañados de chillidos y aullidos. Los lobos aterrizaban inmóviles a sus pies. Pero la expresión de Gregori no cambió en ningún momento. No había indicios de ira o emoción, ni señales de miedo, ni perdió la concentración en ningún momento. Actuaba como era necesario, así de sencillo. Los esqueletos fueron acribillados por una pared de llamas, una conflagración roja y naranja que se elevó en el cielo nocturno y danzó con furia durante breves momentos. El ejército se redujo a cenizas, dejando tan sólo una pila de polvo ennegrecido arrojado sobre la calle con una feroz arremetida de viento.

Savannah percibió el estremecimiento en Gregori, sintió el dolor que le atravesó justo antes de bloquear toda sensación. Ella se dio la vuelta para mirarle de frente y vio la afilada estaca que sobresalía en su hombro derecho. Justo al verla, Gregori se la arrancó. La sangre salió a borbotones y salpicó la zona a su alrededor. Con la misma rapidez, la hemorragia se cortó, como si se hubiera interrumpido en medio de su flujo.

Los vientos crecieron hasta hacerse tormentosos, el temporal formó un incesante torbellino de desechos por encima de sus cabezas, como el embudo de un tornado. La nube negra giraba cada vez con más velocidad y amenazaba con absorber todo y todas las personas hasta el centro en el que el malévolo ojo rojo les observaba con odio. Los turistas gritaban llenos de pavor, incluso el guía se agarró a una farola para sujetarse con todas sus fuerzas. Gregori permanecía de pie solo, azuzado por los vientos que arremetían con fuerza contra él. Mientras la columna giratoria le amenazaba desde arriba, con el rugido de un tren de carga, él se limitó a dar unas palmadas y a continuación hizo un ademán que lanzó contra la oscura entidad una corriente en retroceso. El vampiro gritó de rabia.

La espesa nube negra se absorbió a ella misma con un sonido audible, y se mantuvo en suspenso en el aire, esperando y observando en silencio. Maligno. Nadie se movió. Nadie se atrevía a respirar. De repente, el remolino de la negra entidad se preparó y salió fluyendo por el negro cielo, alejándose a gran velocidad del cazador, por encima del barrio francés y en dirección al pantano. Gregori se arrojó también al aire, cambiando de forma al hacerlo, eludiendo los rayos de energía candente y las cortantes estacas que volaban por el aire turbulento contra él.

En tierra, se produjo un largo silencio y luego se oyó un suspiro colectivo de alivio. Alguien se rió con nerviosismo.

—Qué pasada, tío. ¡Vaya espectáculo!

Savannah consiguió aquella reacción, la alimentó enseguida e implantó la idea en sus mentes, suavizando el impacto de lo que habían visto.

—Unos efectos especiales geniales —murmuró un adolescente.

Su padre se rió un poco a su pesar.

—¿Cómo demonios ha hecho eso? Ese tipo ha desaparecido en el aire, así de claro. —Se quedó mirando los restos que yacían a cierta distancia y maldijo en voz baja—. Esos son reales. No pueden formar parte de un espectáculo.

—Esto es una locura. —Uno de los hombres se arrodilló al lado de los dos hombres tumbados en la calle. El guía le estaba tomando el pulso a uno de ellos—. Los dos están muertos. ¿Qué diablos ha sucedido aquí?

Savannah se apresuró a intervenir otra vez, proporcionando respuestas a la audiencia colectiva, construyendo sus recuerdos de lo que era real y lo que era ilusión. Los dos turistas de Florida habían discutido y luego se habían peleado antes de sacar sus armas. Todo sucedió en medio de un espectáculo de magia improvisado que el guía había pedido a Savannah que realizara para sus clientes. El grupo de perros había salido de la nada, asustados por el ruido de las armas.

Era lo mejor que podía hacer en tan poco tiempo. La policía ya irrumpía por los alrededores y empezaba a tomar declaraciones. Ella tuvo que ocuparse de borrar los recuerdos sobre Gregori. En todo momento se mantuvo unida mentalmente a él en su alto vuelo sobre la ciudad y el pantano, en camino al lugar más peligroso de todos, la guarida del vampiro.

Gary permanecía cerca de ella, preocupado al ver que el rostro de Savannah empalidecía por momentos. La tensión de estar en dos lugares a la vez empezaba a notarse en ella. El esfuerzo de mantener viva una elaborada ilusión en tal cantidad de testigos era tremendo. Pequeñas gotas de sudor salpicaban su frente, pero ella alzaba la barbilla y seguía tan majestuosa como siempre. Dejó cautivado al oficial de policía que le tomó declaración.

Gary estaba convencido de que ella había conseguido convencer a los turistas. Toda la historia era demasiado estrambótica como para entenderla, y los recuerdos de Gregori habían quedado erradicados, o sea, que el tiroteo y los perros eran su realidad. Sólo el guía de la excursión miraba al cielo con un débil ceño y examinaba las marcas de quemaduras superficiales que habían quedado a cierta distancia de ellos. En varias ocasiones, Gary le sorprendió mirando a Savannah con desconcierto, pero el hombre tenía demasiada experiencia en las calles como para contar una historia tan alocada cuando al parecer nadie más había visto lo mismo que él.

Savannah se esforzaba por mantenerse concentrada en la tarea monumental de esos momentos. Su mente permanecía junto a Gregori, una parte de ella se fundía en profundidad, era una sombra evocadora en un rincón de su mente.

Gregori notaba su presencia, percibía cómo se preocupaba por su herida, por la pérdida de sangre. Notó que le tranquilizaba pese a que él se aproximaba al núcleo del pantano. Reconoció el lugar por la descripción de La Rue. Los insectos pululaban dispuestos a cumplir los deseos del maestro vampiro y formaban nubes negras que se elevaban para picar y herir a cualquier cosa que se adentrara en sus límites para molestarle. Gregori levantó deprisa una barrera de protección y continuó en dirección a la ciénaga y el charco negro y turbio. El olor pútrido estaba en sus orificios nasales; la degradación y la muerte de siglos calaba insidiosamente el aire a su alrededor.

No hacía viento, nada de aire que se llevara aquella peste. Los hoyos de aguas sucias borbotaban, a la espera de un paso en falso. Algunos pedazos de hierba verde esmeralda atraían al incauto a su trampa mortal. La vida animal y la humana eran atraídas por igual hacia esos puntos de color brillante que manifestaban vida, persuadidos hacia la muerte lenta en la que se hundían atrapados en el barro succionador, que tan bien ocultaban aquellas matas de verde.

Gregori se suspendió en el aire por encima de la turbia charca. Varias capas de roca formaban una repisa en la superficie del agua donde la grotesca bestia sujetaba a las víctimas para que su carne se pudriera. El agua era densa a causa del lodo, tan diferente de las aguas que conducían hasta allí. No había señales del caimán ni del vampiro.

Gregori inspeccionó la zona con cuidado, con cautela. Este vampiro era astuto y depravado. Era su hogar, su guarida. No iba a ser fácil atraparle aquí. Gregori notaba la presencia del maligno, sabía que el vampiro estaba cerca. Escogió el terreno de aspecto más sólido que pudo encontrar, lo más alejado de las aguas oscuras y muertas.

Empleó su poderosa voz, suave, insistente, imposible de pasar por alto.

—Debes acudir a mí. Has esperado mucho tiempo para que nos encontremos cara a cara, y yo he venido a por ti. Ven a mí. —Cada palabra era pura y musical, se desplazaba por el aire para alcanzar a cualquiera que pudiera oír, para sacarlo de su escondite. Cada nota era persuasiva e hipnótica como el hechizo de un brujo. Gregori permanecía en pie con perezosa despreocupación, y su sólido cuerpo aparecía masculino e invencible pese a la sangre que manchaba su camisa a la altura del hombro.

Empezó a murmurar con suavidad en su lengua ancestral, repitiendo aquella orden para que el vampiro se manifestara. Los juncos a lo largo de la orilla oscilaron y luego se doblaron como una ola ondulante; no había viento para causar aquel movimiento. Por el rabillo del ojo, Gregori alcanzó a ver una segunda oleada que se iniciaba, y desde un tercer punto, otra ola más. Se acercaban a él hasta rodearle, el enemigo invisible convergía desde todos lados. Esperó. Tan paciente como las montañas. Tan quieto como el granito. Despiadado. Inclemente. *Gregori. El Taciturno.* El cazador.

El ataque llegó desde arriba. El cielo se llenó de tantos pájaros, que el aire rezongaba con la migración inesperada. Con las garras extendidas y los picos afilados, los pájaros llegaron deprisa, rasgando su rostro y su cuerpo. Gregori se disolvió en un bruma, pero las gotitas de rojo que mancharon los juncos verdes dejaron evidencia de que el vampiro había acertado en el blanco por segunda vez.

Gregori no tenía otra opción que materializarse para detener la pérdida de sangre que debilitaba su cuerpo. Se oyó un suave siseo de satisfacción, un chirrido, el estruendo de un bramido de desafío. El terreno bajo los pies de Gregori era esponjoso, absorbía sus zapatos con un sonido voraz. Mientras inspeccionaba los juncos en movimiento, el enemigo le atacó desde detrás, emergió desde el lodo con unas mandíbulas abiertas y dientes punzantes. El atroz chasquido le rasgó la pierna mientras saltaba hacia atrás, hundiéndose hasta la rodilla en el lodo. Estableció un ligerísimo bloqueo entre él y el caimán, lo mejor que pudo mientras se esforzaba por liberarse del fango. Un pequeño reptil se arrojó contra él desde detrás y otro desde la izquierda. El menor de ellos le abrió la pierna con una sanguinaria dentellada.

Gregori se cayó al pringoso barro con las pequeñas criaturas que se apresuraban a alimentarse de su presa. La emprendieron contra él, rasgando y despedazando en su frenesí devorador. El hervidero de insectos descendió para picarle y herirle. Mientras luchaba por levantarse, se produjo un repentino silencio sobrenatural. Los insectos cambiaron de rumbo y los pequeños caimanes se deslizaron a toda velocidad en dirección al agua.

Gregori se medio sentó con el barro empapando sus ropas y la sangre goteando sin cesar de su pierna, del brazo y del pecho. Oyó un único sonido en el repentino silencio de la ciénaga. Un ruido áspero fue el único aviso mientras la enorme criatura se aproximaba. La bestia se movía con rapidez, veloz y eficiente incluso en la empapada mugre. La poderosa cola iba adelante y atrás y sus ojos relucían con un rojo perverso, maligno y frío. El hocico blindado estaba cubierto de algas y cintas pastosas de porquería verde. Se lanzó contra Gregori con el aliento fétido y caliente, excitado por las expectativas asesinas.

Un rayo candente de energía eléctrica cayó desde el cielo y atravesó las placas huesudas y la gruesa piel del monstruo, chamuscando los órganos interiores. La arremetida llevó a la criatura hacia delante pese al sólido golpe del rayo. De las mandíbulas abiertas salía humo que olía a carne quemada. La bestia se impulsó hacia delante, directamente contra el pecho de Gregori, decidida a destrozar, con el único pensamiento de matar y devorar.

Gregori se limitó a desaparecer y las poderosas mandíbulas se cerraron sobre el aire vacío. La bestia, herida de muerte, rugió y sacudió su monumental cabeza de un lado a otro, buscando con desesperación a su enemigo. El vampiro abandonó la carcasa humeante y chamuscada y se elevó por el aire con un chillido de desafío y odio. Mientras se alzaba, preparándose para huir, para dejar su santuario de siglos de antigüedad y salvar la vida, encontró una barrera. El golpe le derribó en el cielo y le hizo caer a tierra.

El vampiro yació sin aliento durante un momento, conmocionado por la fuerza increíble de aquel golpe. Se puso en pie con suma cautela, hundiéndose un poco en la oscura mugre de la marisma. *Gregori, el Taciturno*. Siempre había ido más allá de la leyenda, más allá del mito. Ahora el vampiro sabía que los rumores, las murmuraciones, eran ciertas. No había manera de escapar al poder del Taciturno. Gregori se había puesto a sí mismo como cebo para sacar al descubierto al vampiro. ¿Qué cazador haría tal cosa? ¿Qué cazador tendría tal confianza en sí mismo como para poner en riesgo su vida? El vampiro notaba el golpe en todo su cuerpo. La sacudida no tenía parangón.

Cambió de táctica al instante; su estricta frialdad de reptil se transformó en leve cordialidad.

—No es mi deseo pelear contigo, Gregori. Reconozco que eres un gran cazador. No deseo seguir con esta batalla. Permíteme abandonar este lugar y marcharme a mi guarida en los Everglades de Florida. Permaneceré oculto durante un siglo... o más, si tú así lo deseas. —Su voz era cautivadora, aduladora.

Gregori se materializó a escasos metros. Un flujo constante de sangre salía de varias heridas abiertas y enormes. Mantenía el rostro impasible, implacable, con ojos claros como el acero.

—El príncipe de nuestro pueblo te ha condenado a muerte. No puedo hacer otra cosa que hacer justicia.

El vampiro sacudió la cabeza, con una tétrica parodia de una sonrisa en el rostro.

—El príncipe no sabe de mi existencia. No tienes que ejecutar una sentencia que no ha sido ordenada. Me meteré en la tierra.

Gregori soltó un leve suspiro.

—No hay discusión posible, vampiro. Conoces las leyes de nuestra gente. Soy un cazador, un justiciero, y no puedo hacer otra cosa que hacer cumplir nuestras leyes. —Sus ojos no se despegaban del vampiro, no pestañeaba en ningún momento. Un viento repentino le levantó unos mechones de su negro pelo alrededor del rostro, dotándole del aspecto de un guerrero de épocas antiguas.

Los ojos del vampiro se apagaron, mostraron su depravación.

—Entonces, empieza de una vez. —Los relámpagos cruzaban zigzagueantes el cielo y saltaban de una nube a otra. El viento azotaba y rugía.

Gregori se deslizó con movimiento fluido, perezoso e indulgente, sin amenazas. Inclinó la cabeza y los relámpagos se reflejaron en el relumbre plateado de sus ojos. La sangre seguía manando de sus heridas. El vampiro captó el aroma a sangre fresca, y su mirada reposó voraz en el vital líquido poderoso y ancestral. Gregori golpeó con tal rapidez, que el vampiro no le vio moverse en ningún instante. Distraído por la visión del espléndido banquete de la sangre de un anciano, el vampiro comprendió el peligro mortal que corría sólo cuando notó el impacto del tremendo golpe en su pecho.

Gregori ya había desaparecido, se hallaba de pie inmóvil a cierta distancia y contemplaba al vampiro con ojos fríos y vacíos. Extendió el brazo poco a poco y volvió la palma hacia arriba abriendo el puño.

El vampiro gritaba sin parar, con un agudísimo y desagradable sonido en medio de la noche, que se propagó por los canales y vías fluviales. El no muerto desplazó la vista despacio, a su pesar, desde el objeto pulsante en la palma de la mano del cazador a su propio pecho. Había un agujero donde antes había estado su corazón. Herido, dio dos pasos hacia delante, antes de que su cuerpo se desmoronara y cayera boca abajo sobre la mugre y lodo.

Gregori tenía el rostro cada vez más pálido y se sentó de súbito. Permitió que el corazón envenenado y chamuscado cayera de su mano y entonces examinó las quemaduras y ampollas en su piel consecuencia del contacto con la sangre mancillada. Se centró en recoger energía del cielo y concentrarla, para enviar una fiera bola contra el cuerpo del vampiro. El segundo golpe incineró el corazón contaminado. Gregori se hundió hacia atrás en el lodo y yació mirando al cielo nocturno que se desvanecía y empañaba. Un extraño letargo se apoderó de él, una sensación pesada y somnolienta. Estaba flotando sobre un mar, distante, observando el amanecer que encendía de gris el oscuro cielo.

Sus largas pestañas descendieron, y se relajó en el blando lodo. Notó una turbación en el aire por encima de él. Olió la fragancia fresca que dispersaba la peste hedionda de la ciénaga. Savannah. La reconocería en cualquier sitio. Intentó levantarse, advertirle de que se aproximaba el amanecer y que era peligroso estar tan lejos de un refugio.

El resuello de Savannah pudo oírse.

—Oh, Gregori. —Tocó una de las brechas supurantes de su pecho. Daba la medida del agotamiento de Gregori, del daño sufrido por su cuerpo; ni siquiera encontraba la energía para cerrar las heridas. Savannah se fusionó con él e intentó obligarle a obedecer del mismo modo que él hacía con ella. Tenía que cerrar esas laceraciones, buscaría el sueño curativo de su gente y dejaría el resto en manos de ella.

Inspeccionó la mente de Gregori en busca del rastro mental de Gary y luego contactó con su amigo humano. *Escúchame, Gary, tenemos problemas. Encuentra a LaRue, Beau LaRue. Es el capitán de una embarcación que hace excursiones por el pantano. Dile que vaya a la poza del viejo caimán. Tenéis que llegar antes de que el sol esté demasiado alto y debéis llevarnos a un lugar oscuro. Aunque os parezca que estamos muertos, llevadnos allí. Dependemos de vosotros. Sois nuestra única esperanza.*

Inspeccionó la zona en busca del trozo de tierra más estable y se puso manos a la obra con rapidez y esfuerzo. Consiguió hacer levitar el cuerpo de Gregori hasta dejarlo sobre un pequeño montículo, pero no había protección del sol. Inclinada sobre Gregori, se percató de que él no se había sumido en el sueño curativo. El corazón de Savannah latió frenético, dio un vuelco en su pecho. A causa de la pérdida de sangre, Gregori estaba demasiado débil como para obedecer y curarse a sí mismo. Se apresuró a sellar ella misma las heridas, utilizando una vez más la información de los recuerdos de Gregori. Se quitó la chaqueta como pudo y se tumbó al lado de su pareja, tapando con la prenda las cabezas de ambos. A continuación se hizo un corte en la muñeca y dejó su brazo sobre la boca de Gregori, permitiendo que la esencia vital fluyera hasta el interior de su cuerpo famélico, mientras le acariciaba la garganta en un intento de persuadirle a tragar.

Capítulo 18

La embarcación avanzaba tan lenta por el canal que Gary quiso gritar. Por enésima vez echó una ojeada al reloj. El cielo seguía su ascensión constante por el cielo. Nunca había sido tan consciente del calor y la luz que irradiaba el sol. Había tardado un tiempo valiosísimo en localizar a Beau La Rue y convencerle de que Savannah y Gregori tenían un terrible problema. A cada segundo que pasaba, estaba seguro de que el sol acabaría por incinerarlos.

—¿No puede ir más rápido esta cosa? —inquirió por décima vez.

Beau sacudió la cabeza.

—Estamos cerca de la poza del Viejo. Estas aguas son traicioneras, hay obstáculos por todas partes, piedras irregulares. Es peligroso. Y si nos encontramos con el Viejo, no sobreviviremos.

—Gregori lo ha matado —dijo Gary con frialdad, con una fe total en el carpatiano. Estaba convencido de que era imposible derrotar a aquel hombre. Por muy graves que fueran sus heridas, nada le impediría dar muerte a su oponente.

—Rezo para que no te equivoques —dijo en voz baja el capitán, y hablaba en serio.

La barca dobló el recodo para adentrarse por el denso fango del canal que llevaba hasta la poza. Gary soltó un jadeo al ver las cenizas ennegrecidas y los restos que ardían a cierta distancia de la orilla. Que no fuera demasiado tarde. No podía fallarles.

—Mueve este trasto —soltó mientras se colocaba presuroso junto a la baranda de la embarcación, preparado para saltar de un brinco a las turbias aguas.

—Aunque el Viejo esté muerto —advirtió La Rue—, por esta zona hay más caimanes.

—Pensaba que habías dicho que aquí no había nada aparte del caimán grande —protestó Gary.

—Creo que tienes razón. El viejo está muerto. —La mirada gastada de La Rue inspeccionaba el panorama. Respiró con brusquedad—. El hedor está desapareciendo y el pantano está recuperando su ritmo regular. ¿Ves ese tronco tendido y medio enterrado en el barro? No es un tronco. Quédate en la barca.

Gary no dejó de moverse impaciente hasta que Beau consiguió maniobrar la embarcación para llegar al extremo de la marisma. Gary, con unas gruesas mantas entre los brazos, saltó al suelo y se hundió cinco centímetros en el lodo. La Rue sacudió la cabeza.

—La tierra es tan inestable por aquí... Como te hundas en la ciénaga, estás muerto. —Tanteó el terreno con sumo cuidado e inició la marcha indicando puntos del terreno más firme.

Gary descubrió los dos cuerpos tendidos sobre un montículo de vegetación putrefacta. Con un juramento, haciendo caso omiso de su seguridad, cruzó la distancia corriendo. Una chaqueta les cubría el rostro. Los dos parecían muertos. Verificó su pulso. No lo detectó en ninguno de los dos. Gregori tenía la ropa sucia y hecha jirones. Era espantosa la cantidad de sangre seca que manchaba la tela en un montón de sitios. Antes de que La Rue pudiera verles con claridad, Gary les tapó de pies a cabeza con una gruesa manta.

—Tenemos que meterlos en la embarcación a toda prisa. ¿Conoces alguna cueva, algún cuarto oscuro, algún lugar sin luz a donde podamos llevarles? —preguntó Gary mientras levantaba a Savannah en sus brazos.

La Rue le observó mientras la llevaba a la barca.

—Un hospital sería lo mejor. —Hizo la sugerencia en un tono calmado y razonable, como si temiera que Gary hubiera perdido la cabeza.

Gary se aseguró de que cada centímetro de piel de Savannah estuviera tapado bajo la manta antes de regresar a toda prisa junto a Gregori.

—Necesitaré ayuda con él. No dejes que se corra la manta, es muy alérgico al sol.

—¿Está vivo? —La Rue se inclinó para retirar la tela y poder echar un vistazo. Las heridas eran profundas y muy feas.

Gary le agarró la muñeca.

—Gregori dijo que se podía confiar en ti. Ayúdame a subirle a la barca. Yo me ocuparé de ellos. Soy médico y he traído todo lo necesario. —Cogió a Gregori por los hombros y se quedó esperando a que el otro hombre se decidiera.

Beau vaciló, con el rostro lleno de perplejidad, pero luego levantó a Gregori por las piernas y cargaron como pudieron con el peso muerto, marchando en silencio paso a paso por el terreno inestable y esponjoso. Una vez en la barca, Gary envolvió a Gregori con la manta como si fuera una momia y tiró de ambos cuerpos para protegerlos bajo el toldo de la embarcación.

—Sácanos de aquí y llévanos a toda prisa a un lugar oscuro —ordenó.

Beau sacudió la cabeza pero puso el motor en marcha. Le habría gustado examinar el montón de cenizas humeantes, las marcas en los juncos y rocas chamuscadas. Aquí había sucedido algo terrible. Sabía que Gary tenía razón: el Viejo estaba muerto. El terror del pantano al final había quedado reducido a la leyenda que todo el mundo pensaba que era.

Gary se arrodilló entre los cuerpos con el corazón palpitando sobrecogido. No había tenido tiempo de examinarlos con atención; no se atrevía a hacerlo bajo el sol o con el capitán mirando. Rogó a Dios que no les hubiera fallado, que no fuera demasiado tarde. Gregori había perdido muchísima sangre. ¿Qué le sucedería? ¿Por qué no le había hecho alguna pregunta más cuando había tenido oportunidad? Dejó caer su rostro entre sus manos y rezó.

—¿Son buenos amigos tuyos? —se aventuró a preguntar Beau conmovido.

—Muy buenos amigos. Como si fueran mi propia familia. Gregori me salvó la vida en más de una ocasión —respondió Gary con cautela pues no quería revelar demasiado.

—Yo también tengo un amigo así. Se parece a él. Se quedaba a menudo en un lugar que tenía no muy lejos de aquí, cuando pasábamos demasiado tiempo en el pantano. Tampoco le gustaba el sol. Te llevaré ahí. Gregori y Savannah le conocían. No creo que a Julian le importe.

La barca empezó a coger velocidad una vez fuera del canal atascado de ramas, de nuevo en las aguas claras.

—Gracias —dijo Gary de corazón.

Beau La Rue conocía el pantano como si fuera el patio de su casa. Aceleró su barca a la máxima velocidad posible y buscó todos los atajos que se le ocurrieron. Por fin se aproximaron a tierra; era una pequeña isla con una sola cabaña de cazador en ella. Abundaban los cipreses, que la hacían casi impenetrable.

—Aquí el terreno es muy firme en el centro de la isla. Aunque no lo parezca, hay un sendero de piedras para atravesar el lodo. Podemos llevarles al lugar secreto de Julian. Este trozo de tierra es propiedad suya y nadie se acerca por aquí. No es un hombre con el que interese buscarse problemas.

Llevaron primero a Gregori porque Beau tenía que abrir la marcha. Escogía con cuidado cada pisada que apoyaba en una piedra redonda en el cieno. Costaba avanzar con el gran cuerpo de Gregori, que era como cargar con un peso muerto. Beau no veía que el pecho de Gregori se moviera para respirar, pero prefirió no decirlo. Parecía una locura llevar a alguien con heridas mortales a una caverna oscura y húmeda, pero había visto a Julian ir a este sitio en más de una ocasión cuando el sol alcanzaba su punto más alto.

La cueva a la que se acercaban era una obra humana, de dimensiones muy pequeñas. Casi no permitía estar de pie. Dejaron el cuerpo de Gregori a oscuras sobre el suelo polvoriento y se retiraron a toda prisa. Gary estaba ansioso por sacar de la luz a Savannah. Le levantó en brazos y se volvió al capitán.

—Gracias por tu ayuda. Me ocuparé de los dos. Deja mis bolsas aquí mismo encima de las piedras. Me ocuparé de Savannah y volveré a por ellas.

—¿Quieres que me quede? —preguntó Beau debatiéndose entre la curiosidad y su profundo respeto a la vida privada.

Gary negó con la cabeza, marchando ya por las piedras.

Beau soltó amarras y puso el motor en marcha.

—Volveré esta noche para ver si necesitas algo.

—Gracias —respondió Gary por encima del hombro apresurándose a sacar el cuerpo de Savannah del sol.

Se hundió al lado de los dos cuerpos respirando con dificultad, preocupado por la posibilidad de que estuvieran muertos de verdad. Le asustaba incluso limpiar las atroces heridas de Gregori, pues no estaba seguro del daño que podría ocasionarle. Pasó el rato jugando a solitarios, bebiendo de su cantimplora y debatiéndose una y otra vez entre la certeza de que ya estaban muertos y su convicción de que se levantarían con la puesta de sol.

Afuera, al otro lado del pantano, el cielo por fin se volvía de un tono grisáceo. Gary se aproximó encogido hasta la entrada de la cueva y observó la inminente noche. Ya no le quedaba paciencia. Cuando volvió la cabeza, vio que el pecho de Gregori ascendía y descendía debajo de la manta.

Gregori notó primero el hambre, luego dolor. Bloqueó ambas sensaciones y evaluó el estado de su cuerpo. Había perdido mucha sangre, pero Savannah la había repuesto. Necesitó unos breves momentos para concentrarse, entrar en sí mismo y curar las heridas abiertas. Pese a la sangre que le había dado Savannah, necesitaba desesperadamente más cantidad. Sólo cuando hubo cerrado las lesiones, para no perder más sangre, se movió un poco y luego se sentó. Podía oír los latidos de un corazón a su lado, el flujo y reflujo vital precipitándose incitante, una llamada a sus colmillos que empezaban a crecer de necesidad.

De forma automática, buscó con su mente a Savannah. Ella le había salvado. Se estaba acostumbrando a que le hiciera regresar de los momentos difíciles. A esta mujer no le faltaba coraje. Encontró su luz vital acurrucada en un pequeño rincón de su mente. Se había expuesto al borde de la muerte para poder devolverle la vida a él. Con una maldición, retiró la manta y apartó a un lado la de Savannah. La aproximó para examinar cada centímetro de su cuerpo.

El fuerte e insistente latir de aquel corazón estaba muy próximo, tan lleno de la efusión vital que atrajo su atención. Gregori volvió poco a poco su cabeza y vio a Gary mirándole desde la entrada de la cueva. Sabía que estaba ahí, sabía que era Gary quien les había sacado del pantano y había encontrado este lugar oscuro y seguro donde dormir.

—Te debo mucho —saludó Gregori en voz baja al humano. El hambre le corroía de nuevo, notaba cómo se afilaban sus colmillos como reacción. Su compañera necesitaba sustento de inmediato—. Quédate con ella mientras salgo de caza.

Gary respiró hondo y soltó una lenta exhalación:

—Puedes beber mi sangre. Sabía que te despertarías hambriento.

El gesto duro de la boca de Gregori se suavizó por un momento.

—No es sólo hambre, amigo mío. Es necesidad. Savannah también siente necesidad. Podría ser peligroso en este estado. Nunca pondría en peligro tu vida.

—Confío en ti, Gregori —dijo Gary con sinceridad, sorprendido de que así fuera.

Gregori le esquivó para ir a la salida.

—Eres un hombre raro, Gary Jansen. Es un privilegio conocerte, tenerte como amigo. Por favor ocúpate de mi pareja mientras salgo a cazar.

Gregori pasó de largo, con un mero roce, pero el contacto le produjo un escalofrío que le descendió por la columna. Gregori olía a salvaje y peligroso, como un despiadado animal depredador. Gary desconocía por qué sabía cuál era la diferencia, pero en ese momento Gregori era más bestia que hombre. Sólo cuando él salió, cambiando de forma ante sus ojos y transformándose en un ave de presa, Gary cayó en la cuenta de que las terribles heridas que antes cubrían el cuerpo del carpatiano ya se habían curado. Observó el ave rapaz elevándose en el viento hasta que fue una mera mota en el cielo.

Gary se movió como pudo por el suelo de tierra, encorvado para no darse con la cabeza en el techo. Se sentó al lado de Savannah y esperó. No tuvo que esperar mucho a que el ave regresara volando. Gary no podía apartar la vista de las plumas iridescentes que titilaban mientras se transformaban en un hombre sólido como una roca.

Gregori se acercó a través de los cipreses, alto, saludable, en plena forma. Incluso su ropa estaba inmaculada. Tenía el pelo reluciente de limpio, recogido en la nuca con la tira de cuero. Su mirada plateada era clara, y una vez más su rostro era una máscara de sensual belleza.

—Gary —su voz, como siempre, era pureza y fuerza—, por favor déjanos solos unos momentos.

—¿Se pondrá bien? —preguntó Gary temeroso. No había podido resistirse y había comprobado varias veces su pulso.

—Tiene que ponerse bien —respondió Gregori en voz baja.

La voz parecía terciopelo, pero entonces algo en ella le provocó un escalofrío de aprensión. Si algo le sucedía a Savannah, comprendió Gary, nadie, nada en el mundo, volvería a estar a salvo del carpatiano. No lo había considerado antes, pero lo sabía con plena convicción. Salió agachándose del espacio comprimido y se fue andando a cierta distancia de la cueva. Los ruidos nocturnos le molestaban un poco, eran extraños y sobrecogedores.

Gregori cogió a Savannah en sus brazos con ternura. *Ven conmigo, vida mía, mi aliento. Despierta y quédate conmigo.* Dio la orden y, nada más su corazón empezó a palpitar, pegó su boca a la garganta de Savannah. *Bebe,* ma petite. *Bebe y restituye lo que antes me has dado desinteresadamente.*

Savannah volvió la cabeza, su primer aliento fue un suspiro cálido contra la garganta de Gregori. Se acurrucó junto a él, aún somnolienta y débil por la falta de sangre. Saboreó su piel con la lengua y le acarició el pulso. El cuerpo de Gregori entró en tensión de un modo alarmante cuando los dientes de Savannah le atravesaron con aquel placer candente. Su piel recuperó el calor poco a poco, pasó de un tono lívido a un brillo saludable. Echó sus brazos al cuello de Gregori y le retuvo allí, ajustando su cuerpo al de él, con la agitación ansiosa del hambre y la necesidad.

Savannah cerró los pinchazos del cuello de su pareja de vida y dejó un rastro de besos sobre su garganta hasta llegar a su mentón, donde encontró la comisura de sus labios. Gregori le cogió la cabeza y la mantuvo quieta para dominarla con su boca, invadido por una necesidad tan elemental como el viento.

—Pensaba que te había perdido —le susurró a su corazón, a su alma—. Pensaba que te había perdido.

—¿Siempre vendrás a sacarme de los problemas en que me meto? —le preguntó él atragantado por una fuerte emoción incontrolable que bloqueaba su garganta.

Una pequeña sonrisa se formó en la tierna boca de Savannah.

—Quieres decir que siempre voy a cubrir tu retaguardia.

Él gimió de placer al oír su terminología.

—*Je t'aime*, Savannah. Más de lo que jamás podré expresarte con palabras, del idioma que sean. —La abrazaba con fuerza, resguardándola contra su corazón. Ella era su mundo, siempre lo sería. Era su risa, su luz. Le ensañaba a pasar con facilidad de un mundo a otro. Le daba una fe en los seres humanos que nunca antes había sentido.

Como si ella leyera su pensamiento, le sonrió feliz.

—Gary no nos falló, ¿verdad?

—En absoluto, *ma petite*. Y Beau La Rue tampoco lo ha hecho tan mal. Ven, no podemos dejar al pobre hombre yendo de un lado a otro por ahí en el pantano. Se piensa que estamos haciendo algo más que conversar.

Savannah se apretó contra él con picardía y deslizó sus manos provocadoras y tentadoras sobre la tensión que crecía en sus pantalones.

—Y ¿no es así? —preguntó con esa demoledora sonrisa sensual que a él le resultaba irresistible.

—Tenemos que hacer mucho trabajo de limpieza por aquí, Savannah —dijo con severidad—. Y también es preciso avisar a nuestra gente; tenemos que divulgar la lista de la sociedad entre nuestras filas y advertir a quienes estén en peligro.

Ella le estaba desabrochando los botones de la camisa para poder apartar la tela a un lado y examinar su pecho y hombros, donde se habían producido dos de las peores heridas. Tenía que ver su cuerpo con sus propios ojos y tocarle para asegurarse de que estaba del todo restablecido.

—Sugiero que, por el momento, tu principal tarea sea crear algo con lo que tener entretenido a Gary durante un rato para que podamos disfrutar de un poco de intimidad. —Con un suave movimiento, se sacó la camisa y sus pechos plenos relucieron tentadores ante los ojos de él.

Gregori soltó un sonido que se encontraba entre el suspiro y el gemido. Levantó las manos para tomar el peso de sus senos en las palmas de sus manos, para sentir su suave piel de satén, tan plácida tras la tortura violenta de la sangre mancillada. Acarició con los pulgares los pezones sonrosados que se convirtieron en duras puntas. Indefenso, inclinó la cabeza poco a poco sobre la erótica tentación; era incapaz de hacer otra cosa. Necesitaba, tanto como ella, que sus cuerpos se fusionaran después de una provocación tan directa. Sentía cómo crecía la excitación, el calor líquido que se precipitaba por el cuerpo de ella sólo con sentir la boca de Gregori tirando con fuerza de su pecho.

Gregori la acercó todavía más a él, sin dejar de recorrer el cuerpo de Savannah con sus manos impacientes. El ansia de ella avivaba la suya.

—Gary —susurró Savannah—. No te olvides de Gary.

Gregori maldijo en voz baja, mientras le sujetaba la cadera para poder despojarla de las ropas ofensivas que cubrían su cuerpo. Dedicó unos segundos de atención al humano y le guió lejos de la cueva. La suave risa de Savannah era juguetona.

—Te recuerdo lo que ya te dije, pareja: siempre me estás quitando la ropa.

—Entonces deja de ponerte estas malditas cosas —respondió con brusquedad, sujetándola por la delgada cintura para buscar con su boca el estómago plano de Savannah—.

Algún día mi hija crecerá justo aquí —dijo en voz baja mientras le besaba el vientre. Le sujetó también los muslos para explorar ahí con facilidad, sin interrupción—. Una niña preciosa con tu belleza y mi temperamento.

Savannah se rió un poco, acunando la cabeza de él con cariño.

—Será una combinación interesante. Y ¿qué problema hay con mi temperamento? —Se retorcía bajo el ataque de las manos y la boca de Gregori, y arqueó el cuerpo para entregarse más plenamente a sus cuidados.

—Eres una mujer perversa —le susurró—. Tendría que matar a cualquier hombre que tratara a mi hija del modo que yo te estoy tratando.

Savannah soltó un grito, tensando el cuerpo de placer.

—Da la casualidad de que me gusta la forma en que me tratas, pareja mía —respondió quedamente, y volvió a gritar cuando Gregori unió sus cuerpos y sus mentes, sus corazones y sus almas.

El futuro tal vez fuera incierto, con la sociedad siguiendo los pasos a los miembros de su especie, pero sus fuerzas combinadas eran más que suficiente para salir adelante. Y juntos podrían enfrentarse a cualquier enemigo y garantizar la continuación de su raza.